D0540124

LES PATRIOTES

***

LES PATRIOTES

Suite romanesque en quatre volumes

Les ouvrages publiés de Max Gallo
sont cités à la fin de ce volume.

Max Gallo

LES PATRIOTES

Suite romanesque

34.⁹⁵

Le Prix du sang

***

Fayard

Ceci est un « roman d'Histoire » qui essaie de « peindre des choses vraies par des personnages d'invention » (Victor Hugo, 1868). Toute ressemblance entre ces derniers et des hommes et des femmes ayant vécu ces années majeures serait fortuite. Et il en irait de même pour les situations évoquées ici. Il s'agit d'un roman ! Mais sa matière est l'Histoire vraie ! Le tableau n'est pas le sujet peint, et l'est pourtant.

M.G.

Au lendemain de la Libération, la France posera à chacun de ses fils la question : « Qu'as-tu fait pour moi, dans le temps de la honte et de la misère ? »

HENRI FRENAY,
La nuit finira.

« Et des millions de Français se préparent dans l'ombre à la besogne que l'aube leur imposera.

Car ces cœurs qui haïssaient la guerre battaient pour la liberté au rythme même des saisons et des marées, du jour et de la nuit... »

ROBERT DESNOS.

Première partie

1.

Ce matin du mercredi 7 octobre 1942, alors que le mistral qui avait soufflé toute la nuit venait de tomber d'un seul coup, comme si on avait enfin refermé une fenêtre, en quelques minutes l'atmosphère était devenue pesante, presque moite. Bertrand Renaud de Thorenc avait vu des hommes casqués, gendarmes ou gardes mobiles, qui, le mousqueton à l'épaule, barraient le boulevard du quai de la Ligne qui longe les remparts d'Avignon et borde le Rhône.

Il avait continué à pédaler, mais si lentement qu'à plusieurs reprises il avait failli perdre l'équilibre.

Il s'était accroché aux ridelles d'une camionnette qui roulait au pas et s'arrêtait souvent, comme les charrettes, les camions, les cyclistes, les voitures, tous ralentis par le barrage policier.

Il s'était penché. Certains gendarmes contrôlaient les véhicules un à un et semblaient procéder à un examen minutieux des papiers. D'autres, en revanche, les laissaient passer sans même jeter un coup d'œil aux documents qu'on leur tendait, puis, tout à coup, sans motif apparent, eux aussi devenaient tatillons.

Thorenc s'était redressé, tenant le haut du guidon d'une main, bras tendu.

13

Il avait contemplé le fleuve. L'eau brunâtre charriait des branches d'arbres et tourbillonnait autour des piles du pont Saint-Bénézet, tronqué ainsi qu'un moignon incapable d'empoigner l'autre rive. Et alors que la camionnette redémarrait, l'entraînant, Thorenc pensa qu'il risquait d'en être ainsi de sa vie, tranchée net. Son sort dépendait de ces hommes en uniforme noir dont l'acier des casques et des armes, le cuir des ceinturons et des cartouchières luisaient dans le soleil matinal.

Il lui parut avoir déjà pressenti que son destin pouvait se briser en cette matinée du 7 octobre 1942.

Il avait quitté le mas Barneron dès le lever du jour.

Les rues du village de Murs étaient envahies par un troupeau de moutons qui descendaient du plateau par la draille qu'il avait souvent empruntée pour se rendre jusqu'à la chapelle.

Là-haut, il était seul. Il n'entendait plus le bavardage de Léontine Barneron. Il ne répondait plus aux questions de Daniel Monnier qui s'impatientait parce que Londres ignorait les demandes de parachutage d'armes et d'argent et n'accusait pas réception des messages que le radio réitérait trois fois par jour.

Il n'avait plus à calmer Jacques Bouvy qui passait une partie de la journée à nettoyer ses deux revolvers ainsi que la mitraillette Sten, et s'indignait qu'aucun mouvement de Résistance ne songeât à lancer un coup de main contre Vichy. Au mois d'août, les Anglais et les Canadiens, épaulés par les hommes des Forces françaises libres, avaient réussi à prendre pied à Dieppe, simplement pour évaluer les défenses allemandes. Est-ce qu'on ne pouvait pas agir de même à

Vichy, se lancer à l'assaut de l'hôtel Thermal, siège de ce que les vichystes osaient appeler le ministère de la Guerre ? Et pourquoi pas de l'hôtel du Parc où Pétain somnolait ? ou encore de l'hôtel Albert-Ier ? On avait des chances d'abattre le général Xavier de Peyrière, le Maréchal, Laval, l'amiral Darlan, voire le ministre de l'Intérieur Pucheu, et Cocherel, le directeur de la Surveillance du territoire ! Ça valait bien qu'on sacrifie sa vie, non ?

— Qu'en pensez-vous, Thorenc ? interrogeait Jacques Bouvy.

Bertrand préférait s'éloigner, ne pas avouer qu'il avait lui-même songé à une action solitaire et suicidaire : tuer Xavier de Peyrière, Pucheu ou Cocherel, l'un de ces hommes qui avaient ouvert la zone non occupée aux agents de la Gestapo et de l'Abwehr.

À présent, les nazis sillonnaient les routes à la recherche des postes émetteurs de la Résistance. Et Monnier avait été contraint de réduire la durée de ses émissions pour ne pas être repéré.

Bouvy avait remarqué des voitures suspectes, stationnant sur des chemins de campagne, dans les environs de Carpentras et de Gordes, non loin de l'abbaye de Sénanque.

— *Ils* nous cherchent, avait-il dit.

C'étaient Bousquet, le secrétaire général de la police, Laval et Peyrière qui leur en avaient donné les moyens.

Thorenc s'était borné à conclure :

— D'ici quelques semaines, il n'y aura plus de zone libre.

C'étaient quelques mots de trop qui avaient suffi à Bouvy et Monnier pour s'emporter et se mettre à questionner avec anxiété. Était-ce là une hypothèse, une rumeur ou bien une information ? Si Londres ne répondait pas aux messages et ne parachutait pas d'armes, n'était-ce pas parce qu'une vaste opération militaire se préparait ? Un débarquement en Afrique du Nord ?

Thorenc s'était tu.

Il ne savait rien de précis, mais n'oubliait pas les propos que Thomas Irving et John Davies lui avaient tenus sur les bords du lac de Genève. L'agent de l'Intelligence Service et celui de l'Office of Strategic Service, l'OSS, n'avaient pas même essayé de dissimuler la stratégie de l'Angleterre et des États-Unis : occuper la rive sud de la Méditerranée, placer à la tête des troupes françaises d'Afrique du Nord le général Giraud, se débarrasser ainsi de De Gaulle en créant à Alger une sorte de gouvernement vichyssois sous contrôle américain — et si Pétain et Darlan voulaient se joindre à Giraud, pourquoi pas ? On les honorerait à l'instar de héros, et tant pis pour les otages qu'ils avaient laissé fusiller ! Oubliée, la collaboration avec l'Allemagne, et vive la collaboration avec les États-Unis !

Chaque fois qu'il songeait à cette éventualité, Thorenc éprouvait un sentiment de révolte et d'impuissance.

Il était là, dans ce mas Barneron, avec Jacques Bouvy et Daniel Monnier. Ils disposaient à eux trois d'une mitraillette, de quatre revolvers et d'un émetteur radio. Ils devaient attendre...

Et, pendant ce temps-là, les agents allemands munis de cartes d'identité françaises, de voitures immatriculées à Marseille ou en Avignon, préparaient l'entrée en zone non occupée des divisions allemandes qui avaient été regroupées dans la région de Dijon. Ils dressaient les listes des résistants à coffrer, et les policiers des Brigades spéciales du commissaire Antoine Dossi, ceux qui avaient arrêté, humilié, battu Thorenc, leur communiquaient leurs fichiers, puis les accompagnaient lors des arrestations.

Et, pendant ce temps-là, on avait fusillé en moins d'un mois plus de mille personnes au mont Valérien, à Nantes, à Bordeaux. Sans compter tous les suppliciés dont on ignorait le martyre. Karl Oberg, le chef des polices allemandes, annonçait : si les « criminels », les « terroristes » coupables d'actes hostiles à l'armée allemande ne se présentent pas aux autorités d'occupation, « tous les proches parents masculins en ligne ascendante et descendante ainsi que les beaux-frères et cousins à partir de dix-huit ans seront fusillés. Toutes les femmes du même degré de parenté seront condamnées aux travaux forcés. Tous les enfants, jusqu'à dix-sept ans révolus, des hommes et des femmes frappés par ces mesures seront remis à une maison d'éducation surveillée ».

Oberg était l'interlocuteur habituel de Bousquet, Cocherel, Pucheu et du général Xavier de Peyrière. Ils établissaient ensemble des plans d'action. Ils dînaient ensemble.

Et, pendant ce temps-là, les enfants juifs raflés par la police française en zone libre étaient conduits en zone occupée, convoyés par des hommes casqués en uniforme noir, mousqueton à l'épaule, pareils à ceux qui barraient la chaussée entre les remparts d'Avignon et le Rhône.

Ces mêmes hommes qui allaient décider de sa vie.

Thorenc avait d'abord roulé contre le mistral, puis avait été poussé par lui en direction de Carpentras et d'Avignon.

Avant de partir, il avait révélé à Bouvy et Monnier qu'il avait rendez-vous, en face du palais des Papes, avec Pierre

Villars, peut-être aussi avec Jean Moulin. S'il ne revenait pas le lendemain au mas Barneron, il fallait qu'eux-mêmes en déguerpissent, car cela signifierait qu'il avait été arrêté, et nul ne pouvait être sûr de résister à la torture ; d'autant que les hommes du commissaire Dossi étaient aussi sadiques que les Allemands.

Tout en pédalant, Thorenc avait pensé que dans trois mois jour pour jour, le 7 janvier 1943, il aurait trente-neuf ans et aurait donc probablement dépassé le mitan de sa vie. Puis, traversant le vignoble, courbé sur son guidon, il s'était demandé s'il parviendrait même jusque-là.

Parfois, profitant d'une descente, il s'était redressé pour reprendre souffle, regarder le soleil se lever derrière le Ventoux, oublier un instant, dans le vent de la vitesse et la beauté rose de l'horizon où se découpaient les dentelles de Montmirail comme des chevaliers en armures gris fer montant la garde, l'inquiétude qui le tenaillait.

Puis il baissait la tête, se courbait et recommençait à pédaler à vive allure, car il savait que Pierre Villars et Jean Moulin ne l'attendraient pas plus de cinq minutes au-delà de l'heure convenue.

Et il se reprenait à songer à ces trois mois, jour pour jour, qui le séparaient de ses trente-neuf ans. Il se disait que, même s'il survivait, il ne pourrait guère envisager de vivre avec Claire Rethel, âgée d'à peine vingt et un ans. Mais peut-être était-elle morte, défiant les policiers, leur déclarant qu'elle se nommait en fait Myriam Goldberg et qu'elle voulait subir le sort des Juifs ?

Dans la seule lettre qu'elle lui avait adressée, elle avait écrit :

Quand mon visage me vaudrait la mort
Je ne peux vivre sous le masque
Puisque ceux qui me ressemblent
Sont jetés dans la souffrance...

Mais, s'ils l'avaient tuée, lui-même tuerait Cocherel, Pucheu, Xavier de Peyrière ou Dossi, n'importe lequel de ceux qui collaboraient avec la barbarie.

De sa main gauche, il avait palpé la sacoche placée sur son porte-bagages et dans laquelle il avait glissé un revolver après l'avoir enveloppé dans une écharpe.

Pour l'heure, accroché à la ridelle de la camionnette, il pouvait, en se retournant, voir cette sacoche retenue par des sangles. Et, devant lui, à environ deux cents mètres, il apercevait les casques et le canon des mousquetons des hommes en uniforme noir.

La camionnette s'était arrêtée à nouveau, le chauffeur avait sorti la tête et s'était penché hors de la portière.

C'était un homme d'une cinquantaine d'années au visage maigre, un béret délavé enfoncé jusqu'aux sourcils. Les rides qui striaient sa peau brune y dessinaient comme de fines cicatrices plus claires. Il avait regardé Thorenc, puis, montrant d'un hochement de tête le barrage, il avait lâché d'une voix rauque :

— Ils feraient mieux de contrôler les Allemands ! Il y en a déjà partout. Ils tournent dans la campagne comme des chiens courants. Bientôt ils nous occuperont, comme en haut. Vous croyez que ceux-là — il avait désigné les gendarmes — vont les empêcher d'entrer ? Ils leur indiqueront plutôt la route et feront la circulation pour leurs tanks ! Et ils continueront de nous emmerder, c'est moins dangereux, et on les décorera de la Croix de fer !

Peut-être mû par la tentation de lever le poing, il avait esquissé un geste vite interrompu, puis avait repris :

— Ils n'ont qu'à partir travailler en Allemagne ! C'est eux qui devraient faire la relève et remplacer nos prisonniers. Pas nos jeunes !

Thorenc n'avait pas répondu, et l'homme avait rentré la tête dans la cabine de son véhicule.

Bertrand avait regardé de nouveau le pont brisé. Non, il ne fallait pas que sa vie s'arrête là.

Il était descendu lentement de bicyclette, avait décroché les sangles retenant sa sacoche, puis s'était approché de l'arrière de la camionnette.

Des cageots entassés entre les ridelles montait une odeur douceâtre de fruits trop mûrs, de figues et de raisins écrasés.

Il avait glissé la sacoche sous les cageots sans même un regard à la ronde, comme s'il accomplissait un acte dénué d'importance, puis il avait repris son vélo, et, d'un coup de pédale, s'était élancé jusqu'à la cabine.

Le paysan l'avait dévisagé, les avant-bras appuyés au volant.

— Mettez aussi la bicyclette, avait-il murmuré. Et montez.

Quand la camionnette avait redémarré, Thorenc s'était laissé glisser le long de la ridelle, puis, profitant d'un nouvel arrêt, il avait calé son vélo entre les cageots.

Dans la cabine, le paysan ne lui avait plus adressé la parole et ne l'avait même pas regardé.

Le barrage franchi, il s'était mis à siffloter sans que son passager pût même reconnaître de quel air il s'agissait au juste, peut-être un chant de guerre ou quelque hymne révolutionnaire.

Thorenc avait aperçu, garées le long des remparts à la hauteur du barrage, deux voitures noires, et une poignée d'hommes parmi lesquels il lui avait semblé reconnaître des policiers des Brigades spéciales du commissaire Antoine Dossi.

Le paysan avait tourné à gauche et était entré dans le vieil Avignon. Il s'était arrêté sur une placette au sol jonché de feuilles mortes.

— Si vous voulez quelques fruits, avait-il dit, prenez-les avec le reste.

Il avait cligné de l'œil et souri, montrant des dents ébréchées, jaunies par le tabac.

— Je m'appelle Garel, Victor ; je suis de Sainte-Cécile-les-Vignes. On me connaît, là-bas.

En descendant, Thorenc s'était contenté de lever la main : l'émotion lui étreignait trop la gorge pour qu'il pût prononcer une parole.

2.

À chaque fois que Thorenc aperçoit un tombereau de raisin noir et voit osciller au sommet les grappes dont certaines glissent et s'écrasent sur la chaussée, il pédale plus vite pour le dépasser, éviter de déraper sur cette traînée gluante où se mêlent le crottin des bêtes de trait et la pulpe verdâtre des grains.

Il double la file des vendangeurs qui parfois le saluent d'un geste las, mais l'odeur entêtante du raisin foulé le poursuit.

Il se souvient alors des cageots de fruits trop mûrs entassés dans la camionnette. Il ralentit et se redresse, mains posées en haut du guidon ; il aspire l'air doux de la nuit qui s'avance, drapant d'une cape noire les dentelles de Montmirail qui paraissent s'éloigner.

Comme pour ne jamais l'oublier, il répète le nom de cet homme : Victor Garel, Victor Garel, Victor Garel... Il se penche à nouveau et pédale, le pied cambré, poussant de toutes ses forces. Il lui semble qu'il a vécu aujourd'hui l'un des moments les plus intenses de sa vie, quand un inconnu prend le visage du Destin.

Il raconte l'épisode à Pierre Villars qu'il retrouve à cette terrasse de café en face de l'entrée du palais des Papes.

Dans un accès d'impatience, Villars l'interrompt et murmure, tout en lançant des regards à la ronde comme s'il craignait qu'on ne l'entendît :

— Vous avez eu de la chance, et cela fait déjà plusieurs fois. Vous êtes irresponsable de transporter une arme avec vous ! Vous n'êtes pas seul, Thorenc, vous faites partie d'un groupe. Si on vous arrête en possession de ce revolver, c'est pire qu'une preuve : un aveu. On vous fera parler. On fera parler vos faux papiers. On remontera toute la filière jusqu'à l'imprimeur. C'est peut-être une connerie du même ordre qui a fait découvrir le laboratoire de mon frère, permis l'arrestation de plusieurs personnes, et le démantèlement du réseau que Philippe avait mis en place en gare de Perrache, donc compromis nos possibilités de sabotage au moment où les Allemands s'apprêtent à envahir la zone Sud.

— Est-ce si sûr ? demande Thorenc.

— Qu'est-ce que vous voulez que je vous dise ? répond Villars. Ils veulent occuper toute la France et contrôler la côte méditerranéenne, parce qu'ils savent parfaitement, comme nous, que les Anglo-Américains préparent quelque chose en Afrique du Nord.

Il pose la main sur la sacoche que Bertrand a placée sur ses genoux.

— Quelle est votre intention, Thorenc ? Conduire en anarchiste votre guerre privée ?

Villars approche son visage de celui du journaliste et martèle :

— La Résistance, ce n'est pas la somme d'actes individuels que chaque Français peut accomplir au gré de sa fantaisie, de ses intérêts ou de ses pulsions. Si vous en avez cette idée-là, coupez tous les ponts avec nous, brûlez tous vos papiers, les vrais et les faux, et tuez le premier soldat allemand venu — en vous faisant tuer par la même occasion, bien sûr !

Il pointe le doigt vers Thorenc.

— Mettez-vous dans la tête que vous faites partie de l'Armée secrète, celle que Max, moi et beaucoup d'autres tentons de mettre sur pied. Et nous espérons y parvenir si des comportements comme le vôtre ne nous précipitent pas trop vite dans les caves de la Gestapo. Écoutez-moi...

Il baisse la voix pour expliquer qu'il est arrivé tôt, ce matin, en Avignon. Il a tout de suite repéré les camions de gendarmes, compris qu'il allait y avoir une opération de contrôle aux différentes portes de la ville.

— Ce sont les Brigades spéciales de Dossi qui dirigent l'opération, renforcées par des hommes de la rue Lauriston, de la bande à Lafont. On nous a assuré que Bardet est passé en zone Sud avec les agents allemands qui ont reçu l'autorisation d'y opérer.

Il ferme les yeux, appuie sa nuque contre la façade, allonge les jambes. Il ressemble à un convalescent qui a laissé pousser sa barbe durant sa maladie et qui réchauffe au soleil son corps encore endolori.

— Je n'ai pas pu vous prévenir, mais j'ai pu avertir à temps Max.

Moulin attend dans une maison de la place Crillon, en face de l'hôtel d'Europe.

— Certains policiers de Marseille et de Lyon sont descendus là.

Il se lève.

— Je marche devant, dit-il.

Il s'éloigne de quelques pas, puis se retourne :

— Ne laissez pas tomber votre sacoche en plein devant l'hôtel, hein ?

Il ne sourit pas.

Il faut passer devant l'hôtel d'Europe. Thorenc aperçoit des hommes qui bavardent dans l'entrée. Une voiture est garée au beau milieu de la petite place. Un homme se tient appuyé au toit du véhicule.

Thorenc a l'impression qu'on le suit des yeux. Il pousse son vélo de la main gauche et tient sa sacoche sous l'aisselle droite. Il se défendra.

Il avance dans la courte ruelle où s'est engagé Pierre Villars. Personne ne le suit. Il découvre, fermant la rue, un petit immeuble au fronton décoré par une tête de femme solaire dont les rayons parcourent la façade entière, se brisant contre deux colonnes au haut desquelles des géants soutiennent une terrasse. La porte est entrouverte. Thorenc devine la silhouette de Villars qui lui fait signe d'entrer.

C'est la pénombre, puis, brusquement, derrière une porte, un jardin et, douceâtre, cette odeur de figues…

Max se lève. Il porte un costume gris croisé, une pochette blanche. Tirés en arrière, ses cheveux sont soigneusement peignés.

Il tend la main à Thorenc. Tout dans son attitude, son apparence révèle un souci du détail, le goût de la perfection, ainsi qu'une attention toujours en éveil.

Il interroge Thorenc sur ses rencontres en Suisse avec le banquier Stacki, les diplomates Thomas Irving et John Davies. Il sourit.

— Diplomates…, commente-t-il. Si l'Intelligence Service et l'OSS sont des sections du Foreign Office et du Département d'État, alors oui, ces deux-là sont des diplomates !

Il s'assied, fait signe à Thorenc de prendre place en face de lui. Il ne veut pas un compte rendu détaillé, Thorenc l'a déjà fait à Pierre Villars et celui-ci en a rapporté les éléments essentiels.

— Je veux votre sentiment, ou plutôt votre impression, dit-il.

— D'abord, soutien au général Giraud en vue d'une action prochaine en Afrique du Nord, répond Thorenc. Giraud prendra le commandement des troupes françaises.

Moulin écoute, soulignant chaque affirmation d'un hochement de tête.

— Espoir de voir Vichy favoriser l'action des Alliés, s'y rallier même, poursuit Thorenc. Et défiance, voire hostilité et presque mépris envers de Gaulle.

Bertrand observe Max qui frappe nerveusement le sol de la semelle de sa chaussure, puis il contemple le figuier dont les branches basses sont si surchargées de fruits qu'elles touchent terre. Il aperçoit les taches noires des figues tombées, qui ont éclaté.

— Ils ne comprennent pas, reprend Max, qu'il ne peut y avoir en France que des antigaullistes ou des gaullistes, même si, parmi ces derniers, on peut trouver toutes les nuances de la palette politique.

Il se tourne vers Pierre Villars, l'interroge sur le sens de la signature du Parti communiste au bas d'un appel contre le recensement des travailleurs français en vue de leur départ en Allemagne :

— Pas un homme pour l'Allemagne, parfait ! s'exclame Moulin. Mais pourquoi le Parti communiste est-il le seul parti à signer aux côtés des mouvements de Résistance : Franc-Tireur, Combat, Libération ? Les autres partis vont nous accabler de protestations et de réclamations.

Il sourit d'un air las et soupire :

— Communistes, socialistes, radicaux, modérés, il n'est pas un de ces partis qui ne veuille prendre date pour l'après-Libération. Et Dieu seul sait quand elle interviendra !

Puis il se détend, cesse de battre du pied.

— À mon avis, Thorenc, pas avant 1944. Il nous faudra bien deux années pour venir à bout de l'Allemagne. Et je ne sais pas dans quel état nous serons. Encore vivants ?

Il regarde longuement le journaliste, comme s'il percevait que celui-ci n'est pas allé au bout de ses remarques.

— Irving et Davies, reprend alors Thorenc, vont soutenir tous ceux qui s'opposeront au projet d'unification de la Résistance sous votre autorité. Ils vont proposer de financer les mouvements de telle manière qu'ils ne dépendent plus de vous, autrement dit qu'ils échappent à de Gaulle. Voilà le but. Il semble qu'ils soient entendus par certains. Irving prétend…

Bertrand hésite.

— Quoi ? l'exhorte Max.

— Que l'un des chefs de mouvement vous présente comme « un petit fonctionnaire appointé » — je cite…

Pierre Villars se dresse et s'exclame :

— Mais c'est indigne !

Moulin baisse la tête, le visage fermé.

— Rien n'est simple, dit-il. Les hommes sont ce qu'ils sont, et la politique est partout. Mais les gens comme Irving,

Davies et les autres oublient que la guerre n'a pas encore atteint son paroxysme.

Max se lève, va vers le figuier, cueille un fruit, l'ouvre, considère longuement la pulpe rouge.

— Nous regretterons peut-être cet automne 1942 ; il nous paraîtra si tranquille quand viendront les temps vraiment difficiles, et croyez-moi...

Il se rassied, mord dans la figue, en jette au loin la peau noire.

— ... ils viendront ! Les nazis, quand ils contrôleront tout le pays, tenteront de nous étrangler avant les combats décisifs de la Libération. Ils ont les moyens de le faire.

Il hoche la tête, lance un coup d'œil à Thorenc, puis, se tournant vers Pierre Villars :

— Votre père, explique-t-il, le commandant Villars, m'assure que le ministère de l'Intérieur de Vichy, le secrétariat général de la Police et la Surveillance du territoire, donc le trio Pucheu-Bousquet-Cocherel, ne savent comment exploiter les milliers de lettres de dénonciation qu'ils reçoivent.

Il sort un feuillet de sa poche.

— Les illusions ne se sont pas dissipées. Savez-vous ce que dit le cardinal Gerlier ? « La Providence a donné à la France un chef autour duquel nous sommes fiers de nous grouper. » Malgré les otages fusillés par centaines — cent seize, ces derniers jours, au mont Valérien —, les compromissions avec les Allemands, les lâchetés quotidiennes, le Maréchal continue d'être, aux yeux de nos prélats, un saint homme, et il fait pleurer dans les chaumières ! Évidemment, le Service du travail obligatoire en Allemagne va multiplier le nombre des réfractaires. Ici et là, des jeunes gens ont déjà constitué de petits groupes, des maquis, comme on dit, mais ils sont sans armes, ils crèvent de faim, et, cet hiver, ils crèveront de froid. Si nous ne réussissons pas à mettre sur pied l'Armée secrète ainsi qu'un conseil national regroupant toute la Résistance — et, plus largement, tous ceux qui sont opposés aux Allemands, du Parti communiste à l'extrême droite —, nous souffrirons, et la France ne reprendra pas sa place parmi les grandes puissances. Voilà ce que pense le « petit fonctionnaire appointé » !

Il se lève, invite Thorenc à le rejoindre. Il le prend par l'épaule et marche tout en lui exposant la teneur du message que le radio Daniel Monnier doit faire parvenir à Londres depuis le mas Barneron.

La tête penchée, les sourcils froncés, Thorenc s'efforce d'enfoncer chaque mot dans sa mémoire. Moulin ne croit pas à l'action antiallemande de l'armée de l'armistice. Si les *Panzerdivisionen* pénètrent en zone Sud, le général Xavier de Peyrière, le maréchal Pétain, et naturellement Laval et Darlan empêcheront toute résistance, et les armes accumulées depuis 1940 seront saisies par les Allemands qui connaissent déjà l'emplacement des dépôts.

— Les agents de la Gestapo et de l'Abwehr sont en zone Sud pour cela aussi.

— On laisse faire, alors ? murmure Thorenc. On ne se bat pas ?

— S'organiser, se rassembler, c'est déjà se battre, réplique Moulin. Quand nous aurons constitué l'Armée secrète, nous pourrons agir différemment.

Il prend le bras de Thorenc, le serre.

— Vous ne faites pas partie d'un corps franc, Thorenc, mais de l'état-major !

Il sourit.

— C'est très exposé, l'état-major d'un mouvement clandestin. C'est lui qui se trouve en première ligne. Si je vous entends bien, vous auriez envie de vous replier à l'arrière et d'utiliser le plastic et la mitraillette ? Je vous comprends : c'est moins dangereux que d'aller de l'un à l'autre, comme vous le faites, et d'avoir les polices allemande et française sur le dos ! Mais moi, j'ai besoin de vous.

Moulin a quitté le jardin. Pierre Villars invite Thorenc à s'asseoir.

— Certains barrages ne sont pas encore levés, dit-il.

Il montre la sacoche que le journaliste a appuyée contre le pied de sa chaise.

— Laissez-la ici, ordonne Villars.

D'un mouvement de tête, Thorenc refuse.

— Vous voulez quoi ? Vous faire prendre, mettre tout le monde en péril ? Je n'ai pas averti Max de votre attitude.

— Faites donc, grogne Bertrand.

Depuis le matin, il se sent plus déterminé encore, comme si l'aide que lui a apportée, sans qu'il pût la prévoir, l'inconnu au volant de sa camionnette, l'avait persuadé que ce ne sont pas la raison, la logique, le calcul qui sont déterminants, mais l'instinct, la chance, l'intuition, peut-être même la foi.

Pierre Villars a placé ses doigts joints devant son visage. Il semble hésiter, lorgnant de temps à autre du côté de la maison comme s'il était tenté d'aller prévenir Moulin de l'attitude de Thorenc.

Puis il pose ses paumes à plat sur ses genoux, et, d'une voix placide :

— Vous ne m'avez pas expliqué… Vous ne voulez pas être pris vivant ? Vous voulez vous défendre ?

Il fouille dans sa poche, en sort une petite boîte que Thorenc reconnaît bien. Il sort la sienne.

— Je ne sais pas si nous aurons le temps de croquer notre pilule, fait Villars en souriant, mais c'est moins encombrant à porter et plus facile à dissimuler qu'une arme !

Il penche un peu la tête comme s'il voulait saisir un aspect encore inconnu de la physionomie de Thorenc.

— À moins que…, reprend-il.

Il s'interrompt.

— Qui voulez-vous tuer ? lance-t-il dans un souffle.

— Me défendre, répond Thorenc. D'abord me défendre.

— Et après ? interroge Villars.

Bertrand se lève. Le soleil a décliné. Le figuier est déjà entièrement dans l'ombre, et, privé de lumière, ses branches encore plus basses, plus lourdes, il semble s'être assoupi, affaissé.

— J'ai vu mon frère, dit Villars en s'approchant de Thorenc. Philippe a une bonne planque à Clermont-Ferrand. Il a renoué tous les contacts avec les gens de son groupe, et si les Allemands occupent la zone Sud, ce qui est probable, il pourra organiser des sabotages sur l'ensemble du réseau ferroviaire.

Thorenc a croisé les bras. Il attend. Il pressent que Pierre Villars va lui parler de Claire Rethel. En serrant ses bras, ses poings, en les comprimant sous ses aisselles, il se prépare à la douleur. Il est si tendu qu'il a l'impression qu'on lui tire les épaules en arrière.

— Les gens de son groupe… ? répète Thorenc.

— Ils ont arrêté Claire Rethel, lâche d'une voix sèche Pierre Villars comme s'il voulait ne laisser percer aucune émotion.

Il s'écarte de Thorenc, hoche la tête.

— Je vous l'ai déjà dit il y a longtemps, à Paris, souvenez-vous, Thorenc ! Votre faiblesse, ce sont les liens personnels que vous nouez. Vous aimez les femmes, bon ! Mais, ainsi, vous multipliez les risques. D'abord parce que vous abandonnez toute prudence.

D'un geste de la main, il empêche Bertrand de riposter.

— Je vous ai vu agir avec ma sœur. Geneviève est une téméraire. Mais vous l'avez suivie, aidée. Et cette femme, Lydia Trajani, dont les liens avec la Gestapo — pire : avec les assassins de la rue Lauriston — sont avérés, vous n'avez pas vraiment rompu avec elle... Maintenant, c'est Claire Rethel ! Je ne comprends pas. Philippe me dit que c'est une femme remarquable, solide. Il estime que l'identité qu'il lui a fournie résistera à toute enquête. Si elle ne craque pas, ils seront contraints de ne la condamner qu'à une peine légère. Elle est tombée dans la souricière en gare de Perrache. Mais faites-lui confiance, elle s'est sûrement inventé une bonne raison...

Il ajoute, la bouche un peu tordue :

— Peut-être a-t-elle prétendu qu'elle était la maîtresse de Philippe ? Ça ne vous choque pas ? Vous n'êtes pas jaloux, par-dessus le marché ! Si vous mêlez passion et action clandestine, vous devenez très dangereux pour nous tous, Thorenc !

Bertrand ne souhaite pas répondre. Pierre Villars cherche à l'atteindre. Il ne faut penser qu'au sort de Claire, imaginer ce qu'elle deviendra si les Allemands occupent la zone Sud.

— Et si la Gestapo... ? murmure-t-il.

Pierre Villars ferme les yeux comme si la fatigue tout à coup l'écrasait.

— Quand ils arriveront jusqu'ici, ils auront beaucoup à faire, indique Villars en soupirant. Ils ne s'occuperont des prisonniers de petit calibre qu'après nous avoir tous arrêtés et liquidés. Ce qui laisse une assez grande marge de temps, n'est-ce pas ?

Thorenc ramasse sa sacoche.

— On n'a jamais assez de temps, réplique-t-il. Je veux la sortir de là.

— Avec ça ? demande Villars en désignant la sacoche. Vous comptez prendre d'assaut la prison Saint-Paul ?

Thorenc s'éloigne sans répondre, prend le vélo qu'il a rangé dans le hall d'entrée. Villars le rejoint.

— Je n'aime pas votre état d'esprit, poursuit-il. Vous êtes décidément un *maverick*, comme disent les Anglais. Il n'existe pas de bonne traduction : ce sont ces chevaux sauvages qui courent en dehors de la horde, qu'on ne peut dresser, et qui, à la fin, se jettent du haut d'une falaise et se brisent les jambes.

— Elle est donc à Saint-Paul…, marmonne Thorenc.

La ruelle est déserte. Il attache sa sacoche au portebagages. Il va devoir traverser la place Crillon. Déjà, dans la pénombre, il aperçoit de nouveau la voiture.

— Dans cette opération, les Brigades spéciales ont collaboré avec les inspecteurs de la Surveillance du territoire, précise Villars.

Il retient Thorenc :

— Les hommes de votre ami Cocherel…, ajoute-t-il d'un ton méprisant.

Thorenc se dégage brutalement. Cette allusion l'indigne. Villars n'ignore pourtant pas qu'il a été conduit devant Cocherel entre deux policiers. Et que l'entretien n'avait d'autre but que de semer le trouble parmi les mouvements de Résistance. Mais qu'importe à Pierre Villars ! Ce qu'il veut, c'est marquer un point. Telle est la règle du jeu dans les états-majors.

Thorenc pense à cet inconnu qui l'a aidé ce matin, sans calcul, en prenant des risques majeurs.

Il s'élance, debout sur les pédales.

Comme il préfère la spontanéité des gens d'en bas à l'habileté, aux stratégies, aux arrière-pensées de ceux d'en haut !

Il roule maintenant à vive allure. Il fait encore jour. Mais l'obscurité progresse. Il arrivera au mas Barneron tard dans la nuit.

Il franchit l'une des portes de la ville, celle dite du Rocher. Il longe les remparts. Les boulevards sont vides. Il jette un regard au pont Saint-Bénézet. Il se penche en avant et veut rouler plus vite encore, comme s'il prenait son élan pour, d'un bond, franchir le fleuve.

3.

Thorenc marche entre les grands platanes qui bordent une allée plus noire que la nuit, pareille à une jetée s'avançant dans l'étendue blanchâtre du vignoble. La lune pleine semble imposer le silence à la campagne et il n'entend que le froissement des feuilles mortes qu'il piétine et lacère.

Il va vers l'un des arbres, heurte un amoncellement de feuilles repoussées par le vent en bordure de l'allée. Il s'appuie au tronc du platane, contemple les vignes figées dans la clarté nocturne, que surplombent à l'horizon les dentelles de Montmirail, ces chevaliers à la silhouette imprécise chevauchant sous la lune.

Il entend un pas, un souffle. Il se retourne. Il aperçoit d'abord ce point rouge qui, par à-coups, devient plus vif, et il sent, mêlé à l'odeur du raisin, l'âcre parfum du tabac.

Victor Garel s'arrête près de lui.

— Comment vous m'avez trouvé ? demande-t-il.

— Je ne sais pas, répond Thorenc.

Il pourrait expliquer qu'il arrive de Bollène, qu'il a vu le panneau annonçant Sainte-Cécile-les-Vignes. Il a ralenti. Devant lui, la route allait droite et grise entre les vignes. Puis il a aperçu au milieu du vignoble cette bastide pareille à un navire, et l'allée de grands platanes lancée jusqu'à la route.

Sur l'aire, il a distingué les touffes des palmiers et les deux gros figuiers. Il a pensé à l'odeur de fruits écrasés qui montait des cageots entassés dans la camionnette. Il a regardé dans le rétroviseur afin de s'assurer qu'il n'était suivi par aucune voiture, et il a tourné d'un brusque coup de volant, s'engageant ainsi dans l'allée, roulant vite à nouveau malgré les cahots, sûr de ne pas s'être trompé. Il a découvert une remise, à droite de l'aire, et y a garé la voiture, rassuré par le fait qu'on ne pouvait la repérer de la route. De hauts massifs de lauriers cachaient cette partie des dépendances de la bastide.

Une femme est sortie de la maison. Elle est restée quelques minutes sur le seuil, s'essuyant les mains à son tablier noir, puis elle s'est avancée vers Thorenc.

Elle avait une cinquantaine d'années, les cheveux gris tirés en arrière, rassemblés sur la nuque en un gros chignon. Ses traits étaient réguliers, sa peau lisse. Thorenc s'est dit qu'elle était modeste et fière comme sa maison, comme Garel.

Il a déclaré :

— Je cherche Victor Garel, j'ai besoin de son aide.

Elle a murmuré sans qu'il en soit aucunement surpris :

— C'est ici, vous êtes chez les Garel. Je suis sa femme.

Thorenc l'a regardée intensément comme pour vérifier qu'il ne rêvait pas, qu'il vivait une fois de plus un moment exceptionnel, un de ces moments qui se succédaient depuis le matin du mercredi 7 octobre 1942, quand il avait aperçu ce barrage d'hommes en uniforme noir entre les remparts d'Avignon et le Rhône.

Il a été parcouru d'un frisson, comme s'il prenait soudain conscience du temps qu'il perdait, fasciné par sa propre histoire, à contempler cette femme qui pouvait en incarner le plus récent épisode.

Il s'est précipité, a ouvert la portière arrière et tendu les mains, espérant que Claire Rethel, allongée sur la banquette, allait les voir, les saisir. Mais elle n'a pas bougé. Et, en découvrant de nouveau son visage tuméfié, ses yeux comme deux taches violacées, Thorenc a repensé à Joseph Minaudi qu'après chaque interrogatoire les inspecteurs des Brigades spéciales rejetaient au fond de sa cellule. C'étaient les mêmes qui avaient dû rouer de coups Claire Rethel.

Bertrand s'est penché, a glissé sa main sous la taille de la jeune femme, puis l'a soulevée, serrant ce corps contre le sien, le tirant hors de la voiture.

La tête de Claire ballotte de droite et de gauche ; d'une main glissée sous sa nuque, il la soutient, puis la maintient contre son épaule.

Ce corps, s'il n'avait été si chaud, aurait pu être celui d'une morte.

Thorenc a tourné les yeux vers l'épouse de Garel, puis, les baissant soudain, il a remarqué les rayures sanglantes qui balafraient le dos du chemisier bleu de Claire. On avait dû la fouetter.

Il s'est avancé vers la maison, puis s'est arrêté avant d'entrer. Madame Garel, restée près de la voiture, s'est alors précipitée.

Les mains jointes comme pour une prière, elle a dit, les yeux agrandis :

— Mon Dieu, c'est pas humain de faire ça !

— Cette fille…, commence Garel.

Bras tendu, il a appuyé sa main à l'arbre contre lequel Thorenc est adossé. Leurs visages sont ainsi assez proches, mais ils ne distinguent guère leurs traits. Ce qui reste de feuilles attachées aux branches des platanes suffit à arrêter l'éclat de la lune.

— Cette pauvre fille…, reprend Garel.

Le bout rouge de sa cigarette devient plus vif. Il ajoute :

— Si on les tient un jour, ceux-là…

Thorenc tourne la tête. Il voudrait dire qu'il a déjà tué deux de ces hommes-là. Il voudrait voir le visage de Garel à l'instant où il lui ferait cet aveu. Il voudrait que Garel le prenne par les épaules, le réconforte, lui dise qu'il aurait agi de la même façon.

Mais il renonce à se confier. Il murmure :

— Elle est juive. Mais ses papiers sont au nom de Claire Rethel. Appelez-la Claire. Elle était en prison à Lyon. On a pu la faire sortir. Voilà. Il faut la cacher, la soigner : vous avez vu son état. Je viendrai la rechercher dès qu'elle ira mieux et dès que je le pourrai.

— Le temps qu'il faudra, acquiesce Garel.

Il fait quelques pas dans l'allée, puis s'en revient vers Thorenc.

— Qui aurait cru qu'un jour on vivrait ça, ici, en France ?

Puis il se met à parler vite tout en entraînant Bertrand vers la maison :

— Il faut partir dans la nuit, avant que les vendangeurs et les voisins ne se lèvent avec l'aube. On n'a pas que des amis ! Il se trouve toujours quelqu'un qui veut vous voir mort parce que vous avez cent pieds de vigne de plus que lui ! Celui-là, il parlera aux gendarmes. Eux, je ne les crains pas, ils m'avertiront. Mais on peut aussi écrire plus haut. Il y a les Allemands qui rôdent déjà. J'en ai vu, à Sainte-Cécile. Ils ont des voitures comme la vôtre. Ça se remarque ! Il vaut mieux qu'on ne la voie pas ici.

Sur l'aire, Thorenc hésite. Il voudrait, avant de repartir, caresser les cheveux, le visage de Claire, la prendre contre lui, la bercer. Mais Garel le bouscule, ouvre la portière.

— Cette voiture, à votre place, je m'en débarrasserais vite fait ! dit-il.

Il pose la main sur l'épaule du journaliste :

— Un jour, après, mais seulement quand tout sera fini, vous me raconterez...

Bertrand n'allume que les veilleuses. Il s'engage dans l'allée, baisse la vitre. Il est sûr que Garel le regarde s'éloigner. Il salue d'un geste de la main.

Et devine, malgré la nuit, que Garel lui répond.

4.

Thorenc traverse vite ce grand lac à quoi ressemble la campagne immobile au milieu de la nuit.

Il a laissé la glace de la portière baissée. L'air lui fouette le visage ; le bruit d'arrachement qu'il fait en s'engouffrant dans la voiture lui envahit le crâne, engourdit en lui toutes pensées, ne laisse subsister que le souvenir de cette succession de hasards, de chances, de défis : depuis deux jours, les dés lancés, repris, lancés de nouveau ; sitôt une partie gagnée, la certitude qu'il faut en jouer une autre...

Il accélère.

Il roule en tenant le volant du bout des doigts. Il se sent un virtuose invulnérable. De temps à autre, de la dernière phalange de l'index, il appuie sur le petit levier situé à gauche du volant, et un jet de lumière jaillit, les phares éclairent un instant la route. Puis il redresse du bout de l'ongle la tige du levier et c'est à nouveau la nuit blanchâtre, la chaussée grise se faufilant entre les buissons, les cyprès, bientôt les parois rocheuses qui surplombent la route de Murs.

Il ralentit.

Il reconnaît le tournant, les éboulis.

C'était donc il y a moins de deux jours…

Il rentrait à vélo d'Avignon. Il voulait atteindre au plus vite le mas Barneron pour que, dès la nuit tombée, Monnier transmette à Londres le message de Jean Moulin. Dès les premiers lacets, il s'était dressé sur les pédales, appuyant de toutes ses forces, faisant pencher la bicyclette à droite, à gauche, à droite, à gauche, son cœur paraissant lui envahir toute la poitrine, la gorge, jusqu'aux yeux même !

Mais il avait poursuivi son effort. Tout à coup, il y avait eu ce grincement de freins, ce crissement de pneus, ces bruits de moteur qui se chevauchaient, accélérant à plein régime : deux voitures au moins qui dévalaient la route du col et dont les phares balayaient le haut des falaises, puis disparaissaient, surgissaient à nouveau, mais plus bas, pour se rapprocher des lacets que Thorenc continuait à gravir.

Brusquement, sans réfléchir, il avait sauté à bas du vélo et l'avait traîné derrière les rochers bordant la route, au-delà d'un petit évasement qui permettait aux véhicules de se croiser.

Il s'était allongé, reprenant son souffle, cherchant fébrilement dans sa sacoche son revolver, sûr que les voitures venaient du mas Barneron.

Les hommes de la Gestapo et de l'Abwehr qui opéraient en zone Sud avaient dû repérer les émissions de Daniel Monnier et, aidés par les inspecteurs des Brigades spéciales, monter une opération.

La première voiture était déjà là, le faisceau de ses phares frôlant les rochers, suivie aussitôt de la seconde, si bien que dans le cône lumineux Thorenc avait pu apercevoir, sur la banquette arrière du premier véhicule, trois silhouettes parmi lesquelles il avait cru reconnaître le profil de Daniel Monnier.

Puis la rumeur des moteurs avait été engloutie peu à peu par la nuit.

Thorenc s'était relevé comme s'il venait de faire une chute et qu'il avait eu du mal à recouvrer son équilibre.

Il avait continué de monter vers le mas Barneron, mais, à présent, en poussant son vélo, incapable d'imaginer ce qu'il devait faire. Machinalement, il avait contourné le village, pris l'une des drailles conduisant à la chapelle et à la crête. De là, il avait vu, derrière l'église, une voiture garée assez loin du mas Barneron.

Ils avaient dû laisser deux ou trois hommes pour surveiller les lieux, arrêter ceux qui s'y rendraient.

Thorenc avait vérifié son chargeur.

C'était comme dans la forêt de Vermanges au printemps 1940, un de ces instants où on ne réfléchit plus qu'avec la peau, les yeux, les doigts, et où les pensées ne naissent que de l'acte à accomplir.

Il s'était glissé jusqu'au mas Barneron. Il avait grimpé sur le toit, marché sur les tuiles, puis, était entré par une des lucarnes donnant dans les greniers.

Il avait découvert deux hommes assis dans la grande cuisine, et, attablé entre eux, Jacques Bouvy, les jambes liées aux pieds de sa chaise.

L'appât.

L'un des deux hommes somnolait. L'autre fumait et parfois ricanait en lançant une injure à Bouvy.

45

Depuis le palier, Thorenc avait abattu cet homme d'une balle en pleine tête, puis il avait blessé l'autre au ventre.

Il était resté allongé quelques minutes sur les tommettes, puis Bouvy avait crié qu'ils n'étaient que deux.

Thorenc était descendu ; à chaque marche, les plaintes de l'homme blessé devenaient plus fortes. C'était comme un gargouillement interrompu par de petits cris aigus.

Bouvy avait commencé à défaire ses liens, puis, au moment où Thorenc pénétrait dans la salle, il s'était penché, avait fouillé l'homme blessé, pris son arme, et Bertrand l'avait vu, avec une sorte d'effroi, placer le canon sur la poitrine de l'homme.

Thorenc avait ouvert la bouche, mais la détonation assourdie l'avait fait bondir en arrière.

— Ils comptaient me tuer demain, avait précisé Bouvy.

Il avait demandé au journaliste de le suivre jusque dans la cour. Le dos voûté, il avait marché à pas lents jusqu'au puits. Il s'était penché au-dessus de la margelle.

— Elles sont là, avait-il dit en se tournant vers Thorenc. Ils ont jeté Gisèle vivante, pour essayer de faire parler Léontine. Mais elle s'est précipitée sur eux et ils l'ont abattue. Après quoi, ils ont basculé le corps dans le puits.

Thorenc ne s'était pas approché.

Bouvy marchait en rond autour du puits tout en racontant.

Ils étaient arrivés à bord de trois voitures : une dizaine d'hommes, pour la plupart des Français en provenance de Marseille, mais il y avait aussi deux Allemands.

— C'est vous qu'ils cherchaient, avait indiqué Bouvy en s'arrêtant pile devant Bertrand. Ce ne sont pas les émissions

46

de radio qui nous ont fait repérer. Ils savaient que vous vous planquiez là. Ils venaient pour vous. Quelqu'un a parlé, Thorenc !

Il avait avancé son visage jusqu'à toucher celui du journaliste.

— Claire, cette jeune femme qui servait de courrier... elle a passé une nuit au mas.

Bouvy parlait si près de lui que Thorenc sentait son haleine sur ses lèvres.

— Elle vous a écrit, vous vous souvenez ? Quelle imprudence : une folie ! Qu'est-ce qu'elle imaginait ? Qu'elle jouait *Roméo et Juliette* ? Ils ont dû l'arrêter, l'interroger, et vous connaissez les méthodes des hommes du commissaire Dossi. Vous y êtes passé ! C'est Daniel qui, maintenant, va payer pour cette petite conne amoureuse du héros que vous êtes !

Thorenc avait violemment repoussé Bouvy.

— Bien sûr qu'elle a pu parler, avait-il hurlé. Et alors ?

Il était retourné dans la cuisine et avait entrepris de fouiller les deux hommes, puis il avait déposé leurs armes et leurs papiers sur la table.

Chacun d'eux disposait d'un ausweiss et d'un laissez-passer établi par le commissaire Antoine Dossi, ainsi que d'une carte de la Gestapo.

Thorenc avait examiné les photos, puis poussé vers Jacques Bouvy les documents de l'homme avec qui il avait le plus de ressemblance physique.

— Leur voiture stationne derrière l'église, avait-il indiqué. Il nous faut quatre heures pour aller jusqu'à Lyon.

Il avait regardé Bouvy :

— On ne peut l'abandonner, avait-il murmuré.

— Où est-elle ?

— Prison Saint-Paul.

— Les directeurs de prison sont souvent des lâches, avait exposé Bouvy. Si on agite sous leur nez une carte de la Gestapo...

— Il faut partir dès maintenant, avait décrété Bertrand.

Bouvy avait glissé les papiers dans sa poche.

Ils avaient tiré les deux corps dans l'appentis, puis remonté la rue du village jusqu'à l'église.

Le directeur de la prison avait paru soulagé de se débarrasser de la détenue — « dite Claire Rethel », avait-il précisé en tendant à Thorenc la carte d'identité de la jeune femme.

D'une voix pressante, il avait ajouté qu'elle semblait ne pas aller bien. Le médecin de la prison avait même exigé son transfert à l'hôpital, mais il s'y était *personnellement* — il avait insisté sur le mot — opposé :

— Les possibilités d'évasion, vous le savez, messieurs, sont plus grandes dans les hôpitaux ou les infirmeries. Or j'ai cru comprendre que vous teniez à cette détenue.

Thorenc n'avait pu dissimuler son dégoût, et le directeur avait paru inquiet, houspillant les gardiens qui n'ouvraient pas assez rapidement les portes.

On avait dû porter Claire Rethel jusqu'à la voiture. On l'avait allongée sur la banquette arrière. Elle paraissait inconsciente.

Ils avaient roulé vers le sud, leurs armes à portée de main, décidés à forcer les barrages. Mais, sur la route qui longeait le Rhône — parfois, après une courbe, Thorenc, ébloui par le soleil, avait l'impression qu'il allait bondir dans le fleuve, et il en avait même éprouvé à deux ou trois reprises la tentation —, ils n'avaient pas vu un seul uniforme noir.

Bouvy était descendu à Valence. Il allait prendre un train pour Clermont-Ferrand afin de rétablir au plus tôt le contact avec le commandant Joseph Villars. Si les Allemands envahissaient la zone Sud, il fallait savoir comment réagir.

Au moment de refermer la portière, Bouvy s'était penché par-dessus le siège. Il avait examiné le visage de Claire Rethel.

— Excusez-moi, avait-il murmuré. Je crois en effet qu'elle n'a pas parlé. En tout cas, elle a résisté autant qu'elle a pu, au-delà des limites humaines.

Thorenc avait posé un instant son front sur le volant, puis il avait roulé jusqu'à Bollène et s'était engagé sur la route de Sainte-Cécile-les-Vignes.

Il y avait de cela quelques heures…

Thorenc s'arrête. Il fait nuit noire. Le village de Murs surplombe la route.

Il descend, tâtonne pour retrouver son vélo derrière les buissons. Il remet le moteur de sa voiture en marche et la dirige, malgré les ornières, sur le bas-côté. Il roule lentement sous les arbres. Peut-être ne la trouvera-t-on pas avant quelques jours… ?

Il monte vers le village, fait le tour du mas Barneron.

Silence. Ils ne sont pas encore revenus.

Il entre, ouvre la porte de l'appentis. L'odeur, écœurante, lui donne la nausée. Il perçoit des trottinements, de petits cris aigus. Des rats se faufilent entre ses jambes.

Thorenc ne peut s'empêcher de trembler. Il claque la porte, s'y appuie pour recouvrer son calme.

Il monte dans sa chambre, soulève quelques-unes des tommettes, trouve les lettres, les ordres de mission qu'il y avait cachés, puis ressort en courant.

Il s'arrête près du puits.

C'est la même odeur... Il se met de nouveau à trembler.

Tous les morts se valent-ils ?

Il bondit sur son vélo. Il a quelques heures d'avance sur les hommes d'Antoine Dossi.

Il roule, courbé sur son guidon, et, le village traversé, se jette dans cette fente noire : la route qui dévale entre les falaises, de Murs vers la plaine.

Il a l'impression que le vent le nettoie.

5.

Thorenc est assis dans l'angle d'une chambre aux murs blancs laqués sur lesquels la lumière et les ombres se réfléchissent comme si ces cloisons nues étaient tapissées de miroirs.

Il se tient très droit, bras croisés, la tête tournée vers la fenêtre qui donne sur un parc. Il semble se désintéresser de ce qui se passe à l'intérieur de la pièce, mais son visage, le plus souvent inexpressif, se crispe parfois et des rides d'amertume cernent sa bouche. Alors il lance un coup d'œil autour de lui.

Debout au centre de la pièce, le commandant Joseph Villars parle :

— Nous devons arracher cette décision à Xavier de Peyrière, dit-il. Lui seul a assez d'autorité sur tous ces pleutres qui ne pensent qu'à leur retraite, qui n'aspirent qu'à gagner un galon ou une étoile, et qui estiment que le général de Peyrière est maître du tableau d'avancement.

Il s'emporte, vitupère, respire bruyamment :

— Ils sont donc couchés devant lui et lui obéissent comme des chiens bien dressés. Allez leur parler de la prochaine invasion allemande en zone Sud, ou bien du probable débarquement des Américains en Afrique du Nord. Ils vous écoutent avec intérêt. Vous les croyez prêts à s'engager, à livrer aux hommes qui veulent se battre les armes qu'ils ont planquées. Ils proclament leur patriotisme, ils vous approuvent de vouloir résister aux Allemands. Et puis ils ajoutent d'une voix suave, le visage patelin : « Il va de soi que je me conformerai, selon les règles de notre armée, aux ordres que je recevrai du Maréchal ou du général de Peyrière. Tout autre comportement serait une trahison… »

Le commandant Villars se campe devant la fenêtre comme s'il voulait capter l'attention de Thorenc. Mais celui-ci paraît ne pas le voir ; il regarde au-dessus de la tête de l'officier, vers les branches dépouillées des arbres du parc, vers le ciel où passent en longues traînées noires des nuages bas.

Villars lève les bras, puis les laisse retomber comme si c'était l'attitude de son interlocuteur qui l'accablait.

Il se tourne vers Jacques Bouvy, assis sur le lit qui occupe un côté de la pièce, puis toise le lieutenant Mercier et Pierre Villars, appuyés au mur de part et d'autre de la porte.

Mercier est en uniforme. Son étui à revolver, ramené sur le devant, est si volumineux qu'il lui couvre l'aine. Il garde la main posée sur la courroie de l'étui comme s'il voulait être prêt à dégainer son arme.

— Vous les connaissez, Mercier, reprend Villars, et vous-même avez eu affaire au général de Peyrière. Un aide de camp, ça vide les poches de son supérieur ! Peyrière n'a rien pu vous cacher. Est-ce qu'on peut le décider à donner l'ordre de livrer les armes dont dispose l'armée ?

Il attend quelques instants, constate que Mercier ne lui répond pas. Il reprend d'un ton irrité :

— Il y a bien peu de chances d'obtenir un ordre formel de ce salaud — excusez-moi, Mercier —, mais, sans cet ordre, tous les prudents attendront l'arrivée des Allemands et, au garde-à-vous, leur ouvriront les portes des dépôts… en espérant passer dans le cadre de réserve avec deux grades de plus ! À vomir !

Le commandant Villars s'approche de Mercier qui se redresse.

— Qu'est-ce que vous pensez, Mercier ? On a une chance ou pas, avec Peyrière ?

— Si le Maréchal ou Laval lui en donne l'ordre, il le transmettra.

Pierre Villars se tourne brusquement vers Mercier, puis vers son père :

— Mais vous aussi, vous continuez d'espérer en ces hommes-là !

Il s'avance.

— Ils ont tout accepté : l'armistice, la collaboration, les rafles de Juifs, le reniement de la parole de la France ! Ils ont distribué des cartes d'identité françaises à des agents allemands, ouvert les aérodromes de Syrie aux avions ennemis. Ils ont transmis les renseignements dont ils disposaient à l'Abwehr et à la Gestapo. Et vous imaginez qu'ils vont maintenant choisir de résister à une entrée des troupes allemandes en zone Sud ? Ils se mettront au garde-à-vous, comme ils l'ont déjà fait devant Hitler et Goering !

Il hausse les épaules :

— Ils interpréteront peut-être une brève saynète de leur façon, mais ils accepteront tout.

— Alors, que faisons-nous ? grogne Jacques Bouvy.

— Nous nous organisons autour de Max, poursuit Pierre Villars, nous nous rassemblons tous derrière de Gaulle, nous prenons date, nous essayons de récupérer ici et là quelques armes, nous en aurons besoin pour équiper les réfractaires au

Service du travail obligatoire. Il y a eu des grèves de cheminots pour protester contre le recensement des travailleurs.
On a fait sauter à Lyon un centre de propagande pour le
travail en Allemagne. Des tracts ont été diffusés par le
Mouvement ouvrier français, l'opinion bouge ! C'est là
qu'est notre force. Le général Delestraint vient d'être désigné
pour prendre la tête de l'Armée secrète. Voilà l'essentiel.

— Mon cher Pierre, dit le commandant Villars, tourné
vers son fils, vous êtes, comme à chaque fois, en avance et en
retard.

Pierre Villars lui tourne le dos et reprend sa place contre
le mur.

— Savez-vous, explique le commandant, que John
Davies a quitté la Suisse pour Vichy ? Qu'il prépare en ce
moment même le passage du général Giraud en Afrique du
Nord, et qu'il essaie de rallier Peyrière à Giraud ? Si cela
réussit, de Gaulle sera écarté.

— Nous savons cela, rétorque Pierre Villars d'un ton
rogue. Moulin a alerté Londres. Mais la transmission du
message a été plus longue que prévue — il se tourne vers
Bertrand — : notre radio Daniel Monnier a été arrêté.
Thorenc et Bouvy peuvent nous raconter cela en détail…

Il secoue la tête avec indignation :

— Ils ont pris des initiatives sans consulter qui que ce
soit !

Pierre Villars poursuit en s'approchant du journaliste :

— Je veux savoir où vous avez caché cette fille, Claire
Rethel. On ne peut pas la laisser dans la nature. Elle sait
beaucoup de choses. Qu'a-t-elle raconté ? Mon frère me dit
qu'elle connaissait les fausses identités et les adresses de la
plupart des responsables des mouvements. Philippe lui

confiait en effet la livraison des faux papiers qu'il réalisait. Il pensait qu'on ne l'identifierait pas et que, dans le cas contraire, elle ne parlerait pas. Je l'ai cru et je vous l'ai dit. Mais, puisqu'il y a eu cette descente à Murs, au mas Barneron, je ne suis plus sûr de rien. Il faut que nous l'interrogions, Thorenc, que nous sachions à quoi nous en tenir. Où est-elle ?

Bertrand paraît ne pas avoir entendu ; son regard parcourt les allées désertes du parc.

Pierre Villars se dirige vers Jacques Bouvy, mais celui-ci secoue la tête :

— Je ne sais pas, lâche-t-il. J'ai quitté Thorenc à Valence.

Il décoche un coup d'œil au journaliste.

— Je ne crois pas que Claire Rethel ait parlé. Sinon, ils ne l'auraient pas mise dans l'état où je l'ai vue.

Il baisse la tête, puis se redresse. Sourcils levés, bouche boudeuse, il a une expression dubitative :

— Elle a peut-être livré le nom de Thorenc pour cacher tous les autres. Si vous l'aviez vue, Villars, vous ne le lui reprocheriez pas. Et ce n'est là, au surplus, qu'une simple hypothèse...

Une rafale de vent vient rabattre la pluie contre les vitres. Le crépitement rageur résonne dans la chambre, meublée seulement par un lit à une place, deux chaises et une table de nuit.

Thorenc se lève, s'approche de la fenêtre. En glissant sur les vitres en nappes épaisses, l'eau masque le parc sous un voile gris.

Le commandant Villars rejoint Thorenc.

— Sinistre, marmonne-t-il. Même le temps est sinistre.

Il pose la main sur l'épaule du journaliste.

— Vous êtes courageux, Thorenc. Je ne partage pas la sévérité de Pierre — il lance un coup d'œil vers son fils —, c'est un orthodoxe, il a besoin de règles précises. Il a bien plus l'esprit militaire que moi. Ce qui lui plaît dans le Parti communiste, c'est le devoir d'obéissance. Moi, je comprends votre initiative. On a des devoirs vis-à-vis des camarades qui sont en danger. Vous avez arraché cette jeune femme à ses bourreaux, je vous en félicite. Vous l'avez cachée en lieu sûr, je ne vous demande pas où…

Il serre l'épaule de Bertrand.

— Mais coupez avec elle ! Dans son intérêt et dans le vôtre. Dans le nôtre, aussi !

Thorenc ne répond pas, mais fait un pas de côté de manière que le commandant soit contraint de retirer la main de son épaule.

La pluie continue de fouetter les vitres.

— La clinique du docteur Boullier est sûre, reprend l'officier. Clermont-Ferrand est une ville discrète. Faisons de cette clinique l'un de nos lieux de rencontre. Et quand les Allemands envahiront la zone Sud, retrouvons-nous ici. Le docteur Boullier a toute ma confiance.

Il s'écarte de quelques pas, s'arrête et explique :

— Les Allemands s'occuperont de moi dès qu'ils auront franchi la ligne de démarcation. Je les ai déjà sur les talons. Mais je tenterai de leur échapper. Je m'installerai sans doute ici. Boullier est d'accord.

Il pose la main sur la poignée de la porte.

— Je propose…, dit Thorenc à cet instant précis.

Le commandant se retourne.

— … je propose d'enlever le général Xavier de Peyrière, poursuit Bertrand, et, s'il refuse de signer l'ordre de livrer les armes entreposées dans les dépôts de l'armée à ceux qui veulent résister, de l'exécuter aussitôt pour trahison.

Jacques Bouvy siffle entre ses dents. Pierre Villars marmonne d'une voix excédée :

— Mais qu'est-ce que c'est que cette nouvelle folie ?

Mercier fait non de la tête.

— La plupart des officiers, je peux même dire tous, seront choqués, indignés, révoltés, proteste-t-il. Ils imputeront ce meurtre aux communistes. Déjà, ils condamnent les attentats perpétrés dans la rue contre les militaires allemands par les tueurs du Parti communiste. Vous imaginez ! Si vous voulez les rassembler tous autour de Pétain, et même de Laval, peut-être même les pousser dans la voie d'une collaboration active que certains, dans l'armée, souhaitent… Voyez l'amiral Darlan…

— C'est un habile, une girouette ! grogne le commandant Villars.

— Tuez Peyrière, et vous verrez ! s'obstine le lieutenant Mercier.

— Une provocation stupide ! commente Pierre Villars.

— On a bien tiré sur Déat et Laval, objecte Jacques Bouvy.

— Ce sont des hommes politiques, pas des généraux, reprend Pierre Villars. Il faut tenir compte d'une solidarité de corps, de l'aura dont jouissent toujours le Maréchal, l'armée et ses cadres, même s'ils ont été battus. À un moment ou à un autre, et sans doute plus tard que nous ne l'espérons, la majorité des officiers rejoindra les mouvements de Résistance. Mais nous n'en sommes pas là.

Il montre son père.

— Le Service de renseignement de l'armée, pour sa part, n'a jamais cessé d'agir contre les Allemands et de transmettre les informations recueillies aux Anglais et aux Américains.

Il ajoute d'une voix sèche :

— La proposition de Thorenc ne mérite même pas d'être discutée. Elle couronne d'ailleurs une série de comportements irresponsables.

— Allons, allons, proteste le commandant Villars. N'oublions pas que nos bons camarades ont réuni un tribunal militaire pour condamner à mort le général de Gaulle, le colonel de Larminat et quelques autres. Je répondrai seulement à Thorenc que le moment pour ce genre de mesure n'est peut-être pas encore venu, mais que nous ne pouvons rien exclure.

— Ce serait une provocation ! répète Pierre Villars.

— Et abattre d'une balle dans la tête un officier allemand qui attend le métro, qu'est-ce que c'est ? lance Thorenc. Et fusiller cent otages, c'est quoi ?

Il sort en claquant la porte.

On le voit, depuis la chambre, arpenter les allées du parc battues par la pluie.

6.

Thorenc sent la pluie glisser sur son visage. Il a froid. Il marche plus vite, passe d'une allée à l'autre. Parfois, il doit écarter les branches des sapins qui heurtent sa poitrine et dont certaines lui griffent les joues.

Il lève la tête.

Il n'a aucune envie rentrer dans le bâtiment.

Il a croisé dans les couloirs ces silhouettes en blouse blanche soutenant des patients à la démarche lente et incertaine. Il a vu un enfant dont tout le haut du visage était enveloppé de pansements. Une infirmière le guidait, le tenant par la main, et il levait l'autre bras comme pour appeler à l'aide.

Bertrand s'est précipité dans le parc pour ne plus voir ces plaies, ne plus entendre ces soupirs, ne plus respirer les odeurs de maladie, pour fuir la contagion de la mort.

Il s'arrête. Malgré l'averse, il reste planté entre les arbres aux branches ployées.

Il repense aux yeux bandés de l'enfant, à ceux, tuméfiés, de Claire Rethel, au visage de Joseph Minaudi qui n'était plus qu'une plaie.

Il se souvient de Maurice Juransson, l'imprimeur de la rue Royer-Collard, et du professeur Georges Munier, tous deux fusillés.

Il entend les cris de Julie Barral au moment où les policiers l'ont arrêtée.

Qu'en est-il d'Isabelle Roclore, de Geneviève Villars et de tous ceux qui, comme elles, ont pris des risques, sont devenus des proies traquées ?

Une conviction, une révolte, une guerre valent-elles que l'on se précipite au-devant de la douleur et de la mort quand elles viennent vous prendre si souvent et si vite ?

Il veut quitter cette clinique. La souffrance qu'il y côtoie remet en cause son combat, les dangers qu'il accepte de courir.

Il se demande s'il n'y a pas, au bout du compte, qu'une seule exigence qui vaille : préserver la vie, la prolonger, ne jamais devancer l'échéance, pour soi comme pour les autres.

Les plaintes de l'homme qu'il a blessé au mas Barneron et que Bouvy a achevé envahissent à nouveau sa tête.

Il a tué deux hommes. Il vient de proposer d'en tuer un autre.

Il se sent perdu dans ce parc, cette vie.

Il marche jusqu'à la grille. Dans la nuit qui tombe, il aperçoit sous les nuages les toits de Clermont-Ferrand.

Il ne connaît pas cette ville. Il ne peut s'y rendre. Le docteur Boullier a insisté pour qu'il demeure à la clinique.

À Clermont, la police multiplie les barrages. Elle procède même à des rafles dans les quartiers ouvriers, la vieille ville, autour de la cathédrale, sur la place de Jaude.

Les suspects interpellés ou les personnes en situation irrégulière n'ont le choix qu'entre l'emprisonnement et le départ en Allemagne avec le statut de travailleurs volontaires. Le docteur Boullier a déjà accueilli dans sa clinique plusieurs réfractaires qui s'y cachent quelques jours, puis gagnent les villages de l'Auvergne, les monts du Forez.

« Il leur faudra des vivres, des couvertures, a dit le médecin. Et puis des armes, surtout si les Allemands occupent la région. »

Thorenc voudrait ne pas écouter, brandir le poing contre cette vie afin d'arrêter l'engrenage. Et parce qu'il sait qu'il ne peut pas, qu'il est inexorablement entraîné.

Il lève les yeux. Derrière la vitre déjà éclairée d'une des fenêtres du troisième étage, il aperçoit les visages de Pierre Villars et de Mercier.

Quelqu'un tire les rideaux.

Il en veut à ces deux hommes-là. Ils ont avancé des arguments raisonnables. Mais si c'est la raison qui doit l'emporter, alors il faut toujours attendre ! En 1938, il fallait accepter Munich. En 1940, on devait admettre la défaite et l'armistice comme inéluctables. En 1941, la collaboration était une politique raisonnable. En 1942, enfin, on attend que les Alliés agissent !

La raison est lâche, car il n'est jamais raisonnable de risquer sa peau. Il faut la préserver à n'importe quel prix. Survivre : voilà la raison des raisons !

Tout le reste, en effet, est passion.

On peut tuer le général Xavier de Peyrière. Ce n'est pas plus déraisonnable que de manifester le 11 novembre 1940 sur les Champs-Élysées. Et ça ne l'est pas moins.

Thorenc rentre dans la clinique.

Il retrouve la petite chambre où le docteur Boullier l'a installé. Elle est située sous les combles. Pour y accéder, il faut gravir un escalier aux hautes marches de bois. « Personne ne vous dérangera, lui a dit Boullier. Les infirmières ne montent jamais jusque-là. »

Pourtant, voici qu'on frappe à la porte avec insistance.

Thorenc prend son arme. Mais c'est Philippe Villars, le frère de Pierre, lui aussi caché dans cette clinique depuis les arrestations qui ont décimé son réseau à Lyon.

— Je voulais vous remercier, dit-il en se laissant tomber sur le lit et en cachant son visage derrière ses paumes. Je me sentais coupable d'avoir lancé Claire là-dedans. Elle était si efficace, comme je vous l'avais dit... Elle voulait en faire sans cesse davantage. Vous l'avez tirée de là !

Il relève la tête, dévisage Thorenc : a-t-il été l'amant de Claire ? Au bout d'un silence, il demande :

— Elle était comment ?

Thorenc a la tentation de lui faire mal. Il lui suffirait de décrire en détail le visage tuméfié de la jeune femme.

— Pas très bien, marmonne-t-il. Mais elle s'en remettra, j'en suis sûr.

Qu'est-ce qu'il sait de ce qu'elle a subi ? De la mort qu'elle va garder en elle pour l'avoir vue de si près ?

— Il faut la venger ! s'écrie Philippe. On ne peut pas avoir de pitié.

Il hésite, puis se lève.

— Il ne s'agit pas seulement de nous, de notre patrie, murmure-t-il. Mon père, lui, voit les choses comme cela : la

France qu'il faut relever, qui doit retrouver sa place, son honneur, sa puissance. C'est un officier...

La tête baissée, car le plafond est bas, Philippe Villars arpente la chambre.

— Quant à mon frère Pierre, poursuit-il, je ne sais trop. Peut-être imagine-t-il qu'il est un révolutionnaire ? Mais moi — il s'immobilise —, en gare de Perrache, j'ai vu ces trains qui partaient pour l'enfer, j'en suis sûr... Sinon, on ne traiterait pas des enfants, des vieux de cette façon-là. Mathieu, mon cousin dominicain, a essayé, avec l'Amitié chrétienne, d'en sauver quelques-uns. En vain.

Il se remet à parcourir la pièce.

— Je crois que c'est une guerre entre le Bien et le Mal, la vie et la mort, la civilisation et la barbarie. Je le sens ainsi.

Au bout d'un silence, sa voix en vient à trembler :

— Claire parlait souvent de vous..., dit-il.

Thorenc ouvre la lucarne comme s'il étouffait tout à coup.

— Vous lui avez sauvé la vie une première fois, poursuit Philippe Villars. Elle n'imaginait pas que...

Bertrand l'interrompt. Il faut désormais qu'elle reste absolument en dehors, dit-il. Elle ne doit plus se mêler à l'action.

— Je suis sûr qu'elle n'a pas parlé, se borne à marmonner Philippe.

— Ils sont venus au mas Barneron, reprend Thorenc après une hésitation.

— Elle n'a pas parlé, répète Philippe. Si elle l'avait fait, ils auraient pris tout le monde, et même mon frère. Peut-être aussi Max. Ils n'ont arrêté que ceux qui sont tombés dans la souricière en gare de Perrache.

— Ils me recherchaient, au mas. Ils sont venus pour cela, répond laconiquement Thorenc.

Après avoir accusé le coup, Philippe conteste avec véhémence cette version des faits.

Ce n'est sans doute qu'une coïncidence, expose-t-il. Ils ont probablement découvert que les Villars étaient apparentés aux Barneron. Ils surveillaient le commandant Villars. Ils ont pensé que ce mas, à Murs, dans ce village reculé, pouvait être utilisé par le Service de renseignement français : un lieu idéal pour un émetteur radio.

— Or vous êtes lié à mon père, aux services... La Gestapo vous a recherché là-bas, un point c'est tout.

Il ajoute plus bas :

— Je ne demande pas à la rencontrer. Je ne veux surtout pas savoir où elle est. Je préfère ignorer ce qui n'est pas directement nécessaire à mon action.

Il sourit :

— De la sorte, si on m'interroge et que je parle, je ne pourrai pas en dire davantage.

Il ouvre la porte.

— Je suis sûr d'une chose, Thorenc : Claire n'aurait jamais donné votre nom. Jamais elle ne vous aurait mis en péril !

Et, s'appuyant des deux mains au cadre de la porte et en se penchant quelque peu, il ajoute :

— Si nous pouvions nous permettre de verser dans la futilité, je vous dirais que je vous envie pour les sentiments qu'elle vous porte...

Thorenc se sent mal à l'aise. Il ne répond pas. Il raccompagne Philippe Villars jusqu'au bout de l'étroit couloir, là où se trouve sa propre chambre.

— Elle vaut la mienne, dit-il en découvrant la petite pièce obscure.

7.

Thorenc regarde les vagues rouler sur le sable de la crique. Le vent d'est est tombé, mais elles s'engouffrent toujours avec la même violence dans cette petite anse du cap d'Antibes. Elles se jettent sur les rochers et, à chaque fois, leur force le laisse surpris.

Il recule en courant sur la route. Puis, quand le reflux ne laisse plus sur le sable qu'une écume bouillonnante qui disparaît peu à peu, il s'avance à nouveau.

Il respire ce parfum salé. Il se souvient.

Puis la vague tout à coup s'élance, elle se brise dans un choc sourd contre les rochers qui protègent la crique ouverte à l'est, avant de déferler au centre de celle-ci, vers la plage, dans un grondement qui s'amplifie.

Il attend, puis bondit en arrière, court vers la chaussée, la pinède, et c'est comme s'il s'enfonçait dans son enfance, quand il jouait ainsi avec sa peur, fuyant devant les vagues, puis s'y précipitant, emporté, soulevé, étouffé, saisi de panique, le corps criblé de grains de sable, surgissant enfin hors de l'eau, loin, si loin du rivage, se mettant à nager à vive allure dans le creux de la houle, puis, porté par elle, rejeté sur la plage, s'y accrochant, se relevant, courant, poursuivi par le flux.

Il revit ces courses.

Il habitait alors, avec sa mère et Simon Belovitch, la maison des remparts d'Antibes qu'il aperçoit, avec ses volets d'un bleu vif tranchant sur sa façade rose.

Peut-être appartient-elle toujours à sa mère, à moins que celle-ci n'ait menti quand elle minaudait au salon : « Nous passons quelques jours, cher ami, dans notre maison d'Antibes... » ? Peut-être le propriétaire n'était-il autre que Simon Belovitch, l'amant et ami de Cécile de Thorenc, producteur de cinéma, financier, spéculateur, escroc selon certains, le Juif, l'apatride, etc., peut-être aussi le père naturel de Bertrand Renaud de Thorenc ?

— À Antibes, lui a dit le commandant Villars, vous êtes un peu chez vous, n'est-ce pas ?

Ils se trouvaient dans le bureau que le docteur Boullier avait mis à la disposition de Joseph Villars, au premier étage de la clinique. Les cimes des sapins, bousculées par le vent, venaient parfois frôler les vitres de la fenêtre.

Joseph Villars a refermé le dossier placé devant lui, puis l'a recouvert de ses deux mains.

— N'imaginez pas que je vous envoie à Antibes pour vous éloigner de Vichy. De toutes manières, quels que soient votre obstination et votre courage, vous ne seriez pas arrivé jusqu'à Xavier de Peyrière. Il est bien gardé, croyez-moi : j'ai étudié la question.

Il a souri :

— Mais oui, Thorenc, vous n'êtes pas le seul à avoir des idées déraisonnables. Mais ce n'est pas cela qui m'a fait renoncer à ce projet. Ni le souci d'épargner la vie de Xavier de Peyrière, qui est mon beau-frère, je vous le rappelle en passant...

Il a levé la main :

— Non, voyez-vous, s'il nous faut cet ordre signé par Peyrière, dans le même temps je ne crois pas que ceux qui le recevraient le mettraient à exécution dès lors qu'il les exposerait à quelque péril. Vous les imaginez livrer les armes dont ils disposent à des gens comme vous, ou bien à mon fils Pierre, ou encore à Max, à Frenay, à d'Astier de La Vigerie ? Quelques-uns, peut-être, mais les autres prétendraient brusquement qu'il leur faut désobéir au nom de...

Il a esquissé un signe de la main.

— On a toujours de bonnes raisons : la fidélité au Maréchal, ou bien à l'amiral Darlan, ou même à Laval... L'essentiel étant de ne pas prendre de risques. Alors, liquider Xavier de Peyrière... Il mérite la mort, j'en suis convaincu, mais un autre général le remplacerait aussitôt. Bridoux, par exemple.

Villars a soupiré :

— Un mot encore : ni Mercier ni mon fils Pierre ne vous laisseraient agir. Et je leur donnerais raison.

Thorenc a hésité. Il aurait pu discuter avec son interlocuteur, essayer de le convaincre, mais il s'est contenté de murmurer :

— La raison...

Le commandant a haussé les épaules :

— Je sais bien, c'est un mot, et on peut trouver des arguments raisonnables pour justifier n'importe quelle décision. La raison n'est que l'habillage commode de nos choix, de nos passions, de nos lâchetés. Mais vous savez tout cela, Thorenc. Quand on approche de la quarantaine, si on n'a pas compris ce genre de mécanisme, c'est qu'on est aveugle pour la vie.

Thorenc a fermé un instant les yeux. Il a entendu le rire de l'officier.

— Mais, j'en conviens, Thorenc, on peut préférer la cécité. Moi aussi, parfois, je me demande si la lucidité n'est pas le pire des malheurs.

Il a rouvert le dossier posé devant lui :

— Je bute sur vous à chaque instant, Thorenc. Je veux vous envoyer à Antibes, et voilà que votre mère y a vécu avec Simon Belovitch ! Drôle de personnage... Il s'est d'abord réfugié à Cannes, puis est rentré à Paris. Il y a créé une société, lui, Simon Belovitch dont on peut pourtant voir le portrait, assure-t-on, à l'exposition sur *Le Juif de France* ! Il symbolise l'apatride qui a étouffé entre ses griffes le cinéma français ! Eh bien, il est au mieux avec les tueurs français de la rue Lauriston, il dîne une fois par semaine au Don Camillo avec Henry Lafont, et il est reçu presque chaque jour par le général von Brankhensen qui s'est approprié l'hôtel de Robert de Rothschild. Ils sont en affaires...

Il a croisé les bras.

— Belovitch est votre père ou pas ? Vous savez que c'est ce qu'on a prétendu parmi les gens de la Gestapo. Même Alexander von Krentz s'en est fait l'écho. Et certains éléments de l'Abwehr en ont aussi répandu le bruit. Une manière de vous déconsidérer. De vous tenir, aussi. Ça vous gêne que je vous pose cette question ?

Thorenc se sentait si las... Il avait l'impression de s'enfoncer peu à peu dans des eaux saumâtres.

Il a humé l'odeur de médicaments qui flottait dans toute la clinique et qui lui donnait la nausée.

— J'ai eu beaucoup de pères qui ont gravité autour de ma mère, murmure-t-il. Celui-là a duré un peu plus que les autres. Je l'ai trouvé pittoresque, généreux, sympathique ; et puis je l'ai perdu de vue… Si, au cours de cette période, il réussit à survivre sans se cacher, en faisant même, à ce que je comprends, des affaires avec les Allemands, je ne peux le condamner. Je lui reconnais même des qualités exception- nelles…

— Il a monté une entreprise de récupération de métaux, a précisé Joseph Villars. Il déboulonne les statues sur les places et dans les cimetières. Il les fond. Il fait découper les coques des navires échoués à Dunkerque ou à Bordeaux. Il sert de fournisseur au général von Brankhensen qui peut ainsi passer du bon temps avenue Foch, au numéro 77, vous connaissez, Thorenc ?

Bertrand n'a pu qu'acquiescer en baissant la tête.

— Oui, je vous rencontre là encore ! Brankhensen est toujours très lié avec votre amie Lydia Trajani. Elle vous a aidé à deux ou trois reprises, je le sais. Tant mieux, Thorenc ! Je crois que, sans elle, sans les pressions de von Brankhensen, du lieutenant Konrad Ewers et du ministre Varenne — tous trois amants de Lydia Trajani, tout comme vous, n'est-ce pas ? —, le commissaire Antoine Dossi vous aurait liquidé d'une manière ou d'une autre. En vous livrant aux gens de la Gestapo, à Oberg, au lieutenant Wenticht, à qui vous avez déjà eu affaire, ou bien en vous fracassant la tête. En vous aidant, Lydia Trajani s'est couverte, tout comme Simon Belovitch se couvre lui aussi. Il nous fait passer des rensei- gnements utiles. Et je crois que le général von Brankhensen les lui transmet en connaissance de cause, sachant parfaite- ment où ils aboutissent. Chez nous, mais pas seulement…

Villars s'est levé.

— Votre ami John Davies a quitté Vichy pour se rendre à Antibes. Je suis à peu près sûr que Lydia Trajani, Belovitch, et par conséquent le général von Brankhensen et Konrad Ewers sont en relations avec lui. Nous savons — et Davies sait — que les Allemands vont occuper la zone Sud dans quelques jours ou quelques semaines. Von Brankhensen sait — et nous savons — que les Américains vont déclencher une grande opération en Méditerranée, probablement en Algérie et au Maroc. Dans cette affaire, leur homme, vous me l'avez confirmé, est le général Giraud.

Il s'est rassis.

— L'évasion de Giraud de la forteresse de Königstein est un acte héroïque, mais l'héroïsme conduit souvent au martyre ; or Giraud a survécu ; dans son cas, à l'héroïsme se sont donc ajoutées la chance, sans laquelle rien n'est possible, mais aussi quelques complicités utiles, indispensables... Peut-être les amis du général von Brankhensen au sein de la Wehrmacht ont-ils voulu donner des gages aux Américains ? Les Américains, avec Giraud, veulent à la fois torpiller de Gaulle et renflouer Vichy en trouvant un appui ou un successeur à Pétain. Giraud a le bon profil. Et je crois que l'OSS a bien travaillé autour de la forteresse de Königstein, puis en accompagnant Giraud du bas des murailles jusqu'en Suisse, et ensuite à Vichy.

L'officier a tapé sur l'épaule de Thorenc.

— Et maintenant, on va le faire sortir de France !

Puis il s'est penché pour ordonner à voix basse :

— Giraud est à Antibes avec John Davies et Thomas Irving. Vous devez aller là-bas. Vous les connaissez. Vérifiez mes hypothèses et mes informations. Ils vont l'embarquer à bord d'un sous-marin. C'est pour cela qu'Irving est sur place.

Ce sera un navire de la Royal Navy. Les Américains sont incapables de monter une telle opération. Ils ignorent encore tout de la Méditerranée. Depuis des siècles, les Anglais, eux, en connaissent toutes les criques...

Thorenc s'est assis sur le muret qui borde la route du cap d'Antibes et qui surplombe les plages, les rochers, les criques.

Il regarde vers le large. Les vagues viennent de l'est. Aucun vent ne creuse plus la houle qui est comme la mémoire de la tempête.

Cette nuit, la mer sera calme.

8.

Thorenc reconnaît le parfum des aiguilles de pin. Sèches, fines et aiguës, il les sent sous ses paumes, comme un tapis épais.

Il rampe pour se rapprocher de la villa dont il aperçoit la façade blanche entre les arbres. La lumière filtre à travers les volets du rez-de-chaussée.

Il se soulève, s'appuie sur les coudes, tourne la tête.

La route du cap est déserte. De l'autre côté de l'anse de la Salis, il distingue au loin les remparts d'Antibes et les maisons qui les surplombent. Elles ressemblent dans la nuit à une falaise au sommet de laquelle se dresse une tour.

Il écoute.

La mer s'est calmée, mais, de temps à autre, des coups sourds se succèdent. Quelques vagues encore fortes frappent les rochers. Puis c'est la respiration paisible et régulière du ressac.

Il avance encore de quelques mètres. Des aiguilles de pin se glissent à l'intérieur de ses manches.

Il secoue le bras. Elles paraissent vouloir s'enfoncer, s'accrocher à sa peau. Il s'irrite : que fait-il là, allongé dans cette pinède ?

En fin d'après-midi, il a reçu un appel de Clermont-Ferrand. Il a reconnu la voix du commandant Villars :

— Ils sont à la villa Waldstein.

Puis, peut-être pour que la communication ne soit pas trop brève, il a ajouté :

— J'espère que vous avez beau temps.

Et il a raccroché.

Thorenc a aussitôt quitté l'hôtel du Marché, situé derrière les remparts.

Il a marché le long de la route du cap, passant devant la villa Waldstein en tournant à peine la tête. Il a reconnu le portail de bois, et, tout au fond de la pinède, la villa.

Il a traversé la chaussée, est descendu sur les rochers, sautant de bloc en bloc, trouvant enfin une anfractuosité d'où il pourrait observer la route, le portail et l'allée.

Il s'est souvenu de Lydia Trajani, il y avait quelques mois de cela, s'avançant vers lui, son manteau de fourrure jeté sur les épaules, si fière d'avoir acheté cette villa à Henry Lafont qui en avait dépouillé Waldstein.

Elle se cachait là pour quelques jours en compagnie du lieutenant Konrad Ewers. Des petites vacances, en somme !

Il avait pensé la tuer.

Elle est peut-être encore dans la villa, ce soir, mais, cette fois, en compagnie de John Davies et de Thomas Irving.

Tous les fils se sont emmêlés.

Elle dîne avec Henry Lafont, le chef de la Gestapo française, le tortionnaire, le pillard. Elle doit se vautrer avec lui dans un lit de l'hôtel particulier de la rue Lauriston dont les caves ont été transformées en cellules et en chambres de torture. Puis elle rentre chez elle, dans cet appartement du 77, avenue Foch que lui a offert le général von Brankhensen et qu'il a volé à une famille juive. Elle offre un dîner. Elle rit, penchée vers Konrad Ewers ou Alexander von Krentz. Mais elle accueille dans sa villa de la Côte Irving et Davies, et peut-être, ce soir, va-t-elle embarquer avec le général Giraud sur un sous-marin qui rôde encore au large, attendant l'heure du rendez-vous.

Thorenc ramasse une poignée d'aiguilles de pin, les broie, tente de les briser.

Que fait-il là ?

Il voudrait tant être du côté de la clarté, de la simplicité ! Le Bien contre le Mal, a dit Philippe Villars. La barbarie contre la civilisation... Ici, c'est l'eau trouble des doubles jeux, les lignes qui se superposent, se recoupent, s'écartent pour mieux se retrouver.

Où est la réalité ?

Il repense à Claire Rethel, à ses yeux pareils à deux grosses protubérances noirâtres. Il se souvient des deux hommes qui, à quelques centaines de mètres de la villa Waldstein, dans la pinède de l'hôtel du cap d'Antibes, ont jadis interpellé la jeune femme.

C'est ce jour-là que Bertrand l'a vue pour la première fois.

Elle est du côté de la souffrance, du côté de la vérité.

Il répète : du côté de la souffrance, *donc* de la vérité.

Lydia disait seulement qu'elle voulait jouir de tout, amasser, posséder jusqu'à plus soif. Et donc qu'elle ne pouvait que trahir.

Mais, pour elle, existait-il une frontière entre le Bien et le Mal ? Celui qui n'a que la jouissance pour mesure peut-il trahir s'il ne connaît et ne recherche que son propre plaisir ?

La porte de la villa s'ouvre.

Thorenc reconnaît la silhouette de John Davies. Elle se découpe, grande et mince, dans le rectangle de lumière.

Il lui semble que l'Américain regarde soudain dans sa direction.

Bertrand s'aplatit, la joue collée aux aiguilles de pin.

Il ferme les yeux.

Tout à coup, un poids l'écrase entre les omoplates.

En un éclair, il revoit la scène au mas Barneron, quand Bouvy a appuyé le canon de son arme contre la poitrine du policier et a fait feu.

C'est son tour. On va le tuer.

On lui tord le bras, on le force à se retourner. Un éclair blanc l'aveugle. Puis on éteint la lampe.

— Thorenc, je vous quitte sur les bords du lac de Genève et c'est pour vous retrouver ici !

Il reconnaît la voix ironique de Thomas Irving.

Il se redresse, reste un instant assis sur le sol de la pinède.

— Vous ne pouviez pas sonner au portail, comme ferait un ami ?

Irving lui tend la main, l'aide à se relever.

— La nuit, par les temps qui courent, on tire sans sommation, vous savez. Vous êtes très imprudent... mais ça, je l'avais déjà compris à Genève !

Il invite Thorenc à le suivre.

— On va prendre une tasse de thé. Pour un Américain, John le réussit plutôt bien.

Davies vient à leur rencontre. Il ne paraît pas surpris.

— Vous vouliez embarquer avec Giraud ? demande-t-il en s'esclaffant.

Il sort son paquet de cigarettes, en allume une, rentre dans la villa.

La pièce est vaste et blanche, le sol en marbre. Les murs immenses sont nus.

— Partir avec le général ou bien le descendre ? reprend Davies en s'éloignant.

Il revient avec une théière et des tasses.

— Il est parti hier soir du Lavandou, enchaîne Irving. On vous a mal renseigné sur les horaires, Thorenc !

Davies lui tend une tasse.

— Mais il y a un autre métro dans trois heures, poursuit l'Anglais. On vous emmène ? La station n'est pas très éloignée.

Thorenc entend des bruits de pas, se retourne. Lydia Trajani apparaît au fond de la pièce. Elle s'immobilise en reconnaissant Thorenc, puis lui ouvre les bras.

— L'homme le plus surprenant que je connaisse ! s'exclame-t-elle.

Elle enlace le journaliste.

— Qu'est-ce que tu fais là ? susurre-t-elle.

Thorenc ne peut pas parler. Lydia Trajani consulte du regard Davies, puis Irving.

— Il part aussi ? demande-t-elle.

— Il part ou il meurt, répond Irving en lançant un coup d'œil à Davies.

Elle se pend à nouveau au cou de Thorenc.

— Je n'y comprends rien, soupire-t-elle.

D'une voix tout à coup anxieuse, Davies fait remarquer que l'heure tourne, qu'ils doivent être au point de rendez-vous, à quinze kilomètres, dans une demi-heure. Les autres sont déjà là-bas, à la merci d'une patrouille de douaniers ou de policiers. Si Thorenc a trouvé la villa Waldstein, c'est qu'il y a eu des fuites, des bavardages. Il faut quitter la villa tout de suite.

— Vous ne le tuerez pas ! s'insurge Lydia Trajani.

— Lui vous tuera, réplique Irving. Maintenant ou plus tard.

— Mais non, mais non ! répète-t-elle.

Elle caresse la nuque de Bertrand.

Il devine que Irving hésite.

— Vous êtes inconscient, Thorenc, finit par lâcher l'Anglais. Vous n'êtes qu'un amateur. Vous n'avez pas votre place dans ce jeu. Ça ne m'étonne pas que vous soyez gaulliste. Restez-le, mon vieux !

Puis, tourné vers Lydia Trajani :

— Si vous vous en chargez, c'est votre problème.

Davies est déjà sur le seuil.

— On s'en va, s'impatiente l'Américain.

— On a encore une place, Thorenc, murmure Irving. Dans moins d'une semaine...

Il s'interrompt, hausse les épaules et explique :

— Évidemment, je ne voulais pas vous tuer ! J'essayais de vous convaincre ; mais vous êtes têtu. Vous n'irez pas jusqu'au bout de la guerre, mon cher !

Ils ont quitté la villa. Thorenc se tient debout face à Lydia Trajani. Ils sont seuls dans la grande pièce blanche.

— J'ai vendu tous les tableaux de Waldstein, indique-t-elle en montrant les murs. Von Brankhensen les a achetés pour le maréchal Goering. Le Maréchal était fou de joie. Il a décoré von Brankhensen et von Ewers et leur a promis qu'ils n'iraient jamais en Russie.

Elle se pend au cou de Bertrand. Il reste les bras le long du corps.

— C'est trop compliqué pour toi, gémit-elle. Et je n'ai pas le temps de te dégeler, ni d'entrer avec toi dans tous les détails. Mais il faut que tu t'en ailles, vite ! La police va arriver. Ce sont des Français, mais ceux-là sont pires que la Gestapo.

La chaleur du corps de Lydia Trajani le pénètre peu à peu. Il pose ses mains sur les reins de la jeune femme.

— Tu es folle, murmure-t-il, ce sont des bêtes féroces !

Elle secoue la tête. Son chignon se défait. Ses cheveux noirs tombent sur ses épaules. Tout son visage exprime le mépris.

— Ils sont idiots, dit-elle. J'en fais ce que je veux. Ça m'amuse !

Elle repousse Thorenc.

— Va-t'en, insiste-t-elle. Ils vont arriver.

Il s'élance, court dans l'allée. Il entend un vrombissement de moteurs qui couvre le bruit du ressac.

Il bondit parmi les rochers, s'y cache.

Les voitures s'arrêtent devant le portail. Des hommes se précipitent vers la villa.

Dans la lumière jaune des phares, Thorenc distingue leurs armes.

Ils crient. Il entend Lydia Trajani répondre d'une voix aiguë que ceux qu'ils recherchent embarquent à la Napoule. Elle n'a pas pu les retenir.

Elle les injurie : pourquoi ont-ils tant tardé ?

Il la voit monter à bord d'une des voitures.

Les portières claquent.

Après, il n'y a plus que le choc des vagues sur les rochers du cap.

9.

Thorenc va et vient sur le quai de la gare de Nice, ce vendredi 13 novembre 1942. Il s'arrête souvent, se penche au-dessus du ballast.

Il suit des yeux les rails qui guident son regard jusqu'à la bouche noire du tunnel qui perce une petite colline située à l'est, à quelques centaines de mètres du dernier poste d'aiguillage.

Il s'avance jusqu'à l'extrémité du quai. Il fait chaud. Il rentre sous la verrière, dans la pénombre glauque et poussiéreuse qu'elle diffuse.

Il aperçoit la foule passive, tassée sur les bancs, assise sur ses valises, appuyée aux murs, s'agglutinant parfois autour d'un contrôleur, quémandant une explication, puis retournant attendre.

Thorenc s'éloigne à nouveau, mais d'un pas rapide, comme s'il avait un but ou voulait fuir, alors qu'il attend lui aussi ce train qui doit surgir du tunnel mais qui ne vient pas.

Les convois de troupes italiennes ont la priorité sur le réseau. Depuis quatre heures que dure cette attente, plusieurs trains ont traversé la gare à vive allure, chargés de soldats, de canons, de camions.

La foule a regardé, assoupie, presque indifférente.

Thorenc a marmonné, mais assez fort pour qu'on l'entende :

— Ils n'ont pas conquis un seul mètre de terrain en 40, et voici maintenant qu'ils nous occupent. C'est une honte que Vichy laisse faire ça !

On s'est écarté de lui. Puis quelqu'un, à quelques mètres, a lancé :

— Les Américains ont bien envahi l'Algérie ! Les autres, ils répondent, et c'est nous qui payons. Cocus des deux côtés, voilà ce que nous sommes. Merci, les Alliés !

Thorenc a serré les dents pour ne pas répondre.

Disparue, la joie qu'il a éprouvée quand il a appris, à la fin de la semaine écoulée, que les opérations du débarquement américain en Afrique du Nord allaient se déclencher d'une heure à l'autre.

Il avait quitté Antibes pour Marseille, rencontré le commandant Pascal et les responsables de Combat, de Franc-Tireur et de Libération.

La décision avait été prise de tenter d'obtenir des autorités militaires qu'elles organisent à leur tour la résistance, puisque le commandant Villars avait transmis l'information qu'à l'opération Torch lancée par les Américains en Algérie et au Maroc allait répondre, dans moins de quarante-huit heures, l'opération Attila, l'occupation de la zone Sud par les Allemands et les Italiens.

Dans cette cave humide d'une villa de Cassis, Thorenc avait écouté l'appel de De Gaulle que la BBC répétait :

« Chefs français, soldats, marins, aviateurs, fonctionnaires, colons français d'Afrique du Nord, levez-vous ! Aidez nos alliés ! Joignez-vous à eux sans réserve ! La France qui combat vous en adjure... Une seule chose compte, le salut de la patrie… Allons, voici le grand moment, voici l'heure du bon sens et du courage. Partout l'ennemi chancelle et faiblit… »

Ils avaient bu, rêvé à l'entrée de l'ensemble de l'armée d'Afrique dans la guerre, imaginé un débarquement prochain en Provence.

Puis ils avaient appris que les troupes françaises avaient ouvert le feu sur les Américains et qu'il y avait eu de part et d'autre, au Maroc, en Algérie, des milliers de morts et de blessés. Qu'avec la complicité des autorités françaises, des unités allemandes occupaient la Tunisie, laissée à l'écart, sans qu'on comprît pourquoi, de l'opération Torch.

— Ces Américains sont des cons ! s'était exclamé Pascal.

Mais le pire était encore à venir.

Pierre Villars était arrivé de Clermont-Ferrand, sombre et amer. Un seul général s'apprêtait à résister aux Allemands : de Lattre de Tassigny, à Montpellier. Les autres avaient déjà pris contact avec les troupes d'invasion. Le général Xavier de Peyrière avait mis à la disposition de ses collègues allemands des casernes et des bâtiments militaires désaffectés.

— Le tuer n'aurait servi à rien, avait lancé Pierre Villars en regardant Thorenc. Ils sont tous comme Peyrière ! À Toulon, l'amiral de Laborde ne veut même pas admettre que les Allemands puissent vouloir s'emparer de la flotte ! Il a renvoyé tous nos émissaires en menaçant de les dénoncer s'ils insistaient. Voilà où nous en sommes !

Bertrand avait lorgné vers les bouteilles vides entassées dans un coin de la cave.

— Le plus préoccupant, avait poursuivi Pierre Villars, ce sont les accords que les Américains sont en train de passer avec l'amiral Darlan qui se trouve à Alger. Ils vont faire de lui le haut commissaire français pour l'ensemble de l'Afrique.

Thorenc en avait eu la nausée. Pascal avait décoché un coup de pied dans la pyramide de bouteilles.

— Des cons et des salauds ! avait-il lancé. C'est une ignominie !

Pierre Villars s'était tourné vers Thorenc :

— L'autre soir, à Antibes, vous avez manqué Maurice Varenne.

Sans doute sous l'influence de Lydia Trajani, le ministre de Vichy avait en effet décidé de gagner l'Algérie et de se mettre à la disposition de Giraud.

— Davies et Irving l'ont fait embarquer à Cagnes-sur-Mer. Il est désormais à Alger aux côtés de l'amiral Darlan. Quant à Giraud, il s'est placé sous les ordres de l'amiral.

Vomir d'avoir trop bu, de s'être laissé griser par l'espérance.

Resté maître de lui, Pierre Villars avait essayé de calmer Pascal qui répétait qu'il s'agissait d'une méprisable manœuvre de Roosevelt dirigée contre de Gaulle. Les camarades morts venaient d'être fusillés une seconde fois puisque Darlan, l'homme qui avait ouvert les aérodromes de Syrie aux Allemands, l'homme qui avait rencontré Goering, décidé de fournir des renseignements à l'Abwehr et à la Gestapo, celui qui incarnait la haine aveugle de l'Angleterre, et donc la collaboration, qui avait envisagé de faire entrer la France dans la guerre aux côtés du Reich, était maintenant l'interlocuteur, le partenaire des États-Unis, reconnu par eux comme le représentant des intérêts français !

— Dauphin de Pétain et traître, avait lancé le commandant Pascal, et le voici sacré par Roosevelt. Bravo !

Puis, d'une voix éraillée d'avoir trop hurlé, il avait ajouté que tout cela puait :

— Nauséabond ! avait-il insisté un ton au-dessus.

— La bataille est politique, avait répliqué Pierre Villars. Il y a un fleuve de boue à traverser. Si nous nous rassemblons, nous y réussirons. Tel est l'avis de Max, qui exprime celui de De Gaulle. Si la Résistance est unie derrière Max, et donc derrière de Gaulle, Giraud et surtout Pétain apparaîtront pour ce qu'ils sont : des hommes seuls. L'un que la vanité a aveuglé, et l'autre, un traître avec lequel on doit se montrer sans pitié. Et cela vaut pour Maurice Varenne et les autres ministres de Vichy qui auraient la tentation de faire de même !

L'avenir, avait-il poursuivi, n'était pas aux traîtres. La formule était de De Gaulle. Mais il fallait rassembler toutes les forces de la Résistance. Y compris les communistes.

Thorenc avait regagné Antibes et tenté d'y rencontrer des représentants du Parti communiste.

Il avait quitté Marseille au moment précis où les premiers motocyclistes de la Wehrmacht dévalaient la Canebière. Nulle part l'armée de l'armistice n'avait résisté, et de Lattre de Tassigny avait été arrêté.

Thorenc était arrivé à Antibes alors que des détachements italiens prenaient position autour de la gare. Ils avaient mis en batterie un canon et une mitrailleuse, et semblaient ainsi viser la mer, le Fort Carré au loin. Les badauds les observaient avec une indifférence amusée.

Il avait repris contact avec José Salgado et Jan Marzik, et déjeuné avec eux dans un restaurant proche de l'hôtel du Marché, cours Masséna. Mais les deux hommes ne pouvaient parler au nom du Parti. Ils avaient seulement indiqué qu'en tant qu'étrangers, ils avaient trouvé leur place dans des organisations dépendant du Parti communiste, qu'il s'agît de la MOI ou des FTP.

— Cette guerre a commencé en Espagne, vous le savez, Thorenc, avait dit Salgado.

Il s'était tourné vers Marzik :

— Et la première trahison a été Munich. Pour moi, Daladier est pire que Pétain, même si, aujourd'hui, il se montre courageux et refuse la collaboration. Blum aussi, je n'hésite pas à le mettre en cause...

— Oh, les communistes..., avait commencé Thorenc.

Mais il n'avait pas eu envie de poursuivre.

À quoi bon rappeler le pacte germano-soviétique ? On était à la fin de l'année 42. Les Américains venaient de débarquer à Alger et la France entière était occupée. Même s'ils n'avaient plus l'initiative, les Allemands n'avaient pas encore perdu la partie. Ils encerclaient Stalingrad.

— Nous traînons tous un passé, avait-il repris. Les historiens l'analyseront plus tard. Mais, aujourd'hui, il faut rassembler tous les mouvements, et même les partis politiques. Il faut que je rencontre un représentant communiste. Écoutez...

Il leur avait lu le texte du dernier discours de De Gaulle prononcé au cours d'une réunion à l'Albert Hall de Londres : « La France ne juge les hommes et leurs actions qu'à l'échelle de ce qu'ils réalisent pour lui sauver la vie. La nation ne reconnaît plus de cadres que ceux de la libération. Comme dans la Grande Révolution, elle n'accepte plus de chefs que ceux du salut public... »

— Voilà ce que je veux rappeler au représentant communiste, avait conclu Thorenc.

Il avait attendu en compagnie de Marzik le retour de Salgado, parti transmettre la demande de Thorenc.

Ils avaient marché en silence le long des remparts. Ils avaient vu entrer lentement dans le port une vedette lance-torpilles italienne.

— Tout cela, que nous vivons, me semble parfois irréel, lui avait dit Marzik. Vous vous souvenez de ce que nous étions auparavant ? Et vous mesurez ce que nous sommes devenus ?

Marzik s'était adossé au mur bordant la route et la protégeant des paquets de mer qui, par fort vent d'est, venaient se briser contre les rochers, au pied des remparts.

— Moi, je suis un exilé, avait poursuivi Marzik. Vous, vous l'êtes dans votre propre pays. Un clandestin est toujours un exilé. Vous êtes traqué, je le suis. Alors que nous étions naguère des personnalités connues et respectées. Nous invoquions les lois, les droits. Aujourd'hui, les assassins ont pris le pouvoir. Et, s'ils nous découvrent, ils nous briseront les os.

Il avait eu un sourire amer.

— Quelle régression ! Et nous avons cru que nous en avions fini avec la guerre, en 1918 ! Nous avons créé la Société des Nations. Elle a porté sur les fonts baptismaux la Tchécoslovaquie, mon pays ! On a laissé Hitler la dépecer. Et on massacre partout ! Pour l'exécution du SS Heydrich, à Prague, on a fusillé plus de cinq cents otages. On en a arrêté des milliers d'autres.

Marzik avait montré les maisons qui se dressaient de l'autre côté de la route, au-delà des remparts :

— Vous allez regretter la zone libre. Les Allemands vous interdiront même de vous approcher de la mer !

Il s'était tourné vers le port. La vedette italienne s'était amarrée à l'un des quais. Une petite foule se pressait, entourant les marins.

— Les Italiens ne sont que des figurants, avait repris Marzik, des occupants d'opérette. Mais ils vont ouvrir les portes à la Gestapo. Je plains les Juifs qui se sont réfugiés ici et que la police française n'a pas encore raflés. Ils vont se trouver pris dans une nasse. Et pourtant...

Il avait posé la main sur l'épaule de Thorenc, puis s'était tourné vers l'horizon. La mer calme était d'un bleu profond.

— Bien sûr, plus tard, s'il y a pour nous un plus tard, nous ne regretterons pas les moments que nous vivons. Nous sommes malades de peur et d'angoisse, de violence. On nous tue. Nous tuons. Comment pourrions-nous regretter cet état de choses ? Mais ce qui nous manquera, peut-être, c'est ça, avait-il fait en pointant l'horizon. Le sens, l'espérance, ce pour quoi nous nous battons, Thorenc. La liberté, la justice, le respect des autres... Nous regardons vers l'horizon. Si, un jour, quand tout sera fini, nous n'avons plus d'horizon, il deviendra difficile de vivre, surtout pour nous.

— Il y a toujours un horizon, avait murmuré Thorenc.

— Des petits segments d'horizon, oui, peut-être... Mais celui auquel nous rêvons maintenant est si vaste...

Marzik avait haussé les épaules, comme s'il s'excusait :

— Je bavarde... Mais, dans les moments où tout change, on s'interroge. Or, la guerre bascule, Thorenc. Avec ce débarquement en Algérie et au Maroc, l'offensive va passer d'un camp dans l'autre.

Ils s'étaient remis à marcher.

Combien de temps avant que cela finisse ?

De combien de vies seraient payés les lâchetés d'un Xavier de Peyrière, les trahisons de Darlan, les prudences de la plupart, les calculs politiques des Américains, la vanité de tel ou tel chef de réseau qui refusait de perdre son fief et n'admettait pas que Max fût le patron ?

— Ce n'est pas fini, je sais, avait murmuré Marzik comme s'il avait lu dans les pensées de Thorenc. Les Américains vont prendre leur temps : un bond en Algérie ; peut-être, d'ici un an, un autre bond en Grèce ou en Italie ; dans deux ans, peut-être ici même. Ils ne sont pas pressés. Nous, oui !

Il s'était arrêté, avait scruté de nouveau l'horizon.

— Nous, nous allons sans doute mourir. Nous avons commencé trop tôt, avant même que le rideau ne soit levé. Quant à ceux qui entrent maintenant en scène... ceux-là vont être de plus en plus nombreux ! On dit que Maurice Varenne a rejoint Alger, qu'il est membre du Conseil impérial que vient de créer Darlan. Darlan et Giraud main dans la main ! Vous vous représentez comme tout cela va vite ! C'est en France qu'après la chute de Napoléon on a publié un dictionnaire des girouettes, n'est-ce pas ? Nous allons assister à de belles variations, à des héroïsmes calculés, bien sonores !

— Il est trop tôt, avait murmuré Thorenc. Les girouettes ne font encore que grincer. Elles tourneront plus tard, quand les risques seront moins grands.

Jan Marzik avait approuvé d'un hochement de tête.

Ils avaient aperçu Salgado qui venait à leur rencontre, et Thorenc avait reconnu, marchant à quelques pas derrière lui, la silhouette de Stephen Luber.

Les communistes avaient donc préparé ce rendez-vous. Le déjeuner avec Salgado et Marzik, apparemment sans objet précis, avait eu pour but de sonder Thorenc. Habituellement, pour nouer un contact avec un responsable communiste, il fallait plusieurs semaines, tant les règles de sécurité chez eux étaient strictes. Ils avaient donc attendu Thorenc. Les communistes, avait-il pensé, essaient toujours d'avoir un coup d'avance.

Il était resté seul avec Luber. Marzik et Salgado s'étaient éloignés chacun de leur côté.

— On marche ? avait dit Luber.

Avec ses cheveux coupés court, son front paraissait plus vaste, ses traits plus énergiques.

— On peut se diriger vers le cap, avait-il ajouté.

Il avait décoché un coup d'œil à Thorenc :

— Mais nous n'irons pas jusqu'à la villa Waldstein, ou plutôt, puisqu'elle l'a rachetée, la villa Trajani...

Il avait tourné la tête vers Thorenc, marché plus lentement.

— Nous savions que les Anglais et les Américains avaient préparé, à partir de la villa, des départs pour Gibraltar ou Alger : ceux de Giraud, de Varenne... Ils pensaient même que le général Xavier de Peyrière se joindrait au ministre de Pétain.

— Peyrière ! s'était exclamé Thorenc.

Il avait eu un mouvement de colère qu'il avait été incapable de dissimuler.

— Mais oui, Thorenc ! Vous espériez quoi ? Le double jeu, ça fait partie des règles de votre monde, non ? Lydia Trajani, Varenne, ministre de Pétain hier, cagoulard avant-hier, et aujourd'hui allié des Américains ! Voulez-vous que je cite d'autres exemples ?

Thorenc s'était arrêté, avait fixé Luber, l'obligeant à baisser les yeux.

— Croyez-vous qu'il soit utile que je vous réponde en évoquant la période d'août 1939 à juin 1941 ? avait-il interrogé. Si vous continuez sur ce ton, je vais le faire. Et nous aurons perdu notre temps.

Luber s'était remis à marcher tout en parlant :

— Vous allez me parler de Comité national, de rassemblement, etc. De Gaulle a besoin de nous contre Giraud et Darlan, pour montrer aux États-Unis qu'il a l'appui de la Résistance et prendre ainsi l'avantage sur ses deux concurrents. Pourquoi jouerions-nous ce jeu-là ?

— Pour la France, Luber. Quand je m'adresse à vous, j'oublie que vous êtes allemand, je parle au représentant du Parti communiste français.

Luber avait fait la grimace :

— La France ? Laval est allé à Berchtesgaden et a scellé avec Hitler une alliance politique *durch Dick und Dünn*, « pour le meilleur et pour le pire ». Ce qui voulait dire : livrer les Juifs, envoyer les ouvriers travailler en Allemagne ; ce qui veut dire…

— Vous appelez ça *la France* ?

— Qu'est-ce qu'elle attend, alors, la vraie, pour se révolter contre ça ? Qui tue des Allemands ? Des communistes étrangers, moi, Stephen Luber, que vous méprisez, Thorenc ! Et vous, engagé dans la Résistance depuis le début, qu'est-ce que vous faites ? Vous êtes reçu par Cocherel, le bras droit de Pucheu, l'égal de Bousquet, et vous sortez libre de son bureau à Vichy !

Thorenc avait eu envie de l'empoigner par les revers de sa veste et de le pousser dans les rochers. Il s'était mordu les lèvres pour ne pas riposter. Il s'était borné à marmonner :

— De Gaulle dit : « La France ne juge les hommes et leurs actions qu'à l'échelle de ce qu'ils réalisent pour lui sauver la vie… » Je m'en tiens là, Max s'en tient là. Vous, les communistes, vous voulez vous distinguer, c'est clair ; vous voulez prendre date pour après. Après ? Est-ce qu'il y aura un après si les Allemands sont victorieux ?

— Les nazis vont se casser les dents sur Stalingrad, avait pronostiqué Luber. Les Russes ne les laisseront jamais prendre la ville.

Ils étaient à présent à la hauteur du portail de la villa Waldstein dont les volets étaient clos.

— Nous aurions bien liquidé Lydia Trajani, avait murmuré Luber, mais elle a l'instinct d'une chatte sauvage. Elle est partie avec la police.

Ils avaient fait demi-tour. La ville était plongée dans la lumière rasante du crépuscule, et les façades, les remparts comme les rochers semblaient recouverts d'une poussière dorée.

— Nous sommes évidemment prêts à rejoindre un Comité national de la Résistance, avait repris Luber. Mais il y a déjà le Front national dont nous faisons partie. Et il faut qu'on ne nous oublie ni dans la distribution des fonds, ni dans les parachutages d'armes. Ou bien nous sommes des combattants comme les autres et on nous traite comme les autres ; ou bien on nous tient à l'écart. Mais on ne peut à la fois nous demander de nous unir aux autres mouvements et, dans le même temps, nous considérer comme des parias.

Ils s'étaient retrouvés sur les remparts.

— Dites ça à Max, avait lâché Stephen Luber avant de s'éloigner sans même tendre la main à Thorenc.

Puis il était revenu sur ses pas :

— Je n'ai plus aucune nouvelle d'Isabelle Roclore ni de Geneviève Villars, avait-il indiqué.

Thorenc était resté impassible. Pourquoi montrer à l'Allemand que le souvenir des relations qu'elles avaient eues avec ce dernier le troublait encore ? Tellement ridicule, ce sentiment, par les temps qu'ils traversaient !

— J'espère qu'elles sont encore vivantes, avait marmonné Luber.

Il avait soutenu le regard de Thorenc, puis ajouté :

— Mais, parfois, il vaut mieux être mort que tomber vivant entre certaines mains.

Puis il avait précisé qu'il était plus prudent de prendre le train à Nice. On passait facilement inaperçu parmi la foule.

Il avait brusquement tourné le dos et s'était engagé à grands pas dans la petite rue descendant des remparts vers la vieille ville.

Thorenc était resté seul, accoudé au mur, à regarder l'horizon teinté de rouge.

Deuxième partie

10.

Thorenc voit d'abord les branches grises, tordues et dénudées des deux grands figuiers. Il se souvient des masses vertes et touffues qu'ils formaient aux extrémités opposées de l'aire.

Il fait encore quelques pas dans l'allée bordée de platanes.

Il découvre les taches sombres qui maculent la façade de la maison de Victor Garel. Il s'arrête. Il a la tentation de renoncer.

Il regarde autour de lui. Les troncs des arbres sont à vif. Des morceaux d'écorce s'entassent sur le sol détrempé. Les ornières sont remplies d'eau noire, les ceps nus à demi noyés dans ce lac boueux qu'est devenue la plaine viticole.

Thorenc va jusqu'au bord de l'allée. Il a l'impression que tout n'est que douleur et blessure.

Il hésite encore. Comment seront les yeux, le visage, le corps, la voix de Claire Rethel ? Il n'a pas prémédité de venir la voir. Et pourtant, le voici à quelques dizaines de mètres de la maison de Victor Garel...

Lorsqu'il a quitté Nice, il savait seulement qu'il devait se rendre à Cassis, puis à Lyon.

Le voyage jusqu'à Marseille a duré plus de sept heures, le train s'arrêtant plusieurs fois afin de laisser passer des convois de troupes italiennes. Dans les gares — Cannes, Agay, Saint-Raphaël, Fréjus —, les soldats transalpins patrouillaient sur les quais.

Puis le train s'est approché de Toulon. Il faisait clair. On apercevait dans la rade les superstructures des destroyers et des sous-marins, des croiseurs et des cuirassés. Il aurait suffi d'un ordre pour que la flotte appareille à destination d'Alger, redonnant ainsi à la France une place de premier plan dans la guerre, échappant aux troupes SS qu'on voyait maintenant en longues colonnes rouler vers le port militaire.

Mais l'amiral de Laborde refusait d'obtempérer à l'ordre que, d'Alger, lui envoyait Darlan afin que l'escadre rejoignît l'Afrique du Nord.

— Parfait, Darlan ! Le traître veut se racheter, avait ricané le commandant Pascal dans la villa de Cassis.

Il s'était mis à pleuvoir. L'eau ruisselait sur la terrasse de la villa, s'infiltrait dans la cave où étaient rassemblés, autour de Pierre Villars, les responsables des mouvements de Résistance.

Ils avaient écouté le compte rendu de Thorenc. Mais, d'un ton méprisant, Villars avait souligné que Luber parlait au nom d'un petit groupe qui n'était peut-être même pas relié à la direction du Parti ou des FTPF.

Puis il avait commencé à lire d'une voix solennelle un document que Max avait reçu de la zone Nord. Rémy, l'agent du BCRA, avait rencontré un représentant du Parti communiste. Par son intermédiaire, les FTPF en appelaient à de Gaulle, « le grand soldat », et demandaient à faire partie de la France combattante, à être « confondus dans la foule ardente des patriotes ».

Les chefs des réseaux et les délégués des partis, ainsi que ceux du Mouvement ouvrier français, avaient décidé pour leur part d'adresser aux gouvernements alliés un télégramme de défiance envers Darlan. Dans ce texte, les mouvements de Résistance et les différents partis politiques demandaient « que ralliement responsable trahison politique et militaire ne soit pas considéré comme excuse crimes passés. Demandent instamment que destinée nouvelle Afrique du Nord libérée soit remise au plus tôt entre les mains du général de Gaulle ».

— Parfait, parfait ! s'était exclamé le commandant Pascal de sa voie aiguë et sarcastique. Mais c'est Darlan qui règne à Alger et la BBC a refusé de diffuser ce message : voilà la réalité ! Roosevelt est décidé à marcher avec le diable si cela lui paraît nécessaire. Et nous, avec de Gaulle, nous n'existerons que si nous pesons. Il ne suffit pas de se faire fusiller. Il faut attaquer, attaquer, armer les maquis, les encadrer, saboter, tuer ! Il n'y a pas d'autres voies !

Thorenc avait eu le sentiment que chacun répétait sa partition, déjà cent fois entendue. Il avait repris le train pour Lyon.

Les gens entassés dans les wagons et les couloirs se lamentaient à propos des retards, du froid, des difficultés rencontrées pour se procurer cent grammes de viande ou un quignon de pain. Et puis de ces orages qui se succédaient, poussés par le vent du sud, de cette humidité qui pourrissait tout : la terre, les fruits, les semences, et qui pénétrait le corps comme une sale maladie.

— Toute cette pluie, ça n'est pas normal, murmurait une voix.

Mais qu'est-ce qui était normal ?

Les uns chuchotaient, mais il suffisait d'un regard pour qu'ils se taisent, détournent les yeux, semblant ne même plus oser parler de la pluie qui tombait, refusant de remarquer les soldats allemands qui arpentaient le quai de la gare d'Avignon. L'eau ruisselait sur leur casque, sur ce triangle de toile verte qui couvrait leurs épaules et leur poitrine et sur lequel brillait une plaque de métal où l'on pouvait lire *Feldgendarmerie.*

Thorenc était descendu sans réfléchir, comme si la vue de ces soldats l'avait tout à coup déterminé alors qu'elle aurait dû au contraire le pousser à rester parmi la foule des voyageurs serrés dans le couloir.

Mais ç'avait été une poussée instinctive : refus de céder à la peur, désir de lancer un défi, intuition que rien ne pourrait lui arriver dans cette ville où il avait rencontré Victor Garel.

D'un pas tranquille, il avait marché vers les soldats. Il avait pensé à ces *Feldgendarmen* qui venaient d'exécuter sept FTPF à Tours, chargeant les cercueils dans le même camion que les Français qui allaient mourir. Puis obligeant ceux-ci à se dévêtir jusqu'à la ceinture et à se placer, poitrine nue, contre les poteaux. Et ils avaient exécuté les sept hommes en deux salves, quatre d'abord sous le regard des trois derniers. Et l'un de ceux-ci, d'à peine vingt et un ans, avait appelé sa mère avant de se remettre à chanter

La Marseillaise avec ses camarades et de crier : « Vive la France ! »

Il eût été déraisonnable de tirer sur ces soldats dans cette gare d'Avignon et d'être aussitôt abattu.

C'est pourtant ce qu'il avait eu envie de faire.

Mais, le train reparti, les *Feldgendarmen* avaient quitté les quais et Thorenc avait erré dans la gare déserte jusqu'à ce qu'on annonçât le départ d'un omnibus pour Valence, avec arrêts à Orange, Pont-Saint-Esprit, Bollène.

Il s'était alors souvenu de la route rectiligne qui va de Bollène à Sainte-Cécile-les-Vignes, et de la maison de Victor Garel au bout de l'allée bordée de platanes.

Il n'avait pas voulu imaginer Claire Rethel.

Il n'avait pas même pensé à elle.

Non, il n'avait pas décidé de la revoir. Mais il était tout de même monté dans le train qui s'arrêtait à Bollène.

Thorenc s'avance jusqu'à la lisière du vignoble. Il ne pleut pas, mais c'est comme si le ciel était tout imprégné d'eau.

Est-ce qu'il aura le courage de regarder Claire Rethel si ses yeux, son visage, son corps, sa voix ne sont encore que douleur et blessure, comme tout autour de lui par cette fin d'après-midi du mercredi 18 novembre 1942 ?

L'horizon n'est qu'un lavis noirâtre où apparaissent parfois, quand l'épaisseur nuageuse se déchire, les dentelles de Montmirail, silhouettes lacérées, déchiquetées.

Il pense à Gisèle, à Léontine Barneron dont les corps ont dû être remontés du puits du mas.

Il pense à ces deux morts dans l'appentis, à ces hommes qu'il a tués et que les rats avaient commencé à mordre.

Temps maudits !

Il ne sait pas. Il ne veut pas. Il veut...

Il recommence à pleuvoir. Pluie d'averse froide, oblique, perverse.

En quelques minutes, il est trempé.

Il se remet à descendre l'allée, poussé par le vent. Il tente de se protéger en marchant à l'abri des platanes. Ils sont dépouillés, mais leurs branches, leurs troncs brisent quelque peu la pluie. Il passe ainsi d'un arbre à un autre, jusqu'à l'aire.

Il aperçoit sous la remise la camionnette de Victor Garel.

Il s'étonne. Il n'entend que la pluie. Pas une voix. Pas un aboiement.

Il ne décèle aucune lumière derrière les fenêtres alors qu'il fait déjà sombre.

Il regarde la campagne avec tous ces ceps surgissant de l'eau. Il a l'impression d'une mer couverte des vestiges d'un naufrage.

La façade de la maison est souillée de traînées brunes laissées par des voies d'eau.

Il crie :

— Garel, Garel, Garel !

Il n'aurait pas dû. Il aurait dû prendre son arme, contourner la maison, se glisser à l'intérieur comme il l'avait fait au mas Barneron, délivrant ainsi Jacques Bouvy et abattant ses deux geôliers.

Pourtant, il crie à nouveau :

— Garel, Garel, Garel !

Il pousse la porte. Les chaises sont renversées, les tiroirs ouverts.

Immobile au milieu de la table, un gros rat fixe Thorenc de ses yeux rouges et brillants.

11.

Thorenc est assis dans le salon du docteur Raymond Villars. Il sait qu'on l'observe.

Il serre ses mains pour les empêcher de trembler. Mais des frissons le parcourent. Ils irradient depuis la base de sa nuque. Il se raidit, contracte chaque partie de son corps. Il veut donner le change.

— Le mythe Pétain est en miettes, commence-t-il. La statue est brisée.

Il s'entend. Cette voix, c'est bien la sienne.

— Qui peut maintenant encore croire ce que raconte Pétain ? dit-elle. Les Allemands sont à Toulouse, à Marseille, ici, à Lyon. Les Américains occupent l'Afrique du Nord. Darlan, le dauphin, est devenu leur allié. Il a fait reconnaître son Conseil impérial par Staline ! C'est tout dire ! Pétain n'est plus que ce vieillard impotent qui se promène dans les jardins de l'hôtel du Parc et que la Gestapo surveille.

Il parle. Mais sa pensée s'échappe. Son corps tremble. Et il ne cesse de frissonner depuis l'instant où il a vu ce rat, sur la table, dans la maison de Victor Garel.

Mais il ne peut avouer ce qu'il a ressenti. Cette panique, cette fureur.

Il a saisi l'une des chaises renversées, l'a brandie. Il a voulu crever ces yeux rouges, écraser cette vermine. Puis il a eu la certitude que cette boule gris-noir, grosse comme un chat, allait se jeter à son visage.

Il s'est alors souvenu des récits des prisonniers du commissaire Dossi. Lorsqu'il s'était plaint à certains d'entre eux des cafards qui lui couraient sur la figure, on lui avait parlé des rats affamés qui mordaient les oreilles, que le sang des plaies provoquées par les coups endurés en cours d'interrogatoires excitait, rendait comme enragés.

Il avait lancé la chaise tout en hurlant. Puis il s'était enfui, remontant en courant l'allée de platanes.

Il avait marché jusqu'à Sainte-Cécile-les-Vignes.

Les rues étaient vides, certaines transformées en torrents boueux.

Il avait aperçu des silhouettes derrière les vitres embuées du café de l'Union. Il avait poussé la porte et tous les visages s'étaient tournés vers lui. Il avait vu leurs yeux rouges.

Il s'était accoudé au comptoir. Est-ce qu'on pouvait lui indiquer la maison de Victor Garel ? avait-il demandé à la femme qui servait. Elle avait paru ne pas entendre. Elle avait poussé vers Thorenc un verre de vin chaud, puis, en essuyant le comptoir avec le bord de son tablier, elle avait murmuré :

— La maison de Garel, elle est vide.

Elle avait regardé autour d'elle et ajouté dans un souffle, tout en se penchant :

— N'y allez pas !

Elle n'avait pas répondu aux autres questions qu'il avait posées.

Les conversations avaient repris à l'intérieur du café, mais, à chaque fois qu'il avait relevé la tête, il avait croisé des yeux injectés de sang...

Il avait pris le car pour Bollène, puis le train pour Lyon. Il s'était assis dans le couloir, recroquevillé. C'était comme si le rat avait rongé toutes ses pensées, ne laissant en lui que l'angoissant souvenir de deux points rouges et brillants dans une boule de poils sombres et lisses.

À Lyon il avait longé le Rhône jusqu'au quai Gailleton. Il avait remonté la rue Victor-Hugo et s'était arrêté en face de l'hôtel Résidence.

Qu'étaient devenus Claire, Victor Garel, sa femme ?

Il ne songeait même plus à tenter de les sauver. Il avait réussi à tirer Claire hors de la prison Saint-Paul ; il savait qu'il ne pourrait pas recommencer.

Il avait simplement le désir de les venger.

Il avait croisé des officiers allemands. Était-ce ceux-là qu'il allait essayer d'abattre ? Puis il avait vu un officier français, un capitaine, saluer avec déférence ces ennemis, et ceux-ci lui répondre avec une courtoisie ironique.

La révolte était revenue en lui.

Il avait marché jusqu'à la rue Saint-Jean ; chaque pas lui rappelait Claire.

Il avait sonné à la porte de l'appartement du docteur Raymond Villars, le frère du commandant. La bonne, Roberte, avait hoché la tête en le voyant.

— Vous, vous avez pris la pluie. Et pire, on dirait ! avait-elle soupiré.

Elle l'avait fait attendre au salon : le docteur devait en finir avec ses consultations.

Peu après était arrivé Mathieu Villars, qui s'était inquiété :

— Vous allez bien ? Vous êtes fiévreux ? Mon père va vous examiner, vous donner quelque chose. Vous ne pouvez pas rester dans cet état.

Thorenc avait murmuré qu'il était seulement un peu las. Et Mathieu avait paru se contenter de cette réponse, racontant comment la Gestapo avait, dès l'arrivée des Allemands à Lyon, perquisitionné le couvent Fra Angelico :

— Ils étaient accompagnés et même guidés par des policiers français, avait-il précisé. Les inspecteurs des Brigades spéciales du commissaire Dossi.

Liquider Dossi. Le guetter lorsqu'il quitte ses bureaux et ses cellules du quai de la Joliette. On ne peut se défendre d'un homme qui accepte de mourir pour vous tuer.

Pour la première fois depuis qu'il avait quitté Sainte-Cécile-les-Vignes, Thorenc s'était un instant détendu.

— Nous avions caché une vingtaine d'enfants juifs dans la chapelle, avait continué Mathieu. J'ai craint qu'ils ne les trouvent, mais nous avons tous prié.

Le docteur Raymond Villars était entré à ce moment-là. Il avait longuement regardé Bertrand avant d'embrasser son fils.

— Où étiez-vous passé ? lui avait-il lancé à voix basse.

Le commandant Villars attendait Thorenc à la clinique du docteur Boullier, à Clermont, avait-il exposé. Il avait dû se cacher dès l'arrivée des Allemands. Dans les minutes qui avaient suivi leur entrée en zone Sud, des agents de la Gestapo s'étaient présentés à l'hôtel Thermal, cherchant le chef du renseignement. Ils avaient arrêté le général

Weygand. Mais oui, oui, même Weygand ! Le lieutenant Mercier avait réussi à leur échapper, à rejoindre lui aussi la clinique de Boullier où se trouvaient encore Philippe Villars et Jacques Bouvy.

Raymond Villars s'était approché, avait tendu la main vers le front de Thorenc ; celui-ci s'était reculé, s'efforçant de maîtriser son tremblement tout en ne pouvant dissimuler la sueur qui lui couvrait le front.

— Et les Allemands, à Lyon ? avait-il demandé. Ils sont partout. Les officiers français les saluent !

Fixant Thorenc d'un œil soupçonneux, le docteur Villars avait eu un moment d'hésitation, puis s'était laissé entraîner par le besoin de confier ce qu'il avait vu, ce qu'il savait.

Les services de la Gestapo avaient réquisitionné l'hôtel Terminus, près de la gare de Perrache, et surtout l'École de santé militaire, sur la rive gauche du Rhône.

Le matin même, Raymond Villars s'y était présenté, comme il avait l'habitude de le faire deux fois par semaine. On l'avait accueilli poliment, conduit jusqu'au lieutenant Wenticht, l'adjoint du commandant du détachement de la Gestapo, un homme affable, mais aux yeux perçants. L'Allemand avait expliqué qu'il y avait dans la région lyonnaise de nombreux hôpitaux où l'on pouvait former des médecins et accueillir les malades. Mais la ville avait une autre particularité : c'était un foyer d'infection terroriste. Il fallait nettoyer cela au plus vite ! Voilà pourquoi la Gestapo avait dû réquisitionner l'École de santé. On allait y traiter cette maladie-là.

Wenticht avait raccompagné le docteur Raymond Villars jusqu'à l'entrée de l'école, puis, au moment de le quitter, lui avait dit :

« Vous êtes le frère du commandant Joseph Villars, n'est-ce pas ? Nous aimerions beaucoup le rencontrer. Mais il nous évite. Si vous le voyez, conseillez-lui de nous rendre visite. C'est un officier, nous pouvons le comprendre. Mais qu'il cesse de nous faire la guerre ! Elle est terminée pour la France depuis longtemps. Et vous, docteur, restez en dehors de tout ça, n'est-ce pas ? Vos malades ont grand besoin de vous... »

— Ce Wenticht m'a glacé, avait ajouté Raymond Villars.

Mathieu Villars avait rapporté que ses amis de *Témoignage chrétien*, qui étaient en contact avec des policiers résistants, avaient appris que Wenticht et son chef, le capitaine Barbie, avaient recruté à Lyon des centaines d'indicateurs. Ils les payaient grassement ou les menaçaient d'arrestation, de déportation s'ils cherchaient à se dérober. Ces hommes et ces femmes avaient pour mission de circuler en ville, de fréquenter restaurants et cafés, halls de gare, salons d'hôtels, de relever tout ce qui leur paraissait suspect, de surprendre les conversations, de suivre ceux qui tenaient des conciliabules sur les quais, dans les jardins, ou bien qui s'attardaient à deux ou trois sur les places.

— On m'a assuré, avait précisé le dominicain, qu'ils sont des centaines : des repris de justice et des prostituées, mais aussi des gens irréprochables qui ont besoin d'argent ou que la Gestapo menace. Ils doivent rendre compte chaque jour à l'hôtel Terminus ou bien à l'École de santé militaire. On établit des fiches à partir de leurs rapports, on compare les signalements, les adresses, etc.

Mathieu s'était tourné vers Bertrand :

— Il ne faut pas traîner en ville, Thorenc. Ou alors — il l'avait toisé du regard — avoir une apparence plus... plus naturelle, plus normale que la vôtre... Il faut changer de vêtements. Excusez-moi de vous dire ça, mais on dirait que vous venez de vous évader d'un asile de nuit ou d'une prison !

Le docteur Villars s'était levé et, avant même que Bertrand ait pu l'en empêcher, avait pris son poignet.

— Vous avez de la fièvre, avait-il dit au bout de quelques secondes.

Thorenc avait baissé la tête et, la tension se relâchant, s'était mis à claquer des dents.

12.

Thorenc aperçoit d'abord cette lumière blanche qui partage la pièce en deux. Elle trace sur le mur et le parquet un sillon clair qu'il suit des yeux jusqu'à une porte entrebâillée.

Au-delà, des pas résonnent. Il imagine un couloir. Il entend une voix qui dit : « Je vais voir. »

Les pas se rapprochent.

Le voici couché. Pourquoi est-il couché ? Il se redresse.

Ses paumes prennent appui sur un drap frais, un peu rêche, sans doute du lin. Il devine dans la pénombre une table de nuit, l'abat-jour d'une lampe de chevet. Il tâtonne, bras tendu. Touche le pied de la lampe, l'interrupteur.

Il allume. Découvre le tissu de ce pyjama, bleu avec un liséré blanc.

On pousse la porte. Du couloir, la lumière déferle. Une femme dont il ne discerne que la silhouette se tient sur le seuil. Elle est grande, ses épaules sont larges, ses cheveux mi-longs. Elle s'avance. Son profil est régulier, son menton prononcé, son front bombé au-dessus d'un nez droit. Elle dit :

— Je ne pousse pas les volets, il pleut et il fait encore presque nuit.

Elle s'avance vers le lit.

— Je vais partir, répond-elle. J'ai cours, ce matin. Disposez de l'appartement comme vous voudrez, mais ne sortez pas. N'ouvrez à personne.

Elle consulte sa montre, murmure :

— Déjà…

Elle sort, ajoute depuis le couloir qu'il y a du lait sur la table de la cuisine, un peu de pain et des fruits.

Elle claque la porte.

On la rouvre. On court dans le couloir. Elle est à nouveau sur le seuil de la chambre.

— Je m'appelle Catherine Peyrolles, dit-elle. Je suis une amie du docteur Villars. Vous avez dormi quarante-huit heures d'affilée. Ne sortez pas, n'ouvrez pas !

Bruit de porte qu'on referme. Silence rayé de pluie.

Il ferme les yeux. Il voudrait à nouveau s'enfoncer dans le sommeil. Il pense à ces ruelles de Sainte-Cécile-les-Vignes noyées par l'averse, à la buée couvrant les vitres du café de l'Union, à cette femme qui, penchée sur le comptoir, lui a chuchoté :

« La maison de Garel, elle est vide. N'y allez pas ! »

La maison était en fait peuplée de rats.

Il se lève d'un bond. Il ne va pas recommencer à se laisser hypnotiser par ces petits yeux rouges !

Il traverse la chambre, se cogne au pied du lit, étouffe un cri de douleur.

Il ouvre la fenêtre, puis les volets. C'est vrai : il fait encore presque nuit.

Il reconnaît le quartier, entre Rhône et Saône, du côté de la rue du Plâtre. Il distingue sous la pluie les toits et les façades qui s'encastrent et composent ce labyrinthe de petites rues qui va de la place Bellecour à la place des Terreaux.

Il se penche, reçoit la pluie. Le froid lui enserre la nuque. Il grelotte.

Il se souvient seulement d'avoir baissé la tête et commencé à claquer des dents. Il était assis dans le salon du docteur Raymond Villars en compagnie de Mathieu, le fils de ce dernier.

Il renoue peu à peu les fils...

On a donc dû le conduire ici.

Il clôt la fenêtre, ouvre l'armoire qui fait face au lit. Il y découvre d'abord des casquettes d'officier de marine, puis des uniformes de drap bleu, de toile blanche. Il referme la penderie. On a laissé des vêtements sur une chaise.

À déplier la chemise, à essayer le pantalon, puis à faire son nœud de cravate, à terminer de s'habiller, il éprouve une sorte de surprise et presque de joie enfantines, comme s'il renaissait. Il ne tremble plus.

Et, tout à coup, il se laisse tomber sur le lit.

Suffit-il d'un long sommeil pour oublier, pour que la souffrance s'éloigne, que la vie redonne un coup d'éperon, qu'on se prenne à cavalcader de nouveau ?

Adieu les morts, adieu Claire, Victor Garel et son épouse ! Adieu Léontine Barneron et Gisèle ! Adieu Minaudi !

Peut-on être fidèle à ceux qui meurent si on ne meurt pas avec ou pour eux, si on ne va pas s'allonger sur leur tombe ?

Il reste ainsi longtemps prostré, puis se cambre. Il s'injurie. Il a honte de cette faiblesse, de cette complaisance, de ce pourrissement de la volonté qu'il tolère, qu'il en vient à susciter en lui-même.

Il sort de la chambre.

Il longe le couloir, entrouvre les portes. Il devine d'autres chambres. Il pénètre dans la cuisine. Il a faim. Il parcourt les autres pièces, la salle à manger, le salon, tout en croquant une pomme. Il s'arrête devant les photos d'un officier de marine debout sur la passerelle ou bien mêlé à un équipage ; allant d'un cliché de groupe à un autre, Thorenc le cherche, puis le retrouve au deuxième rang, l'un des plus grands.

La dernière porte qu'il ouvre est celle d'une pièce d'angle tapissée de bibliothèques. Par la fenêtre de droite, on aperçoit le fleuve. Le Rhône ou la Saône ? Un bureau occupe le centre de la pièce. Des livres, des copies d'élèves l'encombrent. Une revue est ouverte. Il se penche, puis s'assied. C'est comme si, tout à coup, il entendait la voix de Claire Rethel, comme s'il relisait sa lettre.

Il est à nouveau saisi par le remords, comme si le fait d'avoir été distrait, d'avoir mangé avec avidité, avec une sorte de joie, avait constitué une trahison.

Il feuillette cette revue, *Poésie 42*. Puis retrouve la page à laquelle elle était ouverte. Il lit :

« Nous sommes heureux d'offrir à nos lecteurs ce poème de Jean Cayrol. Écrit dans des circonstances particulières, avec son titre nu comme la souffrance, "Écrit sur le mur", il atteste cette double persistance au cœur d'un des meilleurs de nos jeunes poètes : celle de la poésie et celle de la patrie.

> *J'appartiens au silence*
> *à l'ombre de ma voix*
> *aux murs nus de la Foi*
> *au pain dur de la France*
> ………………...................

Le Prix du sang

*J'appartiens au ciel bleu
qui souffre sur la pierre. »*

Thorenc tourne les pages. Chaque vers est une souffrance avivée et en même temps une exaltation, une exhortation au courage, comme si la poésie pouvait seule mêler fidélité et mémoire, rappel de la douleur et de la mort, mais aussi élan vers la vie.

*Ce n'est pas en rêve qu'il pleut, c'est l'automne sur nos régions
Ce ne sont pas les anciens morts, mais des morts frais
                                        dans la bourrasque
Cadavres rompus venant flotter aux lieux des flagellations
… Sur l'horizon
déjà la liberté sauvée sécrète la nacre et la moire,*

écrit Loys Masson.

Thorenc n'entend même plus la pluie.

Il lit, relit. Il aperçoit sur un des rayonnages la photo d'un couple. Il reconnaît l'officier de marine, et cette femme en robe longue blanche, près de lui, qu'il tient par la main, c'est elle : celle qui est venue dans la chambre et dont il a du mal à retrouver le nom.

Il retourne s'asseoir au bureau, écarte du bout des doigts quelques feuillets, découvre cette enveloppe :

Madame CATHERINE PEYROLLES
Professeur agrégé de lettres
Lycée du Parc

Il repousse l'enveloppe sous les papiers comme pour cacher son indiscrétion.

119

Il se lève. Sur une table basse placée contre un fauteuil, près de la fenêtre, si bien qu'en tournant la tête et en levant les yeux on voit et le ciel et le fleuve, des journaux sont entassés ; brusquement, c'est comme si les mots redevenaient de la fange. Des mots de marécage — ceux de Marcel Déat : « Et s'il faut un peu de terreur, la France en vaut la peine » ; ceux de Pétain : « Nous, Maréchal de France... », donnant tous pouvoirs à Pierre Laval ; et celui-ci dont le visage boursouflé occupe la première page des journaux : « Ceux qui escomptent la victoire américaine ne peuvent pas comprendre que M. Roosevelt apporte dans ses bagages le triomphe des Juifs et des communistes. Libre à certains de le souhaiter, mais je suis résolu à les briser coûte que coûte. Nous voulons que le bolchevisme universel qui représente la plus affreuse menace qui ait jamais pesé sur le sort des hommes ne vienne pas derrière les fourriers anglo-saxons pour éteindre à jamais la lumière de la civilisation française. Nous tenons à conserver notre vieille civilisation. Désormais, grâce à M. Roosevelt, les destins de tous les peuples de l'Europe sont liés. » Et Laval d'annoncer la création d'une Légion de volontaires, Légion impériale qui partira combattre aux côtés des Allemands en Afrique !

Darnand lance un appel en faveur de cette phalange africaine : « Jeunes Français révolutionnaires, depuis deux ans vous vous lamentiez d'être privés d'action. Militants de l'État nouveau, jamais vous ne ferez votre révolution si les Anglo-Américains ramènent dans leurs bagages la démocratie, le capitalisme et la juiverie ! »

Fermer les yeux. Ne pas se salir à cette boue, oublier ces noms : Déat, Pétain, Laval, Darnand.

Mais ils tuent.

Il vient s'asseoir au bureau. Reprend la revue. Et lit :

Martyrs de mes cent villages, soldats sans fusil dont le casque était de pâle écume.
Mais la pluie c'est la résurrection des morts...

— Ah, vous êtes là, je vous cherchais !

Thorenc sursaute. Catherine Peyrolles est près de lui, penchée sur son épaule.

— Loys Masson, murmure-t-elle.

Il se lève en s'excusant. Il va à la croisée comme s'il souhaitait se tenir loin d'elle pour mieux la découvrir.

Elle a les cheveux aussi noirs que ceux de Lydia Trajani, mais sa peau est mate : celle d'une Méditerranéenne. Son visage est dur, peut-être à cause du menton qui donne de la force, presque de la virilité aux traits ; le front, large et bombé, accuse cette impression.

Catherine est restée debout, la cuisse appuyée au bord du bureau. Elle porte une jupe droite bleu foncé et un pull-over blanc dont dépassent les deux pointes d'un chemisier bleu.

Thorenc baisse la tête. Il se souvient du chemisier bleu, rayé de sang, de Claire Rethel.

— Ici, personne ne viendra vous chercher, dit Catherine en reposant la revue. Vous êtes mon frère.

Elle sourit :

— J'ai vraiment un frère, mais il est en Nouvelle-Calédonie...

Elle ouvre son sac, en sort une pièce d'identité qu'elle lit avant de la tendre à Thorenc.

— Dominique Bucchi. Je m'appelle Catherine Bucchi, je suis corse. On a donc aussi changé votre prénom, je crois.

Elle s'assied à son bureau, entreprend de ranger les livres, les copies.

— Je n'ai pas d'accent corse, vous n'en avez pas. La concierge ne sera pas étonnée.

Elle se tourne, fixe Bertrand.

— Je vis seule, dit-elle en parlant vite. La concierge imaginera sûrement autre chose, mais cela n'a pas d'importance. Elle comprendra parfaitement que je veuille sauver les apparences. Je suis — elle pince un peu la bouche — ... je suis veuve.

Elle montre d'un mouvement de tête la photo de couple, puis les autres clichés où apparaît l'officier de marine.

Elle reprend d'une voix de plus en plus sèche, tranchante, comme si la salive lui manquait. Elle raconte que son mari — « Paul, oui, Paul Peyrolles » — était lieutenant de vaisseau :

— On lui promettait un destin d'amiral, dit-elle d'un ton sarcastique comme si cela ne l'avait jamais concernée, comme si elle n'avait jamais été que le témoin distant de la vie de cet homme, tué le 3 juillet 1940 à Mers el-Kébir. Il n'y a eu que trois survivants sur son contre-torpilleur, ajoute-t-elle dans un murmure.

Elle se lève, va ranger les livres à leur place dans les rayonnages.

— Il a été décoré par l'amiral Darlan — à titre posthume...

Elle émet une sorte de ricanement, le visage crispé, les mâchoires serrées, le menton prognathe.

— Au lycée, les collègues m'évitent. Je suis la veuve, la jeune veuve… Et, en plus, ce sont les Anglais qui ont tué mon mari !

Thorenc a la sensation que sa voix trop aiguë est si tendue qu'elle pourrait se rompre.

Catherine lui lance un coup d'œil.

— C'est difficile de s'approcher d'une veuve, n'est-ce pas ? On hésite entre le respect, la compassion hypocrite et la concupiscence…

Elle laisse tomber un livre, le repousse du bout du pied.

— On imagine aussi que je suis pétainiste, peut-être même pronazie. À cause de la mort de Paul.

Elle prend le cadre, contemple le cliché, le repose, puis, tout à coup, touchant du doigt un livre, le renverse.

— Tout cela est très commode…, ajoute-t-elle.

Elle a un rictus d'amertume.

— Paul nous a rendu un grand service en se faisant tuer par les Anglais : je suis devenue insoupçonnable. Mon appartement est rempli de tracts, de journaux clandestins. Et sans doute d'armes.

Elle hausse les épaules.

— Le docteur Villars, Mathieu et Philippe Villars déposent ici tout ce qu'ils veulent. Et ma concierge comprend fort bien qu'après deux ans de veuvage je puisse recevoir la visite de quelques hommes. Car j'héberge aussi des pilotes évadés, anglais ou canadiens.

Elle se baisse enfin, ramasse le livre, le remet à sa place.

— J'ai quand même préféré vous présenter comme mon frère, reprend-elle.

Thorenc s'est assis dans le fauteuil. Il contemple le ciel et le fleuve. Peut-être Claire Rethel est-elle un jour entrée dans ce bureau, a-t-elle transmis à son occupante quelque courrier, un paquet de tracts ?

— Vous êtes épuisé, murmure Catherine. Le docteur Villars et Mathieu ont dû vous porter, vous coucher...

Peut-être est-ce elle qui a fait découvrir à Claire ces revues, ces poètes...

— J'ai connu..., commence-t-il.

Elle se tourne vers lui dans un mouvement violent :

— Nous n'avons connu personne ! l'interrompt-elle.

13.

Thorenc est assis sur le bord du lit, les yeux fermés, la poitrine penchée ; on dirait que sa tête trop lourde l'entraîne en avant.

Parfois il se redresse, oscille, se laisse tomber en arrière, bras écartés, paumes ouvertes, comme s'il implorait.

Il prie : « Notre Père, qui êtes aux cieux... »

Il voudrait remplir sa tête de mots, comme s'il avait la faculté de retrouver, grâce à eux, le sommeil de l'enfance, quand il suffisait d'une prière — « Je vous salue Marie, pleine de grâce, le Seigneur est avec vous... » — pour n'entendre plus la voix de Simon Belovitch qui, dans la maison des remparts, à Antibes, répétait : « Cécile, ma chère Cécile, où êtes-vous ? Venez ici, rapprochez-vous... » Et il s'endormait malgré les rires montant du salon.

Il a raconté cela à Catherine Peyrolles, hier soir, à la fin du dîner qu'ils ont pris dans la salle à manger, assis chacun à l'un des hauts bouts de la longue table.

Ils ont ri à plusieurs reprises, s'interrompant brusquement, gênés l'un et l'autre par cette gaieté qui les emportait et que, tout à coup, ils jugeaient en même temps inconvenante, presque sacrilège.

125

Ils se taisaient durant un long moment, puis, brusquement, ils se remettaient simultanément à parler, paraissant ne pas s'écouter, mêlant leurs phrases qui s'entrelaçaient, se recouvraient comme s'ils avaient eu tant de choses à dire qu'il fallait vite les déverser avant qu'à nouveau le silence les étouffât.

Et ils riaient de cette profusion.

Elle devait lui apprendre ce que c'était que d'être corse. Il fallait bien qu'il puisse répondre si on l'interpellait...

Il était ainsi quelque peu entré dans la vie de Catherine Bucchi. Il avait connu ce père officier, tué en 1918. Il avait marché sur le cours Mirabeau, à Aix, aux côtés de Catherine quand elle se rendait à la faculté des lettres. Il avait...

Mais elle avait interrompu le récit de sa jeunesse pour dire qu'elle avait rejoint Paul à Oran, au mois de mai 1940, quelques jours avant l'attaque allemande. Elle était enceinte et avait obtenu un congé. Et puis il y avait eu le bombardement par les Anglais de la flotte française de Mers el-Kébir.

Elle s'était levée et avait lancé, désinvolte :

— J'ai perdu ce jour-là et mon mari et mon enfant.

Elle avait interdit à Thorenc de l'aider à desservir. Puis elle était revenue s'asseoir après avoir déposé au milieu de la table une bouteille de marc.

— J'ai été gaulliste dès la fin juin, quand j'ai lu le texte du discours de De Gaulle. Paul, lui, ne l'était pas. Au contraire !

Elle avait rempli le verre de Thorenc, puis le sien.

Elle avait bu.

— Et vous ?

Il n'avait parlé que de son enfance. Et il avait réussi à la faire rire. Mais, au bout de quelques minutes, ç'avait été comme si un verre s'était fracassé par terre. Elle avait sursauté, secoué la tête, murmuré quelques mots tout en se levant, expliquant qu'elle avait encore des copies à corriger. Elle avait laissé ses phrases en suspens, puis avait quitté la pièce.

Resté seul, il avait bu, essayant de se vider la tête.

Il avait regagné sa chambre en titubant et s'était allongé, persuadé qu'il allait s'enfoncer dans le sommeil. Mais, tout à coup, les visages, les scènes s'étaient succédé, comme vivement éclairés pour qu'il n'en perdît aucun détail, qu'il vît les yeux tuméfiés, les plaies de Claire Rethel auxquels se substituaient bientôt ceux de Catherine Peyrolles…

Il s'était dressé, assis sur le bord du lit.

Ils étaient fous de lui avoir fourni ces papiers d'identité au nom de Dominique Bucchi ! Si on l'arrêtait, et même s'il ne parlait pas, s'il se tuait ou résistait à la torture, ils identifieraient en un rien de temps la sœur, Catherine Peyrolles, née Bucchi.

Il fallait qu'il déchire ces papiers, qu'on lui en obtienne d'autres, qu'il soit le seul mis en cause s'il venait à être pris.

Il avait marché à travers la chambre, ouvert la fenêtre, poussé les volets.

Il n'y avait plus ni toits ni façades, ni rue, ni ciel, ni pluie, mais ce brouillard qui déposait sur les vitres et la peau de petites gouttelettes, et qui s'étendait, transformant la ville en cité engloutie.

127

Thorenc avait suffoqué. Il se sentait pris à la gorge. Il fallait qu'il agisse sur-le-champ.

Il avait fouillé fébrilement dans son portefeuille et en avait sorti sa nouvelle carte d'identité, l'avait posée sous la lampe de chevet, et, tout à coup, comme si d'avoir relu ces nom et prénom l'avait décidé, il avait entrepris de la lacérer, reprenant chaque morceau pour le déchirer à nouveau.

Et il avait jeté cette poignée de confettis dans le brouillard.

Il avait refermé les volets, puis la fenêtre. Il avait pensé qu'il allait enfin pouvoir dormir, mais il avait dû s'asseoir à nouveau sur le bord du lit.

Il entend des pas dans le couloir. Ce n'est qu'un frôlement, quelqu'un qui marche en veillant à ne pas faire de bruit, qui ouvre une porte, s'arrête parce qu'elle s'est mise à grincer, recommence, s'interrompt à nouveau.

Puis, le silence.

Thorenc a envie de hurler. Il voudrait sentir un violent courant d'air, que le vent et l'averse s'engouffrent dans la pièce, entendre des bruits qui prouveraient qu'il y a une issue par laquelle ils pénètrent jusqu'à lui et par où il pourrait donc s'enfuir.

Il quitte la chambre, s'engage dans le couloir, fait quelques pas.

Il lui semble percevoir une respiration. Il tend les bras dans l'obscurité.

Il touche les épaules et les seins de Catherine Peyrolles. Il dit :

— Je ne peux pas être votre frère.

Il la serre contre lui. Elle sanglote et rit tout à la fois.

14.

Jacques Bouvy parle si bas que Thorenc est souvent contraint de s'arrêter, se penche vers lui qui se retourne, répète qu'il leur faut continuer à marcher : c'est la meilleure façon de ne pas attirer l'attention. Il faut donner l'impression qu'on va quelque part, non qu'on est dans la rue pour se parler, à l'abri des indiscrets.

— Ce brouillard…, murmure Thorenc.

Il s'est épaissi tout au long de la matinée. Il couvre la presqu'île entre Saône et Rhône d'une poussière dense et humide qui bouche les petites rues autour de Notre-Dame-Saint-Vincent. L'église n'est plus qu'une masse grisâtre aux contours flous.

— Le brouillard nous protège, mais il les dissimule aussi, répond Bouvy.

Et il oblige Thorenc à avancer plus vite, comme s'ils se rendaient à quelque rendez-vous, alors qu'ils se dirigent au hasard, tournant brusquement quand ils aperçoivent un attroupement devant une boutique ou une silhouette qui surgit du brouillard et semble les épier.

— Ils arrêtent, ils raflent, ils torturent déjà, surtout à l'École de santé militaire, mais aussi dans les caves de l'hôtel Terminus, reprend Bouvy.

Il lève la tête vers Bertrand.

— Vous connaissez le lieutenant Wenticht ? Barbie et lui ont toujours un nerf de bœuf à la main. Wenticht a placé votre nom en tête de la liste des suspects qu'il entend retrouver et arrêter.

Bouvy siffle entre ses dents.

— Redoutable honneur, Thorenc !

Il prend le bras de son interlocuteur et le serre :

— Nous avons deux femmes de ménage qui travaillent pour nous, à l'École de santé et à l'hôtel Terminus. Nous sommes sûrs que ni Victor Garel, ni sa femme, ni Claire Rethel ne sont entre les mains de la Gestapo. Vous entendez, Thorenc ? Ça ne sert à rien de vous tourmenter.

Il marche tête baissée. Il semble n'avoir ni nuque, ni cou. Son corps est lourd, mais son pas reste juvénile, ses gestes sont vifs.

Il secoue le bras de Thorenc.

— Peut-être ce Garel, qui a du courage, et, semble-t-il, du sang-froid, a-t-il quitté Sainte-Cécile parce qu'il ne s'y sentait plus en sécurité ? À quel moment ? Avant ou après l'entrée des Allemands en zone non occupée ? Nous l'ignorons. Mais, s'il s'est planqué ailleurs avec votre amie, pourquoi voulez-vous qu'il donne signe de vie ? Il se terre. Et il a raison !

Il continue d'étreindre le bras de Thorenc et lui parle la bouche à peine entrouverte, les dents serrées :

— Écoutez-moi, nom de Dieu ! Ils ne sont ni à la Gestapo, ni à la prison Saint-Paul, ni dans celle de Montluc. Les gendarmes de Carpentras et de Bollène n'ont arrêté personne. Il n'y a que deux solutions, pas trois...

Il répète que Garel a pu se cacher ailleurs, à la campagne. Puis il se tait...

Thorenc imagine : on les a abattus, puis on s'est débarrassé de leurs corps. Il pense à ce rat qui le fixait de ses yeux rouges.

— Vous avez fouillé le mas ? demande Bouvy.

Il lance un coup d'œil intrigué à Thorenc, puis conclut :

— Donc, nous ne savons rien.

Il tire sur la manche de l'imperméable de Bertrand :

— Maintenant vous m'écoutez : on tourne la page concernant vos braves gens !

Il a changé de voix et de ton. Il semble avoir encore rentré davantage la tête dans ses épaules. Il répète :

— Il faut empêcher ça, Thorenc !

D'après les informations recueillies par le commandant Villars, les Allemands s'apprêteraient à tenter un coup de main sur la flotte française en rade de Toulon.

— Ils peuvent compter sur l'amiral de Laborde, un salopard, un collabo qui a voulu constituer une armée pour aller déloger les FFL du Fezzan et du Tchad. Il se contente des belles promesses des Allemands qui se sont engagés à ne pas entrer dans le port militaire !

Il s'arrête comme malgré lui.

— Plus de cent navires, Thorenc, qui pourraient rejoindre l'Algérie, donner à la France combattante le poids militaire qu'elle n'a pas encore !

Il baisse la voix :

— Max est à Nice, confie-t-il. Il faut le voir.

Moulin, expose-t-il, y a légalement ouvert une galerie de peinture, rue de France. Bertrand est chargé de prendre contact avec lui, puis, à Toulon, avec les quelques officiers

131

dont Catherine Peyrolles a donné les noms et qui pourraient tenter de neutraliser l'amiral de Laborde.

Bouvy se tait tout à coup. Trois soldats allemands, accompagnés d'un policier français, s'avancent au milieu de la chaussée. Ils paraissent un instant tout proches, mais sont presque aussitôt absorbés par le brouillard.

— Je parie que ces porcs cherchent le bordel ! maugrée-t-il.

Thorenc sent que Bouvy glisse dans la poche de son imperméable une enveloppe. Ce sont les nouveaux papiers de Thorenc. Mais, lors de ses séjours à Lyon, il est entendu qu'il continuera d'habiter chez Catherine Peyrolles.

— Le point de chute le plus sûr…, dit Bouvy en se tournant vers lui. Au surplus, on me dit qu'elle a demandé à vous conserver.

Il donne un coup de coude à Thorenc, qui s'écarte. Il a le sentiment d'une complicité entachée de vulgarité. Il ne le supporte pas.

— Je veux tuer le commissaire Dossi, lâche-t-il. Voilà mon programme personnel.

Bouvy s'arrête, se hausse sur la pointe des pieds, approche son visage de celui de Thorenc comme pour mieux le discerner en dépit du brouillard qui se confond de plus en plus avec la nuit tombée.

— Je n'ai rien entendu, murmure Bouvy. Parce que vous ne m'avez rien dit.

Thorenc sent son haleine sur son visage. Il recule. Bouvy s'avance à nouveau.

— Vous avez à ce point envie de mourir ? demande-t-il.

Il regarde autour de lui, montre diverses silhouettes qui s'effacent.

— Vous êtes con, Thorenc ! N'allez pas au-devant de la mort. C'est inutile : elle est là. Partout !

Bertrand le voit qui s'éloigne et se mêle aux ombres fugitives qui peuplent encore la rue.

15.

Thorenc avait fermé les yeux.

Il n'avait plus entendu que les cris perçants des mouettes accompagnant le battement sourd et rythmé des vagues sur les galets de la baie des Anges.

Il avait eu envie de s'assoupir, d'oublier un instant ce qu'il avait vu le long des routes que la voie ferrée côtoyait.

Entre Marseille et Toulon, il était resté le front constamment appuyé à la vitre, dans le couloir du wagon.

Il s'était laissé bousculer, apostropher. Il encombrait le passage. À l'écoute des remarques désobligeantes, des insultes, il n'avait même pas bougé la tête, suivant des yeux les colonnes de blindés qui roulaient vers Toulon.

Il les avait déjà aperçues lors de son voyage de Nice à Lyon, quelques jours auparavant. Mais elles semblaient maintenant avoir envahi tous les axes routiers.

Certaines étaient immobilisées sous les pins parasols et les palmiers, en bordure des vignes. Tête nue, les manches de leur vareuse retroussées, leur casque et leurs armes posés près d'eux, des soldats étaient assis sur les talus de terre rouge. La plupart portaient l'uniforme noir des SS et, dans la lumière légère de cette fin novembre, dorée, tirant sur l'ocre, l'acier des tanks et des camions, des armes et des casques paraissait d'autant plus menaçant qu'il était incongru.

Dès son arrivée à Nice, Thorenc s'était rendu rue de France.

Elle était étroite et sombre, mais l'horizon bleu, la mer, la lumière étaient au bout de chacune des traverses perpendiculaires conduisant, en une centaine de mètres, à la Promenade des Anglais.

À chaque fois, Thorenc s'était arrêté au bord de la chaussée. Légère, la brise de mer glissait le long de ces rues, portant le bruit du ressac et les piaillements des oiseaux.

Il était passé une première fois devant le numéro 22. Il avait aperçu une petite foule qui se pressait entre des murs blancs auxquels étaient accrochés des toiles, des aquarelles, des dessins. C'était bien la galerie de peinture qu'avait évoquée Jacques Bouvy.

Il était revenu sur ses pas. Le brouhaha des conversations et des rires envahissait jusqu'à la rue.

Thorenc s'était immobilisé sur le seuil, comme un invité timide arrivant un peu en retard à l'inauguration d'une galerie ou au vernissage d'une exposition.

Il avait remarqué une très jeune femme au visage d'une beauté presque parfaite. Ses cheveux courts, légèrement bouclés, rejetés en arrière, dégageaient ses traits. Il avait été frappé par la douceur quelque peu mélancolique de ses yeux.

Elle allait de l'un à l'autre des invités, souriante, et, à chaque fois, lançait un regard vers le fond de la galerie, comme si elle quêtait une approbation ou bien au contraire s'inquiétait, surveillait ce qui s'y passait.

Thorenc s'était avancé de quelques pas, bientôt enveloppé par le bruit et l'éclat des voix.

Il avait été ébloui par la lumière des spots qui éclairaient chaque tableau. Il avait aperçu un homme en uniforme, le préfet des Alpes-Maritimes, sans doute, qui traversait la galerie, et il avait dans le même temps reconnu Jean Moulin qui raccompagnait le représentant du gouvernement, puis, à quelques pas, pareils à un couple d'amateurs, Stephen Luber et Christiane Destra, une coupe de champagne à la main.

Thorenc s'était approché et son regard avait tout à coup croisé celui de Luber. Il avait perçu l'étonnement, presque la panique qui, durant un bref instant, avait traversé les yeux de l'Allemand. Christiane Destra avait deviné qu'il venait de se produire un événement insolite et, découvrant à son tour Bertrand, elle n'avait pu s'empêcher de toucher le bras de Luber pour l'avertir, mais ce dernier était redevenu maître de lui ; le regard voilé, il se dirigeait sans hâte vers le journaliste tout en faisant mine de s'attarder devant un tableau. Christiane Destra le suivait, incapable, quant à elle, de dissimuler son anxiété, les joues creusées, les yeux écarquillés.

— Je ne savais pas que vous étiez à Nice, avait murmuré Stephen Luber, ni que vous aimiez la peinture.

Thorenc s'était contenté d'incliner la tête en s'efforçant de sourire.

— Nous nous rencontrons bien souvent, avait ajouté l'Allemand.

— Les circonstances, le hasard…, avait répondu Bertrand.

Il avait eu la sensation qu'on l'observait. Il s'était retourné et avait aperçu Jean Moulin qui le considérait tout en chuchotant quelques mots à la jeune femme.

Le plus attirant chez elle, c'était cette douceur du dessin de la bouche et du cou. Elle portait un chemisier blanc échancré dont le col recouvrait celui d'une veste de tailleur noir. Moulin souriait, ne quittant pas des yeux Thorenc et néanmoins l'air absent, comme si la présence à ses côtés de cette jeune femme à laquelle il parlait, le transfigurait.

Thorenc avait été touché par cette sensibilité de Max qui se dévoilait sans doute malgré lui. Il s'était senti proche de lui, fier même d'être sous les ordres d'un tel homme qui, malgré le danger, les charges, les difficultés, pouvait être ému par une femme, et était incapable de le cacher.

La jeune femme s'était avancée vers Bertrand et Luber avait eu le temps d'indiquer qu'on pouvait toujours le trouver au 5, rue Fodéré. Thorenc se souvenait de l'adresse, n'est-ce pas ?

L'Allemand avait pris le bras de Christiane Destra et tous deux avaient quitté la galerie.

— Je crois que vous voulez voir Jean ? avait demandé la jeune femme.

D'un mouvement de tête, elle avait désigné Moulin qui quittait la galerie par une porte située au fond du local.

Thorenc l'avait suivi et s'était retrouvé, sitôt la porte franchie, sous un porche.

Il avait aperçu la silhouette de Moulin qui s'engageait dans un escalier. Celui-ci devait conduire dans les étages de l'immeuble dont la galerie occupait le rez-de-chaussée donnant sur la rue de France.

Moulin avait laissé entrouverte la porte de l'appartement du premier étage et quand Thorenc l'avait poussée, il l'avait aperçu, debout, regardant par la fenêtre. Puis Max s'était retourné.

C'était à nouveau l'homme au visage grave, aux yeux exprimant force, attention et volonté. En quelques mots, il avait expliqué que la galerie lui servait de couverture, qu'il allait pouvoir justifier ainsi ses voyages à travers la France par la nécessité dans laquelle il se trouvait de rechercher des tableaux. Mais, avait-il insisté, il regrettait que leur rencontre se fût produite à la galerie. Elle ne pouvait servir de couverture efficace que dans la mesure où elle n'était ni connue ni utilisée, ou seulement en cas de circonstances exceptionnelles.

Thorenc avait profité d'une pause de quelques secondes pour s'avancer et répliquer que tel était bien le cas.

Il avait commencé à décrire les *Panzerdivisionen* SS qui encerclaient Toulon. Le commandant Villars était persuadé que les Allemands allaient mettre en œuvre leur plan Lila afin de s'emparer des navires français ancrés dans le port militaire. Ce plan était le complément nécessaire des plans Anton et Attila d'occupation de la zone Sud. Dans les jours ou les heures qui venaient, la Wehrmacht déclencherait cette opération, en violation de tous les engagements pris auxquels feignaient encore de croire Laval, Pétain et la plupart des amiraux.

— On ne peut accepter cela ! avait ajouté Thorenc. Ces navires, une fois dans la guerre...

Lèvres serrées, traits durcis, le visage de Moulin s'était contracté ; des rides plissaient son front, creusaient ses joues et les coins de sa bouche d'une grimace amère.

Thorenc était-il venu jusqu'à Nice pour annoncer ce que toute personne informée savait déjà ? s'était-il exclamé en se mettant à aller et venir dans la pièce. C'était avoir pris des risques inutiles et en faire courir de tout à fait superflus à d'autres. Car on l'avait peut-être suivi !

Qui donc avait eu l'idée saugrenue de lui confier cette mission à Nice ? avait-il répété.

Bien sûr que les Allemands allaient tenter un coup de main sur l'escadre, et aussi sur l'armée de l'armistice ! Ils n'avaient plus besoin de ménager le gouvernement de Vichy. Ils allaient eux-mêmes arracher les derniers voiles du mensonge. Mais cela allait permettre à des millions de Français de sortir de leur somnolence, de voir la réalité en face.

D'ailleurs, la réalité allait frapper à leurs portes puisqu'on allait recenser les jeunes hommes afin de les livrer à l'Allemagne ! Et les quelques maquis qui n'avaient pas attendu cela pour se constituer allaient se renforcer.

— Il nous faut constituer au plus tôt cette Armée secrète, Thorenc !

À tous les échelons de la Résistance, et pour des raisons d'efficacité, il fallait séparer l'organisation militaire des autres aspects de l'action.

Il avait eu un mouvement d'impatience :

— Est-ce que vous comprenez ça, vous ? Eh bien, la plupart des chefs de réseaux et de mouvements, eux, ne le comprennent pas !

Ils avaient bien voulu apporter leur soutien à de Gaulle en adressant des communiqués à Roosevelt afin de reconnaître la France combattante et son chef au lieu d'appuyer Giraud et Darlan, avait poursuivi Moulin, mais, dès qu'on voulait aller plus loin, ils s'opposaient aux directives de Londres.

— Nous sommes en guerre, Thorenc, et, dans la guerre, il faut un chef. Et ce chef, c'est de Gaulle ! avait-il martelé.

Comment pouvaient-ils ne pas comprendre ça, à Combat, à Libération, à Franc-Tireur ? Ils étaient réticents face à la constitution d'un Conseil national de la Résistance. Ils refusaient l'autonomie de l'Armée secrète et exigeaient de la contrôler. Ils réclamaient qu'on leur versât des fonds, des dizaines de millions, sans qu'on exerçât le moindre contrôle sur leurs activités !

— Ils iront en Suisse voir les Anglais et les Américains, avait murmuré Thorenc. Ils ne s'en cachent pas. Ils le font déjà…

Moulin avait paru se rendre compte qu'il s'était laissé emporter.

— Pour nos navires, à Toulon, je crains qu'il ne soit trop tard, avait-il murmuré. L'exigence du moment, c'est l'union de toutes les forces de la Résistance, la constitution de ce Conseil…

— … avec les communistes ? avait interrogé Thorenc.

Moulin l'avait fixé intensément durant quelques secondes.

Bertrand avait baissé les yeux. Il ne parlerait pas à Moulin de Stephen Luber ni de Christiane Destra. Moulin l'avait sûrement vu, dans la galerie, échanger quelques mots avec eux. Peut-être Luber et Destra assuraient-ils la protection de Max ?

— Les communistes, avait repris ce dernier, ont leur propre stratégie à très long terme. Mais, si nous sommes unis, ils ne pourront pas l'imposer. D'ailleurs, ils reconnaissent d'ores et déjà l'autorité de De Gaulle.

Il avait fait quelques pas dans la pièce, l'air pensif, puis s'était tourné vers Thorenc :

— Les communistes sont les hommes les plus courageux de la terre, avait-il murmuré.

Il avait ajouté qu'il fallait naturellement les obliger à servir en priorité la France, et cela, il se faisait fort de les y contraindre. C'était même l'un des buts de la constitution du Conseil national de la Résistance.

Il avait ouvert la porte de l'appartement et Thorenc avait aussitôt entendu le brouhaha monter de la galerie par la cage d'escalier.

— Quel que soit le sort de l'escadre de Toulon, avait repris Moulin en élevant la voix, ce mois de novembre 1942 change la donne. Les Allemands ne réussissent pas à prendre Stalingrad. Les premières neiges sont tombées. L'URSS ne s'effondrera plus. Les Américains sont en Algérie. Il nous reste à faire en sorte que la France redevienne une nation souveraine. Pour cela, il faut que les directives de De Gaulle soient suivies par tous. Et qu'on cesse de vouloir jouer chacun pour soi, avec l'aide toujours intéressée des Anglais, des Américains ou des Russes !

Il avait commencé à redescendre l'escalier, s'arrêtant quelques marches avant de s'engouffrer sous le porche. La porte de la galerie était restée entrouverte.

Il voulait, avait-il poursuivi, que Thorenc transmette aux différents chefs de mouvements que la réunion qui devait se tenir à Lyon était fixée au 27 novembre suivant.

— Pour Toulon, avait-il ajouté, il faut tout essayer. Mais il ne nous reste que quelques jours. Vous avez des contacts ?

Thorenc avait cité les noms d'officiers que Catherine Peyrolles lui avait communiqués.

— Le milieu leur est hostile, avait murmuré Moulin. Ou on les a déjà étouffés, éloignés, ou bien on les écartera à l'heure de la décision. L'amiral de Laborde n'a qu'une obsession : empêcher les Anglais de mettre la main sur ses bateaux. Non seulement les Allemands ne le préoccupent pas, mais il a laissé entendre à plusieurs reprises qu'il les tenait pour de véritables compagnons d'armes. La collaboration, tel est son idéal politique ! Quant à ses officiers, ils sont obsédés par le souvenir de Mers el-Kébir, de Dakar et même de Trafalgar !

Il avait soupiré :

— Bonne chance, Thorenc !

Il avait paru hésiter, puis avait ajouté que Bertrand pouvait utilement rencontrer Stephen Luber.

— ... Mais vous le connaissez, n'est-ce pas ?

Moulin avait lancé un coup d'œil interrogateur à Thorenc avant d'ajouter que Luber était à la tête d'un petit groupe communiste qui rayonnait sur toute la Côte, et dirigeait vers l'arrière-pays, dans les hautes vallées, les réfractaires au Service du travail obligatoire, ainsi que les antifascistes italiens que l'OVRA, la Gestapo de Mussolini, avait commencé à pourchasser dans les heures qui avaient suivi l'entrée des troupes italiennes à Nice. L'OVRA torturait, fusillait à l'égal de la Gestapo avec qui elle travaillait. Elle entretenait aussi les meilleures relations avec les Brigades spéciales françaises.

— Il faudrait tuer le commissaire Dossi, avait déclaré Bertrand.

Moulin avait paru surpris, puis, penchant un peu la tête, il avait indiqué que Thorenc pouvait évoquer la question avec Stephen Luber : c'était un homme qui avait les moyens de mener à bien ce genre d'opération.

Moulin lui avait serré longuement la main. Il fallait, avait-il dit, ne jamais se laisser détourner de l'objectif principal, et chaque décision n'avait de sens que si elle permettait de s'en approcher davantage.

— Hiérarchiser les objectifs, les actions et les moyens, voilà ce qu'il faut avoir en tête à chaque instant. Unification autour de De Gaulle, Conseil national de la Résistance, Armée secrète pour parvenir à la libération d'une France ayant recouvré sa souveraineté : voilà la route !

Il avait paru songeur.

— Mais le plus difficile reste à faire... et à vivre, avait-il ajouté.

Thorenc avait vu la jeune femme de la galerie s'avancer sous le porche, prendre Moulin par le bras et l'entraîner.

Peu à peu engourdi par la douceur du soleil automnal, bercé par le balancement du ressac, Thorenc avait repensé à cette femme que certains des invités de la galerie avaient appelée familièrement par son prénom, Colette.

Il avait été ému par la manière dont elle regardait Moulin, le suivant des yeux lorsqu'il s'éloignait et, chaque fois que Thorenc avait pu capter ce regard, il l'avait trouvé empreint de tendresse, de respect, presque de vénération, mais aussi d'inquiétude.

Peut-être Colette ignorait-elle tout des responsabilités de Max, mais elle semblait cependant pressentir que c'était un homme menacé.

Elle le protégeait du regard tout en le suppliant de ne pas s'exposer.

Pensant à elle, Thorenc avait senti combien l'amour d'une femme lui était nécessaire.

Il avait songé à la nuit qu'il avait passée avec Catherine Peyrolles, puis à ces autres nuits partagées autrefois avec Geneviève Villars, Isabelle Roclore ou Claire Rethel. Ç'avait été à chaque fois comme une trêve, une façon d'affirmer que la vie n'était pas seulement soupçons, violences, meurtres. On pouvait serrer un corps sans avoir l'intention de l'étouffer, de le faire souffrir, mais prendre et donner du plaisir, faire naître la joie, se rassurer, affirmer que l'on pouvait, l'espace de quelques heures, échapper à la barbarie.

C'était aussi une manière d'affirmer l'espérance du retour à la vie humaine dont la notion même était remise en cause par la cruauté des temps et le sadisme des comportements. Il était persuadé que c'est ce que Claire Rethel et Catherine Peyrolles recherchaient dans la poésie.

Il s'était souvenu de la lettre de Claire, de ces quelques vers d'Eluard qu'elle avait recopiés :

> *Et par le pouvoir d'un mot*
> *Je recommence ma vie*
> *Je suis né pour te connaître*
> *Pour te nommer*
> *Liberté !*

Ce que voulaient faire les hommes du lieutenant Klaus Wenticht et ceux du commissaire Antoine Dossi, c'était martyriser les corps pour annihiler l'amour et l'espoir.

Thorenc s'était recroquevillé sur la chaise longue. Il revoyait le visage blessé de Claire Rethel, imaginait

Geneviève Villars et Isabelle Roclore pourchassées, arrêtées, torturées.

Il avait froid. Rouvrant les yeux, il avait suivi durant quelques secondes le soleil estompé qui disparaissait derrière le sombre massif de l'Estérel.

On l'avait touché à l'épaule. Il avait sursauté. Stephen Luber s'était assis près de lui, appuyant les pieds à la rambarde qui surplombait la plage de galets.

L'Allemand avait relevé le col de son manteau en poil de chameau. Il était d'une élégance voyante qui le faisait ressembler à l'un de ces personnages un peu équivoques qu'on croisait sur la Promenade des Anglais, guettant les femmes seules que l'ennui tourmentait et qui rêvaient d'aventures. Peut-être était-ce, à Nice, un moyen de passer inaperçu ? On ne pouvait certes imaginer que cet homme-là était à la tête d'un groupe de Francs-Tireurs et Partisans du Parti communiste, ayant sans doute à son actif plusieurs attentats et maints assassinats !

— Vous vouliez me voir, avait dit l'Allemand.

Le ton était à la fois agressif et sardonique.

Thorenc avait évoqué l'imminence d'une opération contre la flotte française ancrée en rade de Toulon.

— Vous croyez que nous pouvons, nous, arrêter une division blindée SS ? avait ironisé Luber.

Il avait ricané, puis poursuivi :

— Il y a une armée de l'armistice, je crois. Elle dispose de dépôts d'armes : qu'elle les distribue à ceux qui veulent se battre ! Les pièces des navires peuvent ouvrir le feu. Nous, nous ne disposons que de quelques armes légères. On peut abattre ici et là un officier ; nous pouvons faire sauter un transformateur, un pont, dix mètres de voie ferrée, mais combattre plusieurs milliers de SS, ça, ce n'est pas encore le moment !

Il s'était rapproché de Thorenc. Quelques ouvriers des arsenaux de Toulon avaient voulu se mettre à la disposition de l'état-major de la marine, avait-il indiqué. On les avait aussitôt emprisonnés.

— Tout ce que les amiraux seront capables de faire, c'est de saborder leurs navires. Ils y pensent, et, d'après nos informations, ils s'y sont préparés, mais, s'ils réussissent, nous aurons de la chance !

Thorenc avait examiné Stephen Luber. Son visage exprimait du mépris et, en même temps, une certaine satisfaction que le sourire — un rictus, plutôt — confirmait.

— Les élites de ce pays — nous en avons déjà parlé, Thorenc, et vous en faites partie — n'ont plus d'énergie. Il faudra qu'elles cèdent la place, et j'espère que cette guerre les balaiera !

L'assurance dédaigneuse de Luber, sa violence, qu'il ne réussissait pas à masquer, son désir de revanche personnelle avaient exaspéré Thorenc.

Il avait longuement dévisagé l'Allemand, imaginant ce qu'un tel homme, disposant de la moindre parcelle de pouvoir, était à même de faire. Il liquiderait les traîtres, mais aussi tous ceux qui ne partageraient pas ses idées, à la manière dont Staline avait, en 1936, fait disparaître ses opposants, et dont, en Espagne, il avait fait décimer les anarchistes et les trotskistes.

147

La libération de la France pouvait, dans ces conditions, se transformer en guerre civile. Pour cette raison aussi, il fallait se rassembler derrière de Gaulle, seul capable d'empêcher les affrontements entre les factions extrêmes de la Résistance.

Thorenc était resté silencieux, le temps de recouvrer son calme.

— Je croyais que vous autres, communistes, étiez partisans d'un Front national regroupant tous ceux qui seraient décidés à lutter contre les nazis, avait-il dit en s'efforçant de sourire naïvement.

Luber avait hésité, puis répété :

— Bien sûr, c'est là notre ligne. Mais il faudra aussi juger les traîtres, les collabos !

— Mais vous êtes allemand, avait objecté Thorenc. Vous aurez tout loisir de faire ça chez vous…

Luber avait paru décontenancé. Puis il avait expliqué qu'il était un internationaliste et qu'il irait là où il serait le plus utile au combat contre le fascisme.

Thorenc avait regardé la mer, devenue une étendue foncée. Il s'était levé. La Promenade des Anglais, plongée dans l'obscurité, était déserte. La nuit était vite tombée.

— Il fait froid, avait-il dit pour rompre le silence.

Il avait marché aux côtés de Luber vers la colline du Château qui ferme la baie des Anges. Il avait revu l'hôtel qui y était adossé. C'est là qu'il logeait quand il avait recueilli Myriam Goldberg. À l'époque, il avait imaginé qu'il allait la sauver en lui donnant cette nouvelle identité : Claire Rethel. Mais il l'avait jetée dans des périls peut-être plus grands que ceux qu'elle aurait courus en restant ce qu'elle était.

Qui pouvait savoir ?

Où se trouvait-elle, aujourd'hui ? Cachée avec Victor Garel, ou son corps gisait-il dans le mas de Sainte-Cécile ?

Il avait revu les rats.

Il s'était alors arrêté de penser, de se souvenir.

Les deux hommes étaient parvenus à ce cap d'où l'on aperçoit à l'est le port, à l'ouest la baie des Anges.

Thorenc s'était approché de la rambarde. Sous le vent vif, la mer battait le littoral rocheux à grands jets d'écume.

— Je veux tuer le commissaire Dossi, avait-il lâché.

Luber s'était accoudé à la rambarde, près de lui.

— Nous avons depuis longtemps cette intention, avait marmonné l'Allemand.

Bertrand s'était redressé :

— On peut…, avait-il commencé.

— On se revoit et on en parle, avait coupé net Luber.

Il s'était éloigné en marchant en direction du port.

Thorenc était parti dans l'autre sens.

Le trottoir de la Promenade des Anglais descendait en pente douce, rejoignant la plage.

Bertrand avait ramassé un galet et l'avait lancé de toutes ses forces, aussi loin qu'il avait pu.

16.

Thorenc se penche, sort ainsi à demi la tête du porche sous lequel il se dissimule. Ce simple mouvement, qui ne dure que quelques secondes, lui donne aussitôt la nausée. Il recule, s'appuie contre le mur comme s'il voulait s'y enfoncer, se fondre en lui.

Il est en sueur. Il a l'impression qu'on lui écrase le bas-ventre. Il pense qu'il va céder à la panique, laisser tomber le pistolet que Stephen Luber lui a confié et dont il lui a expliqué le maniement.

L'arme est lourde. Elle tire sur le bras, les doigts. Il va la lâcher, s'enfuir. Il se souvient du sourire de l'Allemand quand, rue Fodéré, dans l'atelier de couture de Christiane Destra, l'autre a posé l'arme sur la table :

— Vous êtes vraiment décidé ? lui avait-il répété.

Thorenc avait simplement baissé la tête.

Luber avait alors poussé l'arme dans sa direction.

— C'est un mauser. Il y a une balle dans le canon. Le crâne de Dossi explosera si vous tirez à bout portant.

Il avait repris l'arme et avait visé Thorenc.

— Il faudra que vous touchiez sa nuque avec le canon. Vous n'aurez qu'une fraction de seconde pour appuyer sur la détente. Si vous hésitez, c'est vous qui êtes mort.

Il avait enfin reposé l'arme sur la table. Il avait écarté des vêtements, les entassant contre la machine à coudre derrière laquelle se tenait Christiane Destra, puis il s'était appuyé à la table et avait recommencé à expliquer les différentes phases de l'action.

Dossi rentrait chaque soir chez lui vers vingt-deux heures en compagnie d'un garde du corps. Il venait du quai de la Joliette, ou bien du 425, rue du Paradis, siège de la Gestapo. Il remontait la rue de l'Évêché, puis la rue de la Joliette. Christiane Destra s'avancerait à la rencontre des deux hommes, comme une putain un peu ivre. Il fallait qu'elle les attire, qu'elle retienne leur attention. Thorenc sortirait alors du porche et abattrait Dossi. Christiane se chargerait du garde du corps. Puis, ils se replieraient l'un et l'autre vers la voiture conduite par Luber qui serait garée à quelques pas du porche.

Stephen Luber avait parlé d'une voix éteinte, presque excédée, s'interrompant souvent pour répéter qu'il ne comprenait pas pourquoi Thorenc tenait à agir par lui-même. Ce n'était pas à un homme comme lui, à la place qu'il occupait, d'accomplir ce type d'actions. Elles étaient réservées à des immigrés, à des prolétaires ; pas à un Bertrand Renaud de Thorenc !

— Il faut des couilles pour faire ça, et beaucoup d'expérience...

Il y avait tant de provocation méprisante et de défi dans la manière dont l'Allemand avait chaque fois prononcé ces phrases que Thorenc s'était demandé s'il ne cherchait pas, en fait, à l'empêcher de reculer. Il avait hésité, puis avait répondu qu'il en faisait une question de principe, que l'opération devait être exemplaire, montrant qu'il y avait unité d'action entre les mouvements, risques partagés entre la base et le sommet.

Il avait empoigné le pistolet, l'avait à son tour braqué sur Stephen Luber.

— Cela paraît simple, avait-il conclu.

Puis il avait reposé l'arme sur le plan du quartier de la Joliette que Luber venait de déployer sur la table.

Thorenc se penche à nouveau. La rue de la Joliette est vide. Il aperçoit la voiture arrêtée à une dizaine de mètres, de l'autre côté de la chaussée. Luber a dû se coucher sur la banquette avant pour ne pas être remarqué.

Bertrand se retire sous le porche.

Il a entendu des pas. Il lui semble reconnaître la voix gouailleuse de Dossi. Il se rencogne autant qu'il peut, glisse contre le mur, cherche une ombre plus dense.

Les deux silhouettes passent devant le porche.

Thorenc a nettement vu le profil de Dossi, cette cigarette pendant à ses lèvres, ce bord du chapeau cassé. Le garde du corps qui l'accompagne est tête nue.

Thorenc gagne la rue.

Ils sont devant lui, à quelques pas.

Il lui semble qu'il ne pourra pas avancer, que son corps s'alourdit, se tasse. Il aperçoit, venant à la rencontre des deux hommes, la silhouette de Christiane Destra.

Elle oscille, chantonne, balançant son sac à bout de bras.

Il fait deux pas. Il lève le bras, appuie sur la détente.

Dossi se retourne, les yeux affolés, ouvrant la bouche.

Thorenc laisse tomber l'arme qui a dû s'enrayer.

Il court, se jette dans la première rue à gauche. Il ne sait plus où est garée la voiture.

On crie, on tire.

Il se retourne. Il aperçoit Dossi agenouillé, le garde du corps penché sur lui, et voit Christiane Destra s'engouffrer dans la voiture de Luber qui démarre, s'enfonce dans la nuit, disparaît.

Thorenc court. Les cris, les détonations le poursuivent. Il sent une brûlure au mollet gauche. Il tombe, se redresse, recommence à courir dans des rues qu'il ne connaît pas.

Tout en courant, il pense que Christiane Destra a dû tirer et blesser Dossi.

Il s'arrête un instant, la jambe paralysée. Il se penche ; le sang a coulé sur sa chaussure.

Il fait encore quelques pas, incapable de courir plus avant, comme si un boulet était attaché à sa cheville.

Une ombre qui se détache du mur lui barre tout à coup le passage. Un agent de police, dont il lit l'hésitation dans le regard, le tient en joue.

Thorenc murmure que la Gestapo, les gens des Brigades spéciales du commissaire Dossi sont à ses trousses, qu'il est un résistant.

Il halète. Il a envie de se laisser glisser sur le sol.

Il songe à cette pilule, son ultime recours, et il s'affole car il ne sait plus dans quelle poche il l'a fourrée, persuadé qu'il allait réussir à abattre Antoine Dossi puis que le garde du corps le tuerait sur le coup.

Rien ne se produit jamais comme on croit.

Sa jambe ploie, il s'effondre.

Il ne peut plus rien. Il a fait ce qu'il devait.

L'agent de police se penche, lui passe un bras sous l'aisselle, le soutient, l'entraîne.

17.

Thorenc était assis sur le sol, le dos appuyé au mur de la borie.

Il avait découvert cet abri de berger dès le lendemain de son arrivée à la ferme Ambrosini. Depuis, chaque matin, malgré la douleur qu'il ressentait à la jambe gauche, il s'y rendait, marchant lentement, s'appuyant à une canne.

L'un des fils Ambrosini, tantôt Régis, tantôt Aldo, l'accompagnait. Comme leur père Gaston ou leur mère, Julia, ils étaient silencieux. Mais, dès qu'il les avait vus, dans la grande pièce de leur ferme, debout l'un près de l'autre, s'exprimant seulement avec leurs yeux et leurs mains calleuses, Thorenc les avait aimés.

— Ce sont des gens sûrs, avait dit le commandant Pascal au moment où il quittait la route de Manosque pour emprunter ce chemin de terre qui montait vers le plateau et la ferme Ambrosini.

Cela ne faisait que quelques kilomètres que Thorenc avait quitté sa cache, sous des sacs de pommes de terre, où Pascal l'avait aidé à se glisser.

Le camion s'était garé dans la cour de la clinique. On avait passé à Thorenc une blouse d'infirmier. Au reste, les couloirs étaient déserts. Pascal et un médecin l'avaient soutenu, presque porté jusqu'à l'arrière du camion, puis on l'avait soulevé, poussé dans une caisse qu'on avait dissimulée sous des sacs.

Il avait essayé de dormir, mais les cahots de la route le jetaient contre les parois. Même si la plaie était superficielle, sa jambe blessée était douloureuse.

Surtout, tout au long du trajet, il n'avait pas réussi à chasser la peur.

Il avait eu peur d'être découvert quand le camion s'était arrêté, sans doute à la sortie de Marseille, puis une autre fois, en cours de route.

Il avait entendu les voix des soldats allemands qui inspectaient le chargement.

Quand le véhicule avait redémarré, il s'était détendu quelques instants, peut-être une poignée de secondes, car il avait alors eu peur d'étouffer dans ce cercueil enseveli sous les sacs et à l'intérieur duquel il pouvait à peine bouger.

Puis il avait eu peur de ce qui lui venait à l'esprit, de ce soupçon qui l'envahissait. Il revivait chaque instant entre celui où il était sorti du porche pour emboîter le pas au commissaire Dossi et celui où il avait perdu conscience, quelques rues plus loin, alors qu'un agent de police le menaçait de son arme.

Il se souvenait par-dessus tout de ce petit bruit — un claquement amorti — qu'il avait entendu lorsque, le canon de son revolver effleurant la nuque de Dossi, il avait appuyé sur la détente. Au lieu de la détonation, il n'y avait eu que ce petit bruit mat de cliquet.

Il avait alors compris que l'arme s'était enrayée.

Il avait vu les yeux de Dossi. Il s'était tout à coup senti libre et léger comme un homme qui a donné les preuves de son courage et qui a en même temps sauvegardé son innocence. Il n'avait pas tué, mais il avait relevé le défi. Il était fier et désespéré.

Puis Dossi s'était mis à hurler et lui-même s'était enfui.

Il avait vu Christiane Destra monter dans la voiture conduite par Luber. Et c'était peut-être à ce moment précis, alors qu'il prenait la fuite, qu'il avait commencé à soupçonner Luber et Christiane Destra de l'avoir joué.

C'est lui qui, en fait, devait détourner l'attention de Dossi en le suivant et en ne le menaçant que d'une arme enrayée. Dossi et son garde du corps auraient dû le ceinturer. Pendant ce temps, Christiane Destra se serait trouvée dans leur dos, oubliée, et aurait pu les abattre sans risque. Luber avait sans doute décidé qu'il n'essaierait même pas de récupérer Thorenc après l'attentat.

Devenu certitude, ce soupçon avait envahi, avec le bruit de la détente frappant dans le vide, la tête de Thorenc.

Quand, après Manosque, Pascal l'avait aidé à s'extraire de sa cachette, l'invitant à s'asseoir près de lui sur la banquette, il avait déclaré aussitôt :

— Luber et les communistes ont voulu m'avoir. Je suis tombé dans un traquenard.

Le commandant Pascal lui avait jeté un bref coup d'œil, mais il n'avait pas posé de question. Il avait raconté que Dunker, le chef de la Gestapo à Marseille, avait réuni tous ses hommes, dans la nuit de l'attentat, au 425, rue du

Paradis. Il était comme fou, les injuriant, giflant certains d'entre eux. Dunker avait établi des relations amicales avec Dossi et se sentait personnellement bafoué et menacé par cette action. Dossi était grièvement blessé, de même que son garde du corps ; aucun des auteurs de l'attentat n'avait été pris. On n'avait même pas leur signalement.

Pascal avait sifflé.

— Une grande maîtrise dans l'exécution ! s'était-il exclamé. Si c'était un traquenard, reconnaissez que la victime en est d'abord Dossi.

Une arme pouvait toujours s'enrayer, avait-il ajouté. Et le devoir de Stephen Luber était de quitter sur-le-champ les lieux de l'attentat.

— Vous avez eu de la veine, Thorenc...

L'agent de police l'avait caché chez lui durant la première nuit.

Il avait été interrogé dès le lendemain par les inspecteurs des Brigades spéciales et les hommes de la Gestapo, comme tous les policiers de service dans le quartier de la Joliette au cours de cette nuit-là. Il avait pu alerter des membres de Combat. On avait transporté Thorenc dans une clinique où le commandant Pascal était venu le chercher.

— Ici, on ne vous trouvera pas, avait dit l'officier en arrêtant le camion devant la ferme des Ambrosini.

La ferme était située au bord du plateau qui, à l'est, domine la Durance. Elle se dressait dans une sorte de golfe de terres rouges abrité du vent par des collines pierreuses. La borie était construite au pied de l'une d'elles, et lorsque Thorenc s'y était assis pour la première fois, il avait senti la chaleur rayonnant des pierres plates et sèches qui, entassées l'une sur l'autre, constituaient les murs du bâtiment.

Le golfe de terre était ouvert sur l'horizon. Le paysage n'était limité par aucune cime. En plus vaste et en plus austère, il ressemblait à celui que Thorenc avait aimé contempler du haut de la crête dominant le village de Murs et le mas Barneron.

De temps à autre il se levait, faisait quelques pas, étouffant un cri chaque fois qu'il trébuchait sur une pierre, la douleur se réveillant alors dans son mollet et sa cuisse.

Il apercevait le père et les fils Ambrosini qui bêchaient la terre dans ce qui devait être un champ d'épeautre, ce blé du pauvre.

L'un ou l'autre, quand il se redressait, s'appuyait au manche de son outil et saluait Thorenc d'un petit signe de la main.

C'était à peine un geste, mais il suffisait pour que Bertrand se sentît apaisé. Et le soir, même si on n'échangeait pas deux mots autour de la table, il avait l'impression d'une communion qui n'avait nul besoin de paroles pour s'exprimer.

À la fin du dîner, Aldo ou Régis débranchait la prise qui alimentait l'unique ampoule de la pièce. Au bout de quelques minutes, le petit voyant de la radio s'éclairait et la voix s'élevait dans l'obscurité : « Ici Londres, les Français parlent aux Français… »

Julia allumait une chandelle qu'elle plaçait au centre de la table, fichée dans un bol.

Le silence donnait à la voix, qui disparaissait par intervalles, une résonance grave.

Thorenc écoutait, replié sur lui-même, les mains serrant sa tête. Assis autour de la table, le père et les deux fils ne bougeaient pas.

Dans la pénombre, on distinguait à peine leurs traits.

Puis le père se levait, posait une bûche dans la cheminée, et les murs de la pièce, éclairés par les flammes, ressemblaient aux parois d'une grotte qu'envahit la fumée, les jours de vent.

Dans un accès de rage qu'il n'avait pu contenir, Thorenc avait abattu son poing sur la table quand la BBC avait annoncé le sabordage de la flotte de Toulon.

Il avait craint de se mettre à sangloter de désespoir et d'impuissance.

Ce gouvernement et ceux qui le servaient étaient allés jusqu'au bout de la lâcheté. Cent navires envoyés par le fond au lieu d'être engagés dans le combat ! Seuls cinq sous-marins avaient réussi à fuir la rade, et certains, comme le *Casabianca* et le *Marsouin,* avaient pu atteindre Alger.

Gaston Ambrosini avait lui aussi marmonné quelques mots. Il s'était levé, avait posé quatre verres sur la table et les avait emplis d'un alcool à l'odeur de prune.

Ils avaient bu en écoutant de Gaulle exprimer d'une voix vibrante et amère ce que Thorenc avait ressenti :

« Un frisson de douleur, de pitié, de fureur a traversé la France tout entière… C'est un malheur qui s'ajoute à tous les autres malheurs. Vaincre, il n'y a pas d'autre voie, il n'y en a jamais eu d'autre ! »

Gaston avait à nouveau rempli les verres. Il avait montré la bouteille à Julia qui s'était approchée de la table, avait pris le verre de son fils, bu une gorgée, puis était retournée dans l'ombre.

Après, il avait fallu écouter le récit de ces humiliations : les casernes de l'armée de l'armistice envahies et pillées par les unités allemandes ou italiennes, les officiers et les soldats renvoyés, chassés hors des cantonnements, démobilisés, les unités dissoutes, et si peu d'hommes pour s'y opposer !

Lâcheté, trahison...

Thorenc s'était levé. Il avait traversé la pièce en boitant, ouvert la porte, puis l'avait refermée derrière lui. Il s'était avancé sur l'aire.

Jamais de sa vie il n'avait contemplé un ciel aussi clair.

L'air était si pur, si froid, si sec qu'il semblait vibrer comme une toile tendue que le vent commence à faire trembler.

La porte de la maison s'était rouverte.

Thorenc avait entendu la voix du speaker de la radio annoncer qu'à Stalingrad, les Allemands avaient dû abandonner plusieurs quartiers et avaient finalement été repoussés loin des rives de la Volga.

Il était rentré dans le bâtiment de la ferme. Gaston Ambrosini avait levé son verre et poussé vers lui la bouteille d'alcool de prune.

18.

Thorenc se lève en s'appuyant des deux paumes aux pierres plates de la borie.

Puis il reste ainsi adossé au mur. Il pèse avec précaution sur sa jambe gauche ; il ne ressent plus qu'une légère douleur. Alors il s'avance à grands pas, en boitillant encore un peu, presque par habitude, vers Jacques Bouvy qui vient de sortir de la ferme Ambrosini, et, depuis l'aire, fait de grands gestes du bras, puis commence à se diriger vers lui à travers le champ d'épeautre.

Thorenc éprouve des sentiments qui le laissent étonné.

Il a l'impression qu'il va vers Bouvy avec la même émotion, le même élan, la même joie que s'il s'agissait d'un frère. Il marche plus vite, trébuche, se redresse, s'essaie même à courir malgré la douleur plus vive qu'il ressent à fouler les sillons durcis par le froid.

Il est enfin en face de Bouvy qui lui ouvre les bras. Ils se serrent l'un contre l'autre. Ils restent ainsi enlacés quelques secondes.

Plus petit que lui, Bouvy lui lance de joyeux coups de coude, puis lui prend le bras, et Bertrand l'entraîne vers la borie.

Bouvy ne cesse de s'exclamer, de s'enthousiasmer. Le panorama est encore plus grandiose qu'à Murs. Cette haute Provence, avec cette sculpture du relief aux lignes pures, la lumière ciselant l'horizon comme à coups de scalpel, donne une impression à la fois héroïque et exaltante.

Bouvy s'assied près de Thorenc.

— Normal que vous soyez ici, lui dit-il. Ce paysage vous convient.

Bouvy pose la main sur la cuisse de Bertrand. Il raconte que, durant quelques heures, tout le monde a cru que le journaliste était tombé aux mains de la Gestapo.

— Dunker, paraît-il, est plus intelligent, plus cruel aussi que Wenticht et que Barbie. On a tous prié pour que vous ayez eu le temps de croquer votre pilule ! Et puis le commandant Pascal nous a dit qu'il avait réussi à vous extraire de Marseille...

Bouvy allume une cigarette, laisse aller sa tête en arrière.

— Pierre Villars n'a pas du tout apprécié ce que vous avez fait. Il vous l'avait interdit !

Villars, poursuit Bouvy, avait exigé que l'on coupe tous liens avec lui, Thorenc, et qu'on l'expédie de gré ou de force en Algérie ou bien en Angleterre. Mais qu'on ne lui confie plus aucune mission !

— Personne n'a été d'accord, ajoute Bouvy. Je pense même qu'après le rapport de Pascal au BCRA, de Gaulle vous fera compagnon de la Libération. Il aime bien les héros.

— Je n'ai même pas tiré..., murmure Thorenc.

— Le commissaire Dossi est grièvement blessé. Les gens de la Gestapo se sentent menacés, et tous ceux qui sont passés entre les mains de Dossi ont exulté. Abattre Dossi, c'était votre idée. Vous êtes un homme têtu, Thorenc !

— Cette arme qui s'enraye..., objecte Bertrand.

— On ne peut rien reprocher à Stephen Luber, répond Bouvy.

Il penche la tête vers Thorenc :

— Le radio du réseau Prométhée...

— Marc Nels, marmonne Thorenc.

Il revoit chacun des traits du jeune homme. Il se souvient de l'amour que lui portait Geneviève Villars, de la jalousie qu'il avait éprouvée à son endroit.

— Vous disiez qu'on ne saurait jamais si Nels était coupable ou pas, poursuit Bouvy. Il s'est pourtant suicidé. Luber, lui, a rédigé un rapport qu'il a fait parvenir aux différents mouvements.

Bouvy allume une nouvelle cigarette. Il baisse la tête.

— Il affirme qu'on ne peut pas savoir si, au dernier moment, vous n'avez pas eu un instant d'hésitation. Il n'est pas sûr que l'arme se soit enrayée...

Thorenc se redresse, serre les poings, lance une bordée d'injures.

— ... Mais il ne tarit pas d'éloges sur votre courage. Il dit même que, d'une certaine manière, votre attitude a rendu l'action de son groupe plus facile. Volontairement ou non, vous avez joué un rôle d'appât, ce qui a permis à l'une de ses camarades, pleine d'expérience, d'abattre Dossi et de blesser son garde du corps.

— Ils m'ont abandonné sur place ! objecte encore Thorenc.

Luber fournissait des explications convaincantes. Thorenc avait disparu dans une des rues perpendiculaires à la rue de la Joliette. Luber n'avait pu, en conscience, prendre le risque de rester sur place alors que la police et les Allemands qui disposaient, rue de l'Évêché, de plusieurs postes de garde, allaient boucler et fouiller le quartier.

— Il faut prendre les choses comme elles sont, reprend Bouvy. Dossi est éliminé pour plusieurs mois, et, croyez-moi, la leçon a porté. Ils ont peur, Thorenc ! Ils commencent à se persuader qu'ils ont perdu, qu'on va les juger. Nombreux sont ceux qui rêvent d'imiter Darlan : de changer de camp, de se refaire à temps une virginité...

De son bras, il enveloppe l'épaule de Bertrand.

— Ils sont fissurés ! Joseph Darnand, ce salopard qui nous injurie, qui nous persécute, qui nous livre à la Gestapo, dont le Service d'ordre légionnaire est l'auxiliaire des Allemands, a fait discrètement demander aux gens de Combat d'organiser son passage à Londres ! Frenay a répondu : « La porte s'est refermée derrière vous, vous êtes condamné à poursuivre la route que vous avez librement choisie... »

Bouvy se lève, marche lentement de long en large, s'arrêtant souvent pour contempler le panorama, cette large vallée de la Durance pareille à un ample sillon doré au centre duquel sinue la rivière.

— Darnand ! répète Bouvy.

Il revient vers Thorenc, s'assied en face de lui sur une pierre.

— Comme nous le pensions, l'armée de l'armistice s'est décomposée. Il a suffi que les Allemands la bousculent pour qu'elle tombe en poussière. À quelques exceptions près, les officiers n'ont eu qu'un seul souci : se débarrasser des armes qu'ils avaient cachées en prétendant vouloir se battre. Ils en ont jeté partout, dans les fleuves, les grottes, les puits, les galeries de mines. Répugnant !

Malgré tout, quelques-uns s'étaient enfin décidés à agir. Ils avaient créé une Organisation de résistance de l'armée. Le commandant Villars y avait délégué le lieutenant Mercier.

— Vous savez qu'ils pensent enrôler... le général Xavier de Peyrière ? Mais oui, Thorenc !

Ce n'était pas encore le plus révoltant, le plus préoccupant. Il y avait pire. Ils avaient placé à leur tête le général Frère, un homme courageux, certes, mais qui avait présidé, le 2 août 1940, le tribunal militaire qui avait condamné de Gaulle à mort par contumace.

— Vous voyez le jeu, Thorenc ? Contre les Allemands, mais derrière Giraud, les Américains et les Anglais. Et, naturellement, pas question de se rallier à de Gaulle !

Bouvy tend une main à Bertrand pour l'aider à se lever.

— Mais tout va vite, bien plus vite que ces gens-là ne l'imaginent, dit-il. L'Armée secrète commence à exister.

Ils traversent lentement le champ.

Max, explique Bouvy, a réuni les chefs de Combat, de Franc-Tireur et de Libération autour du général Delestraint que de Gaulle a placé à la tête de l'Armée secrète.

En l'écoutant, Thorenc a l'impression qu'en quelques jours d'absence, en cette fin de novembre, toute la situation a changé. Des hommes nouveaux sont apparus : le général Frère ; René Hardy, un ingénieur de la SNCF qui est devenu l'adjoint de Philippe Villars au service des voies ferrées ; d'autres encore. Quant à la Gestapo, elle est partout présente, sillonnant les routes, contrôlant les gares. Autour d'elle, il y a toujours une tourbe de Français qui jouent leur va-tout. Les tueurs de la rue Lauriston multiplient les expéditions dans l'ancienne zone Sud. Ils terrorisent, mettent à sac des villages, essaient de repérer les terrains de parachutage ou d'atterrissage.

Bouvy s'arrête, décrit d'un ample geste du bras le golfe de terres rouges.

— Si vous voulez partir pour Londres…, dit-il.

Il explique qu'un Lysander pourrait se poser sans difficulté sur le plateau.

— Mais vous ne partirez pas, hein ?

Ils sont arrivés sur l'aire. Julia Ambrosini se tient sur le seuil. Thorenc échange avec Bouvy un rapide coup d'œil. Ils se souviennent de Léontine Barneron et de Gisèle, jetées dans le puits de leur mas.

Bouvy étreint le bras de Bertrand.

— On sait…, murmure-t-il.

Thorenc a un moment d'hésitation. Il voudrait ne pas entendre. Mais il se tourne vers son compagnon.

— Morts ? demande-t-il soudain.

Bouvy hoche la tête, puis, sans regarder Thorenc, raconte qu'à Sainte-Cécile-les-Vignes, des voisins de Garel ont dû le dénoncer à la Gestapo dès que les Allemands sont entrés en zone Sud. Victor Garel, sa femme et Claire Rethel ont été arrêtés le 13 novembre et conduits en voiture jusqu'à Dijon. On ignore pourquoi. Ils ont été embarqués dans un train avec des centaines d'autres personnes raflées dans les camps organisés par Vichy.

— Ils les ont livrés, dit Bouvy.

Il s'indigne. Parle de châtiment. Il faudra fusiller Pucheu, Bousquet, Laval et leurs complices, Cocherel, les Peyrière…

Thorenc ne répond pas.

Tous ces noms débités pour faire oublier ceux de Claire Rethel, de Victor Garel et de son épouse...

Tout ce bruit pour tenter de garrotter sa blessure personnelle, intime, qui saigne tant !

Thorenc fait quelques pas, rentre dans la grande salle. Ça sent le bouillon de poule et l'omelette.

Il s'approche de Julia Ambrosini et, brusquement, la serre contre lui.

Troisième partie

19.

Thorenc s'était retourné.

Par la lunette arrière de la petite voiture, il avait vu les Ambrosini, debout l'un près de l'autre au centre de l'aire. Gaston avait posé la main sur l'épaule de Julia. Régis, le fils aîné, se tenait à la gauche de son père, et Aldo du côté de sa mère.

Ils étaient encore dans l'ombre, mais le ciel bleuissait au-dessus de la ferme.

Bouvy avait démarré et commencé à engager la voiture dans le chemin de terre. Les fils Ambrosini avaient levé la main au moment précis où l'aire s'était trouvée envahie par une lumière blanche. Le soleil avait soudain surgi au-dessus de la ferme. Thorenc avait dû fermer les paupières et, quand il les avait rouvertes, les Ambrosini avaient disparu. Le paysage avait déjà changé. La voiture avait quitté le haut plateau et roulait entre les prés.

Il n'avait pas bougé, le menton appuyé à son avant-bras posé sur le rebord du siège.

Il avait continué à regarder, derrière lui, le chemin de terre qui se déroulait, puis la chaussée goudronnée. Il avait éprouvé un tel sentiment de désespoir qu'il avait dû se mordre les lèvres pour ne pas laisser un sanglot ou un cri lui échapper.

En aurait-il jamais fini avec la séparation, avec l'inquiétude ? Cette guerre ne se terminerait-elle donc jamais ?

Il avait imaginé la ferme Ambrosini cernée, comme l'avait peut-être été celle des Garel. Les hommes armés — soldats, gendarmes, membres de la Gestapo ou policiers français — auraient poussé les membres de la famille au centre de l'aire ; comme ce matin-là, ils se seraient tenus l'un près de l'autre avant qu'on ne les abatte, qu'ils ne disparaissent, corps couchés dans l'immense fosse commune qu'était devenue cette période barbare.

On y avait peut-être déjà jeté Victor Garel, sa femme et Claire Rethel.

Thorenc avait laissé tomber son front sur son avant-bras.

Il ne pouvait accepter ça. Il ne pouvait plus.

— Ça va ? lui avait lancé Jacques Bouvy.

Il n'avait pas répondu. Son compagnon avait paru ne pas relever son silence. Il avait commencé à parler, d'un ton tour à tour enjoué, indigné, enthousiaste. Toutes les humeurs de la vie passaient dans sa voix. Et Bertrand avait eu l'impression qu'il ne pouvait adhérer, lui, aussi simplement aux idées et aux choses. Il se sentait séparé d'elles, mais peut-être en avait-il toujours été ainsi puisqu'il avait été ce journaliste qu'on payait pour voir et raconter, être à la fois « dedans » et « dehors ». Il l'avait été en Espagne, à Berlin, à Prague. Et s'il s'était jeté dans l'action dès le mois de mai 1940, s'il avait tué des hommes, ces soldats qui s'avançaient dans la clairière vers la croix de Vermanges, c'était aussi pour tenter d'être enfin à plein dans la réalité, que ce fût en la subissant ou en pesant sur elle.

Y avait-il réussi ?

Il avait écouté Jacques Bouvy sans pouvoir cesser de penser aux Ambrosini, aux risques qu'ils avaient pris en l'hébergeant — et ce n'était encore qu'une manière, pour lui, d'essayer de ne pas imaginer Claire Rethel déportée ou assassinée.

— Vous m'écoutez ? avait interrogé Bouvy.

Ils étaient l'un et l'autre, lui avait-il rappelé, des médecins de Manosque : Bertrand Duparc et Jacques Beaussy, qui se rendaient à Lyon où se tenait une rencontre de praticiens du sud de la France. Elle avait réellement lieu, et les médecins inspiraient confiance aux gendarmes et même aux Allemands. Ils étaient donc censés arriver à Lyon sans encombre.

— Ça va, Thorenc ? avait-il à nouveau demandé.

Bertrand avait perçu dans sa voix une once d'inquiétude.

Il s'était donc retourné et, bras croisés, avait contemplé la route à travers le pare-brise.

— Quelle lumière ! s'était exclamé Bouvy. Elle donne confiance. Je pense à ces centaines de milliers d'Allemands qui sont pris comme des rats à Stalingrad, et je trouve le ciel encore plus bleu ! Vous savez ce qu'a dit Hitler ? « 1943 ne sera pas 1918 ! » Vous vous rendez compte où ils en sont ? Ils parlent de 1918...

Il avait jeté un coup d'œil perplexe à Thorenc, mais il n'avait pu rester silencieux plus de quelques minutes. S'il l'interrogeait, il n'en attendait pas pour autant de réponses.

Thorenc avait-il lu cette lettre que Pétain avait adressée à Hitler ? C'était la grande nouvelle, saluée par toute la pègre collaborationniste de Paris. Le Maréchal remerciait le Führer pour sa résolution de collaborer avec la France afin de l'« aider à reconquérir son domaine colonial ».

— Vous entendez ça, Thorenc ?

Et les collabos poussaient Vichy à s'engager dans la guerre. « C'est la dernière chance offerte à la France », avait déclaré Philippe Henriot, le chroniqueur de Radio Paris.

Bouvy s'était brièvement tourné vers son compagnon. Mais, avait-il poursuivi, c'était aussi l'avis de gens que le journaliste devait connaître et avait même dû estimer : Drieu La Rochelle, par exemple, qui interprétait le même refrain, assurant qu'il avait choisi le fascisme pour lutter contre la décadence de la France et de l'Europe : « Je n'ai vu d'autre recours que dans le génie de Hitler et l'hitlérisme », avait-il osé affirmer.

Thorenc avait fermé les yeux et n'avait pas bronché.

Il était au-delà de l'indignation. Il ne pouvait même pas être surpris par ce que Bouvy rappportait de la situation à Alger. L'amiral Darlan, Bertrand ne l'ignorait pas, avait créé un Conseil impérial, aussitôt reconnu par les Américains et les Anglais. Il s'était entouré des gouverneurs des colonies dont certains, comme Boisson, à Dakar, avaient fait ouvrir le feu sur les Forces françaises libres, en 1940. Boisson avait ordonné le transfert en France des gaullistes qu'il avait faits prisonniers, afin qu'on les condamnât à mort ! Les Américains insistaient même pour qu'un ancien ministre de l'Intérieur de Vichy, Peyrouton, fût nommé gouverneur de l'Algérie !

— Écoutez ça, Thorenc : Pucheu, l'homme qui a donné des conseils aux Allemands afin qu'ils choisissent les bons otages, a gagné l'Afrique du Nord et s'est placé sous la protection de Giraud. Et il a demandé à s'engager dans l'armée ! Tout est dit, non ? Et ils veulent que la Résistance passe à la trappe et qu'on n'entende plus parler de De Gaulle et de la France combattante !

Bouvy s'était tu, puis, d'une voix étonnée et furieuse, il avait repris :

— Ça ne vous révolte pas ?

— Il faut prendre le pouvoir à Alger, avait murmuré Thorenc, et, pour cela, il sera peut-être nécessaire de tuer Darlan et Giraud.

Bouvy avait sifflé entre ses dents, puis conclu par un juron.

Thorenc avait rouvert les yeux et redressé la tête.

Le soleil l'avait d'abord ébloui, puis il avait vu, avançant lentement sur le côté opposé de la route qui longeait le Rhône, une colonne de tanks allemands. Ils étaient flanqués de motocyclistes qui forçaient les voitures à ralentir et parfois à s'arrêter. Des soldats étaient juchés sur les tanks, bras et tête nus. Certains jouaient de l'harmonica, les yeux mi-clos.

Sur le bord de la route, des enfants regardaient passer la colonne et quelques-uns d'entre eux saluaient les soldats qui répondaient d'un geste joyeux.

De nouveau envahi par le désespoir, Thorenc avait refermé les yeux.

Il fallait, pour agir, devenir un barbare. Oublier, au moment où l'on s'apprêtait à lancer une grenade sur un char, le son de l'harmonica, le sourire du soldat à l'enfant.

Pour tuer un homme simplement parce qu'il appartenait au camp ennemi, il fallait ne voir en lui que l'incarnation d'une idée, d'une injustice, d'un danger, du Mal.

179

Et puis il y avait les autres, ceux dont on connaissait parfaitement les méfaits et les crimes : Darlan, Cocherel, Pucheu, Antoine Dossi...

Mais, même ceux-là...

Thorenc avait pensé qu'au fond de lui, il était heureux de ne pas avoir pu abattre Dossi. Il avait été jusqu'au bout de l'acte, mais c'est Christiane Destra qui avait accompli l'irrémédiable. Il ne le regrettait pas.

Le moteur de la voiture s'était mis tout à coup à hoqueter. Bouvy avait juré. Il avait tenté en vain de redémarrer, puis s'était tourné vers Thorenc :

— Nous sommes médecins, avait-il rappelé en montrant le caducée sur le pare-brise.

Puis il était descendu, avait soulevé le capot. Le moteur fumait. Des *Feldgendarmen* s'étaient approchés, puis des soldats avaient sauté à bas d'un tank et l'un d'eux avait arrosé le moteur avec un extincteur.

Thorenc avait à son tour quitté la voiture et fait quelques pas.

— Il faut pousser, lui avait lancé Bouvy en s'installant au volant, et Bertrand s'y était employé, bientôt rejoint par un *Feldgendarme* et quelques soldats. Le moteur était enfin reparti et les Allemands avaient applaudi en riant. Thorenc les avait remerciés d'une inclinaison de tête.

— *Corrects*, les Allemands sont corrects, n'est-ce pas ? avait ricané Bouvy.

Ils avaient roulé vite vers Vienne et Lyon. Le Rhône scintillait sous la profondeur bleue du ciel.

C'étaient des hommes comme ceux-là qui avaient dû pousser dans leur wagon Claire Rethel, Victor Garel et sa femme — et combien d'autres ? des centaines de milliers d'autres à travers l'Europe.

— Ce train…, avait commencé Bertrand.

Bouvy avait d'abord paru ne pas comprendre, lançant des coups d'œil à son passager qui n'avait pas ajouté un mot. Puis, tout à coup, il avait répondu d'une voix exaltée.

Grâce au réseau d'ingénieurs de la SNCF et de cheminots qu'avait mis sur pied Philippe Villars, on pouvait savoir quelle avait été la destination du train : si, partant de Dijon, il avait directement gagné l'Allemagne, ou bien si les déportés avaient d'abord été dirigés vers un camp situé en France, où ils avaient été regroupés, parqués, triés. La déportation pouvait ainsi se faire en plusieurs étapes.

— C'est presque toujours le cas, avait indiqué Bouvy.

Il s'était tourné vers Thorenc.

— Ils sont peut-être encore à Drancy ou à Compiègne.

Puis, d'un ton vibrant, impatient, il avait répété qu'on pouvait le savoir.

Il s'était brusquement tourné vers son compagnon, le visage soudain inquiet :

— Mais qu'est-ce que ça change ? Vous ne croyez tout de même pas pouvoir la sortir de là ? Ne rêvez pas, Thorenc !

Bertrand avait regardé le ciel.

20.

Thorenc avait aussitôt reconnu Catherine Peyrolles.

Elle était passée, très droite, près de la voiture que Jacques Bouvy, après avoir longtemps erré dans les rues de Caluire, venait de garer. La pluie qui tombait dru enveloppait cette banlieue de Lyon dans un silence gris sombre.

Bouvy avait effacé la buée qui s'était déposée sur le pare-brise et il avait montré à Thorenc la maison de trois étages située de l'autre côté de la place Castellane. C'était là, chez le docteur Dugoujon, que devait se tenir la réunion.

Au moment où Thorenc s'apprêtait à ouvrir la portière, il avait entendu un pas approcher. Il avait posé la main sur le genou de Bouvy. Depuis qu'ils les parcouraient, à la recherche de cette place Castellane, les rues de Caluire avaient toujours été vides ; ils avaient dû s'arrêter à plusieurs reprises pour chercher leur route sur un plan imprécis.

Et maintenant, alors que la place battue par le vent était elle aussi déserte, il y avait ce pas qui approchait, rapide et volontaire.

Thorenc s'était tassé sur son siège et avait vu, à hauteur de la vitre, un sac noir qui ressemblait à un cartable, puis une silhouette de femme dont le long imperméable, noir lui aussi, descendait jusqu'aux chevilles. Elle en avait relevé le col, et le béret qu'elle portait enfoncé achevait de cacher ses cheveux.

À l'émotion qu'il avait ressentie, Thorenc avait su qu'il s'agissait de Catherine. Elle avait traversé la place, regardant droit devant elle, semblant ne pas se soucier de la pluie qui pourtant la frappait de biais, le vent soulevant les pans de son imperméable.

Bertrand avait eu envie de s'élancer, de l'enlacer, de la protéger. Elle lui avait semblé héroïque et donc menacée. Elle aussi se rendait à la réunion.

Elle avait poussé le portail et, après avoir traversé le jardinet, avait gravi les marches du perron. Elle était restée quelques instants devant l'entrée.

Thorenc n'avait pas répondu à Bouvy qui se demandait à son tour s'il s'agissait bien de Catherine Peyrolles.

Ils avaient attendu qu'on lui eût ouvert pour descendre de voiture et se diriger à sa suite vers la maison du docteur Dugoujon.

Catherine Peyrolles était assise dans l'antichambre du premier étage, un peu en retrait, un cahier ouvert sur les genoux.

Elle allait donc, comme l'avait fait naguère Claire Rethel, prendre des notes afin de rédiger le compte rendu de la discussion. Thorenc avait été si troublé à ce souvenir, à ce recommencement de ce qu'il ressentait comme une insupportable tragédie, qu'il avait aussitôt détourné le regard comme s'il avait pu ainsi chasser cette présence de la pièce.

Mais, après avoir salué le commandant Joseph Villars, le lieutenant Mercier, Pierre Villars, et cet homme maigre et blond, aux yeux presque verts, qu'on lui présentait comme étant René Hardy, ingénieur des chemins de fer, l'adjoint de Philippe Villars, force avait été de s'arrêter devant Catherine Peyrolles, de lui serrer la main, de retrouver la chaleur de sa peau.

Elle avait dit — ce n'avait été qu'un murmure qu'il avait moins perçu que deviné sur ses lèvres :

— Je suis heureuse de vous revoir.

Il n'avait pu répondre, cherchant une place loin d'elle, s'asseyant près de Hardy. Mais il avait alors découvert que Catherine se trouvait installée juste en face de lui et qu'il ne pouvait lever la tête sans la voir.

Chaque fois que son regard avait croisé le sien, il avait eu le sentiment que la blessure qu'il portait en lui, depuis qu'il avait appris l'arrestation de Claire Rethel, s'élargissait, devenait plus douloureuse. Il souffrait à la fois du destin de Claire et de ce qu'il annonçait de celui de Catherine Peyrolles.

Il devait donc sauver Claire pour préserver Catherine.

Il s'était penché vers René Hardy. Il lui avait chuchoté qu'il devait absolument connaître la destination d'un train de déportés formé par les Allemands en gare de Dijon le 13 ou le 14 novembre dernier.

— Vous aussi ! avait dit Hardy en souriant.

Il avait un visage sensible, aux traits réguliers. Les yeux très clairs se fixaient rarement, comme toujours aux aguets, explorant tout le champ de vision, et c'était comme un aveu d'angoisse que rien d'autre ne révélait, ni les gestes lents, ni la voix posée qui expliquait que Philippe Villars avait, dès la mi-novembre, fait effectuer des recherches sur la composition et

185

l'itinéraire de ce train où, en effet, on avait entassé quelques centaines de personnes provenant des camps de la zone Sud.

— Le convoi a mis plus de trois jours pour arriver à Compiègne, avait conclu Hardy.

Il avait été arrêté par de nombreux sabotages effectués le long des voies. De surcroît, les convois militaires allemands roulant vers le sud avaient eu la priorité.

— Aucun train de déportés, depuis son arrivée à Compiègne, n'a quitté cette gare, avait ajouté l'ingénieur en se penchant.

Thorenc avait pu croiser un bref instant son regard.

— Ils sont donc encore là-bas, avait dit René Hardy.

Puis ses yeux avaient fui.

Thorenc avait relevé la tête.

Catherine Peyrolles avait le visage tourné vers lui, les lèvres serrées, ce qui renforçait encore la vigueur de ses traits.

Elle fronçait les sourcils, et une ride partageait son front bombé par le milieu.

Il avait eu la certitude qu'elle devinait ce qu'il ressentait, ce désespoir et cette impatience mêlés, la peur de ne rien pouvoir faire pour sauver Claire, enfermée avec des milliers d'autres prisonniers au camp de Compiègne, dans l'attente d'un départ pour l'Allemagne, et la volonté forcenée de tout tenter pour l'arracher à cet enfer. Tout, tout de suite !

Le regard de Catherine l'avait quelque peu calmé. Il avait pu affronter les reproches de Pierre Villars qui, sans le nommer, avait critiqué ces matamores qui voulaient jouer les héros sans se soucier des périls qu'ils faisaient courir à leurs camarades. Chacun devait agir dans le cadre de l'Armée secrète et en respecter la discipline, ainsi que celle des mouvements. Il fallait, avait martelé Villars en cherchant le regard de Thorenc, que les responsables qui connaissaient tous les rouages de l'organisation ne s'exposent pas inutilement au risque d'être arrêtés, torturés, et donc à la possibilité d'être conduits à parler.

Thorenc avait murmuré assez haut pour que Pierre Villars entende :

— On se demande bien pourquoi Max n'est pas resté à Londres !

— Il ne se mêle pas de participer à un attentat contre Wenticht, Barbie ou Dunker ! avait riposté Pierre Villars d'une voix rageuse.

Bouvy s'était à demi dressé sur sa chaise, la poitrine penchée en avant, le poing brandi vers l'intervenant.

Qu'est-ce que c'étaient que ces propos insultants ? S'il s'agissait d'accuser Thorenc, que Pierre Villars le fasse ouvertement ! Mais alors, pourquoi Passy, chef du BCRA, détenteur de tous les secrets de la Résistance et de la France combattante, et Brossolette, son adjoint, avaient-ils demandé à effectuer des missions en France ? Et les dizaines d'autres responsables qui agissaient de même ? Il fallait faire confiance à la détermination et à la volonté de ces hommes, à leur capacité de résister à la torture et de choisir la mort, si besoin était.

Bouvy avait dévisagé chacun des participants et dit :

— J'imagine que nous sommes tous dans ce cas, ici !

Bertrand avait senti que Catherine le regardait.

Il avait insensiblement redressé la tête, vu son sourire. Son visage exprimait une compréhension tendre et bienveillante, peut-être aussi de l'amour.

Il lui avait semblé que le silence qui s'était installé à l'intérieur de la pièce révélait que tout le monde autour d'eux avait deviné leurs sentiments, leur émotion.

Il avait toussoté, interrogé du regard les uns et les autres, acquis la certitude qu'on les observait avec sévérité.

Il était prêt à accomplir n'importe quelle mission, avait-il déclaré. Il souhaitait qu'on lui en confiât une au plus vite. Il pensait que l'heure de l'action était venue. C'est pour cela aussi qu'il avait agi comme il l'avait fait. Il en avait d'ailleurs averti Max, à Nice, sans que celui-ci cherchât à le décourager.

Il avait défié Pierre Villars. Il n'était pas un homme de cabinet, avait-il conclu. Toute sa vie, il avait choisi de quitter les bureaux pour aller suivre sur place l'événement. Il avait ajouté qu'il ne connaissait pas les derniers développements de la situation à Vichy ou à Alger ; mais qu'il acceptait avec discipline les décisions qui seraient prises dans cette pièce.

Il avait baissé la tête, lâché pour finir qu'il pensait qu'on devait exécuter Laval et Darlan.

Puis il s'était tu.

Il y avait eu une hésitation, puis le lieutenant Mercier avait rapporté les propos tenus par Laval lors d'une conférence de presse à l'hôtel du Parc.

Mercier lui-même y avait assisté. L'atmosphère était sinistre, sordide. Les journalistes guettaient pour s'en emparer les longs mégots que Laval laissait dans le cendrier, ne tirant qu'une ou deux bouffées d'une cigarette avant de l'écraser et d'en entamer une autre.

Les propos tenus montraient que Laval s'enfonçait chaque jour davantage dans la servilité vis-à-vis de l'Allemagne.

Il avait déclaré qu'il ne se laisserait jamais égarer par l'opinion publique, même si celle-ci lui devenait majoritairement hostile. Il avait choisi, avait-il répété, la seule route pouvant conduire au salut du pays : « La victoire de l'Allemagne empêchera notre civilisation de sombrer dans le bolchevisme ! »

Le commandant Villars s'était exclamé que les Russes étaient en train de creuser le tombeau de l'Allemagne à Stalingrad.

— C'est le tournant symbolique de la guerre, avait-il ajouté. Le moral de l'armée allemande va être brisé.

Thorenc avait continué d'écouter. Mais on ne se souciait plus de lui. On paraissait ne pas avoir entendu sa proposition d'abattre Laval et Darlan. Au point où on en était, il lui avait semblé qu'il n'y avait pas d'autres voies. Mais les autres préféraient disserter sur les manœuvres américaines. Pourquoi s'en étonner ? Ils jouaient leur jeu.

Pierre Villars assurait que Thomas Irving et John Davies avaient été parachutés en France dans la région du Ventoux, qu'ils y avaient pris contact avec des chefs de réseaux. En relation avec les gens d'Alger, de Giraud à Darlan, ils essayaient plus que jamais de séparer les mouvements du général de Gaulle, donc d'empêcher Max de constituer le Conseil national de la Résistance. De Gaulle n'avait plus librement accès à la BBC, mais les Américains avaient installé à Alger un poste émetteur qui s'intitulait Radio Patrie. Il soutenait la politique de Darlan et commençait ses émissions par la formule « Honneur et Patrie ! », comme la radio de la France libre, afin de semer la confusion.

— Ils n'y réussiront pas ! avait protesté Bouvy.

Des maquis se constituaient dans le Vercors, dans l'Ain, en Corrèze, dans les monts du Forez. Qui pouvait imaginer que ces milliers de réfractaires se soumettraient un jour à un amiral Darlan, ou même à Giraud ? Seul de Gaulle pouvait les rassembler et éviter qu'un jour, au moment de la Libération, une guerre civile...

Le commandant Villars avait brutalement interrompu Bouvy :

— Ne recommençons pas ! avait-il dit d'une voix furibarde.

Il y avait suffisamment de divisions en ce moment même pour ne pas évoquer celles qui risquaient de surgir au lendemain de la victoire, avait-il ajouté.

Il s'était tourné vers Mercier : était-il exact que le général Xavier de Peyrière, l'homme de toutes les lâchetés, de toutes les trahisons, avait eu des contacts avec l'ORA, l'Organisation de résistance de l'armée ?

Mercier avait laissé tomber les bras en signe d'accablement. L'armée restait une grande famille traditionaliste. On préférait ceux qui avaient continué d'obéir au Maréchal, comme Xavier de Peyrière, à ceux qui avaient enfreint la règle de la discipline. On n'aimait donc pas de Gaulle, on ne revenait même pas sur sa condamnation à mort. Tout le monde ici le savait : le général Frère, qui était à présent à la tête de l'ORA, avait naguère présidé le tribunal militaire qui avait condamné le chef de la France libre.

Quant au général de Lattre de Tassigny, il venait d'écoper de dix ans de prison pour insubordination ! On se défiait aussi bien de la Résistance, de l'Armée secrète, du Front national que, naturellement, des FTPF. Derrière ces mouvements, on croyait déceler la stratégie conjointe du Parti communiste et de l'URSS.

Pierre Villars s'était levé. La Résistance ardente, avait-il dit en pérorant, ne concernerait jamais qu'une minorité d'environ cinq pour cent de la population. C'était déjà le cas et c'était considérable, compte tenu des risques encourus. Dans cette minorité-là, il y aurait en effet des divisions dues aux appartenances politiques, aux ambitions personnelles, à l'action des puissances alliées qui s'efforçaient de peser dans le sens de leurs propres intérêts. Mais il y avait aussi, autour de ce noyau incandescent, une résistance potentiellement active qui pouvait atteindre quarante pour cent de la population. C'est d'elle que venaient les réfractaires au travail en Allemagne, qui passaient au maquis. Ceux-là voulaient l'unité derrière de Gaulle. Et puis, encore plus loin du foyer, il restait les cinquante-cinq pour cent de résistants passifs qui écoutaient la BBC et plantaient des petits drapeaux sur les cartes pour suivre, sur les différents fronts, l'avance des Alliés. Les vrais collaborateurs, les hommes de Darnand, de Déat, de Doriot, les trente mille Français dont on disait qu'ils s'étaient mis au service de la Gestapo, ne constituaient qu'une simple frange de boue et de détritus comme on en voit à la lisère des vagues.

— Nous sommes la mer ! avait-il conclu avec emphase. Mais il faut unir les cinq pour cent dans le CNR ; il faut que de Gaulle, face à Roosevelt et Churchill, puisse invoquer notre soutien.

Il avait poursuivi d'une voix plus assurée encore, s'exprimant avec un ton d'autorité qui avait irrité Thorenc.

Il fallait prendre d'urgence contact, à Paris, avec Passy et Brossolette s'ils se trouvaient encore dans la capitale. Mais peut-être leurs missions — Arquebuse et Brumaire — étaient-elles déjà terminées ? Il fallait le vérifier. Il fallait en outre discuter avec Lévy-Marbot, de l'OCM, et avec Jean Delpierre, proche du Comité d'action socialiste et de Libération-Nord.

Thorenc avait hésité, puis, d'une voix résolue, avait lancé :

— Je connais tous ces hommes. Et depuis longtemps ! Je peux me rendre à Paris.

Pierre Villars avait secoué nerveusement la tête.

— Pas vous ! avait-il répliqué. Thorenc ne doit pas être chargé de cette mission.

Bouvy s'était tourné un bref instant vers Bertrand, puis, faisant face à Pierre Villars :

— Au nom de quoi ? avait-il demandé.

— Comportement personnel mettant en danger la sécurité de plusieurs réseaux.

Se levant à son tour, Bouvy s'était emporté. Il fallait qu'on apporte des preuves de telles accusations ! L'attentat contre Dossi, à Marseille, avait semé la peur dans les rangs de la Gestapo et des Brigades spéciales. Pierre Villars avait-il choisi l'attentisme ? Se défiait-il des résistants qui voulaient agir ?

Le commandant Villars avait réclamé un vote.

Quand Catherine Peyrolles avait levé la main pour soutenir la demande de Thorenc, Pierre Villars avait indiqué que la secrétaire de séance ne pouvait participer au vote. Catherine l'avait défié du regard, mais avait baissé son bras.

Pierre Villars n'avait recueilli que l'abstention de Mercier. Le commandant Villars, Jacques Bouvy et René Hardy avaient voté pour la suggestion de Thorenc.

— Irresponsable, avait marmonné Pierre Villars. J'en référerai à Max.

Ils avaient quitté la maison du docteur Dugoujon en laissant entre le départ de chacun d'eux un intervalle d'une quinzaine de minutes.

Thorenc et Catherine Peyrolles étaient restés les deux derniers, seuls dans la chambre. Ils n'avaient pas parlé, puis, quand Bertrand s'était levé pour partir à son tour, Catherine avait enfilé son imperméable.

— Puisque vous logez chez moi, avait-elle indiqué, partons ensemble...

Sur le perron, elle lui avait pris le bras.

La pluie continuait de tomber et le vent faisait tourbillonner quelques rares feuilles mortes sur la place Castellane.

Ils avaient marché en silence vers le funiculaire de la Croix-Paquet. La place et les rues avoisinantes étaient vides.

Thorenc était ému. Ce bras serrant le sien, ce poids d'un corps, cette chaleur le troublaient.

Il avait éprouvé le besoin de parler. Puis il s'était souvenu de la manière dont Catherine Peyrolles, quand il avait voulu, chez elle, évoquer Claire Rethel, l'en avait empêché en disant : « Nous n'avons connu personne. »

Il s'était donc tu. Mais c'est elle qui avait murmuré qu'elle savait bien qu'il désirait se rendre à Paris pour autre chose, quelque chose de plus personnel que la mission qu'il avait sollicitée.

Peut-être voulait-il rencontrer la fille du commandant Villars, Geneviève, la sœur de Philippe et de Pierre, dont l'un ou l'autre lui parlait parfois comme d'une héroïne cherchant le sacrifice ? Ou bien s'agissait-il de cette jeune femme, Claire Rethel, qui avait été l'assistante de Philippe Villars et dont on racontait qu'elle avait été enlevée de la prison Saint-Paul par Thorenc et Bouvy au terme d'une action aussi audacieuse qu'imprudente, mais qui avait réussi ? Elle avait été arrêtée à nouveau, déportée. Voulait-il encore tenter quelque chose pour elle ?

Elle s'était pressée contre lui dans la cabine du funiculaire. Elle avait murmuré qu'elle ne cherchait pas à savoir, mais qu'elle tenait à ce qu'il comprenne qu'elle n'était pas aveugle, qu'elle avait percé à jour ses intentions.

Quelque part du côté du Ventoux et de L'Isle-sur-la-Sorgue, avait-elle ajouté, elle avait rencontré un poète qui était aussi un combattant. Il lui avait lu un texte aussi rocailleux que les dentelles de Montmirail. Thorenc connaissait-il cette région ?

Il l'avait enlacée. Ils partageaient donc cela aussi : ce paysage-là…

Catherine s'était un peu écartée pour chuchoter puis répéter les quelques mots qu'elle avait retenus du poète :

« … *aimez au même moment qu'eux les êtres qu'ils aiment. Additionnez, ne divisez pas…* »

21.

Thorenc marchait dans l'avenue Foch.

La nuit enveloppait les façades de grandes draperies noires qui recouvraient peu à peu toute la chaussée sans qu'aucune trace de lumière vienne les déchirer.

Au fur et à mesure qu'il descendait l'avenue, se rapprochant des sentinelles qui, sur le côté opposé, gardaient le siège de la Gestapo, il avait eu l'impression que ces draperies entravaient sa marche et qu'il devait les écarter, les repousser avec tout son corps pour avancer. Elles étaient lourdes, imprégnées d'une humidité glacée.

Il avait frissonné, hésité, marqué un temps d'arrêt au coin de l'une des rues qui s'ouvraient sur sa droite. Il n'avait pas réussi à lire la plaque que l'obscurité masquait. Puis il avait entendu le bruit d'un moteur, deviné qu'une voiture roulant au ralenti s'approchait. Sans doute patrouillait-elle le long de l'avenue.

Il ne s'était pas retourné, mais avait repris sa marche, et la voiture l'avait dépassé, volume noir glissant dans le noir de la nuit.

Il avait regardé tout autour de lui. L'avenue était vide, à l'exception de ces soldats qui allaient et venaient devant l'immeuble de la Gestapo, le seul dont l'entrée éclairée crevait les voiles nocturnes.

Il avait tout à coup retrouvé quelques-uns des vers de ce poème que, dans la nuit précédant son départ, Catherine Peyrolles lui avait lus et relus. Il les avait alors récités après elle qui se tenait appuyée à sa table de travail, dans la pièce qui lui tenait lieu de bureau :

Dans l'étrange Paris de Philippe le Bel
Le roi même faisait de la fausse monnaie
On entendait les loups près du Louvre et ce n'est
Qu'au galop qu'on fuyait les hommes de gabelle. [...]

La mort et non l'amour est l'unique domaine
Où l'homme se démasque et se découvre enfin
Les traits décomposés d'un enfant qui a faim
La mort et non l'amour rend la face humaine.

Catherine lui avait murmuré :
— Vous allez dans ce Paris-là.
Il s'était approché d'elle, avait posé les mains sur ses épaules, soulevé ses cheveux sans autre désir que de se rassurer.
Elle s'était laissée glisser contre lui. Elle avait dit — sa bouche touchant sa poitrine, et il avait eu l'impression que sa voix pénétrait ainsi, sans qu'il eût besoin de l'entendre, à l'intérieur de son corps, tout près du cœur, là où elle avait posé ses lèvres :
— Quand vous reviendrez, parce qu'il faut que vous reveniez, je vous demanderai quelque chose...
Elle avait secoué la tête, devançant et esquivant ainsi les questions qu'elle avait éveillées en lui :
— Quand vous reviendrez !

Ils avaient passé la nuit à parler.

Il avait rapproché sa chaise du bureau sur lequel Catherine s'était à nouveau assise, et il avait posé les mains sur ses cuisses comme s'il avait voulu se remplir de cette chaleur dont il aurait tant besoin là-bas, à Paris.

Mais il n'avait pas imaginé cette ville aussi froide, aussi noire, ces rues qui paraissaient désertes mais qui se remplissaient brusquement d'une foule silencieuse, laquelle sortait, morne, noire elle aussi, des bouches de métro, ou bien s'agglutinait devant des boutiques aux devantures pourtant vides.

Les femmes avaient le visage caché par des écharpes, les épaules recouvertes de châles. Les corps étaient sans formes ; des enfants on ne voyait que les yeux. Souvent, les rues ou les couloirs de métro étaient barrés par des cordons de policiers qui contrôlaient les papiers, fouillaient les cabas.

On lui avait rendu sa carte d'identité en le saluant. Il était le docteur Bertrand Duparc, habitant 2, place des Ormeaux, à Manosque, logeant à Paris chez son confrère le docteur Pierre Morlaix, 10, rue Royer-Collard.

Il avait craint le malencontreux hasard qui l'aurait mis en présence de l'agent Maurin, le mari de sa concierge du 216, boulevard Raspail. Et il avait en même temps espéré cette rencontre, pour renouer avec son passé, l'avant-guerre, se rassurer en constatant que ce qu'il avait connu — la paix, la liberté, le plaisir de vivre dans une ville bruyante et illuminée — n'avait pas tout à fait disparu.

Mais il ne s'était jamais trouvé en face de Maurin et il avait marché « *dans l'étrange Paris de Philippe le Bel* » — une ville

197

noire. Et il avait contemplé cette foule en se souvenant de quelques autres vers de ce poème d'Aragon que Catherine Peyrolles lui avait lu :

> *Mais le peuple ressemble au peuple. Ses haillons*
> *Ressemblent aux haillons de la vieille misère...*

Il avait attendu Delpierre sur le pont Saint-Louis.

Il s'était penché, regardant la Seine qui coulait, noire, à peine effleurée par quelques lueurs intermittentes. Il avait été gagné peu à peu par un sentiment d'impuissance.

Étranglée par la faim et le froid, la ville suintait le désespoir et la peur. Comment aurait-elle pu pousser le moindre cri de révolte ?

Il n'avait entendu dans les queues, devant les magasins ou dans le métro, que des murmures vite interrompus dès que les gens se rendaient compte qu'on pouvait les écouter. Et lui-même avait eu à plusieurs reprises l'impression d'être guetté, suivi. L'angoisse, la frousse, la lâcheté étaient contagieuses.

Il avait sursauté quand Delpierre, passant près de lui, lui avait demandé de rester à dix pas et de ne s'approcher qu'après s'être assuré que personne ne le filait.

Ils s'étaient enfin rejoints quai de Béthune et avaient marché côte à côte dans l'obscurité et le silence oppressant.

— Plus aucun lieu n'est sûr, avait marmonné Delpierre. La Gestapo a des indicateurs partout. Les types de la bande de la rue Lauriston écument la ville. C'est devenu une vraie jungle, Thorenc. Lafont, Marabini, Bardet sont des bêtes féroces. Nous, nous avons les mains nues, et si peu de moyens pour nous défendre !

Delpierre avait donné son accord à la constitution du Conseil national de la Résistance et des MUR, les Mouvements unis de la Résistance. Mais Thorenc avait surtout prêté attention à l'anxiété de son interlocuteur. Il se retournait à tout moment. Il l'avait même poussé dans un renfoncement afin de laisser passer deux agents cyclistes qui paraissaient pourtant bien paisibles.

— Si vous êtes pris dans l'engrenage, avait murmuré Delpierre, vous ne savez plus où il s'arrêtera. On vous conduit au commissariat pour une vérification d'identité, et vous tombez sur un policier des Brigades spéciales, ou bien sur un tueur de Lafont qui dispose d'un sauf-conduit de la Gestapo pour interroger qui bon lui semble et le conduire rue Lauriston. Soyez sur vos gardes !

En tenant les mains de Thorenc, il avait avoué qu'il était à bout et avait demandé à pouvoir regagner Londres.

— Les gens n'imaginent pas ce que nous vivons, ici, depuis des années. C'est un miracle que ni vous ni moi n'ayons encore été pris.

Il avait conseillé à Thorenc de ne plus jamais donner rendez-vous dans un café. Ils étaient tous surveillés. Il fallait aussi se défier des restaurants du marché noir : tout le monde s'y côtoyait, agents de la Gestapo ou de l'Abwehr, trafiquants, proches de Déat et de Doriot...

— La tentation est forte, avait-il soupiré. Et il m'arrive d'y succomber, mais je sais que je peux payer de ma vie mon petit salé aux lentilles !

Il avait brusquement donné l'accolade à Thorenc, le tutoyant et évoquant brièvement, la gorge serrée, les années d'avant-guerre :

— Tu te souviens ?...

Cela n'avait duré que quelques minutes. Puis il s'était repris. Il avait appris, avait-il confié, que Geneviève Villars travaillait pour l'Organisation civile et militaire. Lui-même n'aurait jamais accepté de l'utiliser. Mais, parce qu'ils recrutaient leurs membres dans les conseils d'administration, à Passy et à Neuilly, les gens de l'OCM avaient la conviction d'être invulnérables...

— Ils n'ont pas compris que l'appartenance à une caste, à une hiérarchie, ne garantit plus l'immunité. C'est la loi du milieu criminel qui s'impose. Les tueurs sont au pouvoir. Laval invite Henry Lafont à sa table ! Et les marquises rêvent de devenir les maîtresses de ce tueur ! Il dispose de la force. Il vole en toute impunité. La police, c'est lui, Thorenc ! Et tout le monde peut devenir une proie. Alors, on se comporte en sauvage. On dénonce son voisin pour sauver sa propre peau ou celle de son fils. J'aurais mille histoires de ce genre à raconter. Quand il y a des héros, il y a cent fois plus de mouchards et de pleutres...

Il avait de nouveau serré Thorenc contre lui et celui-ci avait eu l'impression qu'il grelottait.

Le lendemain matin, Bertrand avait rencontré Lévy-Marbot dans un appartement de la rue du Four dont tous les volets étaient clos. Lévy-Marbot avait d'abord paru plus maître de lui. Il avait réussi à gagner Londres grâce au réseau du colonel Rémy, mais avait décidé de rentrer en France.

Il n'avait guère aimé l'atmosphère qui régnait autour de la France libre, avait-il expliqué à Thorenc. De petits groupes de Français — « de vrais émigrés, ceux-là ! » avait-il ricané — s'opposaient au général de Gaulle au nom du « socialisme », de la démocratie, mais plus souvent de leurs propres ambitions. Ils dénonçaient de Gaulle aux Anglais et aux Américains, lesquels étaient tout heureux de les écouter et de les soutenir.

— À Londres, avait ajouté Lévy-Marbot, j'avais le sentiment de trahir ceux que j'avais laissés ici.

Les meilleurs des Français libres, tels Brossolette ou Passy, avaient d'ailleurs tous demandé à accomplir des missions en France comme s'ils avaient voulu se purifier.

— Brossolette, voilà un homme de courage ! s'était exclamé Lévy-Marbot.

Thorenc s'était souvenu de ce normalien qui avait, comme Delpierre et lui, choisi le journalisme. Il avait un visage anguleux, rendu quelque peu étrange par cette longue mèche grise, presque blanche, qui, prenant racine au milieu du front, partageait ses cheveux en deux.

— Il faut préparer la France d'après, avait répété Lévy-Marbot.

Il était préoccupé par le rôle grandissant que jouaient les communistes. Ces derniers mettaient leur héroïsme au service d'une stratégie qui risquait, selon lui, de se révéler dangereuse pour la démocratie.

Lévy-Marbot avait donc été plutôt réticent vis-à-vis de la création du CNR où se retrouvaient à la fois représentants des mouvements de Résistance et délégués des anciens partis politiques. C'était une idée de Jean Moulin, mais il avait eu le sentiment que Brossolette et Passy ne partageaient pas ce point de vue.

Thorenc s'était senti incapable de discuter et de convaincre. Il n'était qu'un courrier, avait-il répondu. Il avait vu Delpierre. Il devait rencontrer le général Delestraint, chef de l'Armée secrète, puis Brossolette, et enfin transmettre et recueillir les avis et décisions. Il s'en tenait là.

Lévy-Marbot l'avait raccompagné jusqu'à la porte de l'appartement.

Les fauteuils étaient recouverts de housses blanches. Dans la pénombre, Thorenc avait heurté une petite table. Lévy-Marbot lui avait empoigné le bras, le serrant avec une sorte de fureur contenue. Il fallait veiller à ne pas faire de bruit ! avait-il chuchoté. Les voisins se figuraient en effet que l'appartement était vide.

Il avait mis plusieurs minutes à se calmer, retenant Thorenc chaque fois que celui-ci avait voulu ouvrir la porte palière. Il était en fait tout aussi angoissé que Delpierre ou que Bertrand lui-même, et sans doute personne, une fois plongé dans l'acide de la clandestinité, ne pouvait échapper à cette tension nerveuse.

Il avait forcé Bertrand à s'asseoir et à attendre. Il lui avait confié qu'il travaillait chaque jour avec Geneviève Villars, laquelle assurait le secrétariat de l'OCM. C'était une femme d'un courage et d'une détermination exemplaires. Thorenc la connaissait, n'est-ce pas ?

Bertrand avait baissé la tête. Il n'avait pas eu la force de regarder en face cette partie de sa vie et de se souvenir des sentiments qu'il avait éprouvés à l'égard de Geneviève Villars.

— Elle a fait beaucoup, s'était-il borné à répondre. Elle devrait maintenant se tenir en retrait, peut-être même quitter la France.

Lévy-Marbot l'avait regardé d'un air d'abord étonné, puis scandalisé :

— Mais nous en sommes tous là ! Moi, vous, elle, Delpierre, Brossolette, tous…

Il avait collé son oreille contre la porte, avait fait jouer le verrou, entrouvert le battant, puis, d'un geste, indiqué à Thorenc qu'il pouvait sortir.

Bertrand avait lentement remonté le boulevard Saint-Germain, puis bifurqué dans le boulevard Saint-Michel. Au coin de la place de la Sorbonne, la librairie allemande était la seule boutique aux vitrines illuminées. Des agents de police et des soldats allemands la surveillaient, arpentant le trottoir.

De l'autre côté de la place, dans la pénombre, Thorenc avait distingué plusieurs silhouettes qui se tenaient aux aguets : sans doute des inspecteurs en civil qui protégeaient aussi la librairie, que les FTP avaient déjà attaquée à plusieurs reprises.

Thorenc avait eu l'impression qu'on le suivait des yeux et il s'était efforcé de ne pas marcher plus vite, tout en sentant l'angoisse monter en lui. Il n'en avait pas éprouvé d'aussi intense depuis cette nuit passée rue de la Joliette à attendre le passage du commissaire Dossi.

Paris l'étouffait de son inquiétante noirceur.

Il n'avait été rassuré qu'au moment où le docteur Pierre Morlaix avait refermé sur lui la porte de son appartement.

Ils s'étaient installés au salon et Morlaix avait débouché une bouteille de cognac.

— Ville noire…, avait murmuré Thorenc après plusieurs minutes de silence.

Le médecin s'était lissé les cheveux, puis avait rempli les verres.

— On n'imagine pas ce qu'endurent les gens, avait-il indiqué.

Ce n'était pas seulement la misère, la faim, le froid ou même la peur, mais plutôt un immense, un profond dégoût, avait-il expliqué.

Thorenc avait dû paraître étonné. Pierre Morlaix avait alors posé son verre, s'était levé et avait commencé à marcher à travers le salon, mains derrière le dos.

— Les gens, quand ils sont nus, se confient, avait-il repris. Je colle mon oreille contre leur poitrine et c'est à ce moment-là qu'ils me parlent. Ils se sentent pourrir, Thorenc ! C'est comme une tumeur. Ils ont honte d'eux-mêmes. C'est cela, le dégoût. Tout le monde n'est pas capable de devenir un héros, de jeter une grenade dans un cabaret rempli d'Allemands...

Il s'était interrompu.

— Ils ont fait ça, hier soir, à la Boîte-Rose, rue Delambre. J'ai pensé à vous. Vous habitiez tout près, boulevard Raspail, n'est-ce pas ?

Thorenc avait imaginé Françoise Mitry, Fred Stacki, tous les autres, peut-être aussi Alexander von Krentz et le général von Brankhensen, gisant dans la salle au sol et aux murs maculés de sang. Il s'était souvenu de Geneviève Villars entrant avec lui à la Boîte-Rose, la nuit du 11 novembre 1940.

— Les gens sont obligés de subir, de se taire, de se compromettre, avait poursuivi Morlaix. Ils ont le sentiment qu'ils sont lâches et corrompus. Pour acheter un kilo de sucre et un litre d'huile, ils essaient de trafiquer, de revendre un tableau qu'on leur a légué. Les femmes sont obligées de séduire pour obtenir trois cents grammes de viande. Personne n'est fier d'agir ainsi, mais la plupart le font. Ils écoutent la BBC, mais cela ne suffit pas à les réhabiliter à leurs propres yeux. Ils savent ce qu'ils ont vu, accepté.

Il avait décrit la grande rafle des Juifs intervenue le 16 juillet. Les autobus remplis de femmes et d'enfants. Les agents de police exécutant les ordres. Les concierges montrant les appartements où les Juifs se terraient. Et les voisins se bouchant les oreilles pour ne pas entendre les cris.

— Tout le monde sait cela, avait continué Morlaix. On a laissé faire. Parfois, on a même participé à la rafle, comme ces bons agents de la police parisienne qui ont convoyé les autobus jusqu'au vélodrome d'Hiver, puis, de là, à Drancy. Et des dizaines de trains sont déjà partis de Drancy pour l'Allemagne ou pour le camp de transit de Compiègne.

Ce mot, comme une dague qui s'enfonçait...

Thorenc s'était levé à son tour, murmurant qu'il avait une mission personnelle à accomplir, maintenant qu'il en avait terminé avec celles qu'on lui avait confiées.

Il allait ressortir, avait-il dit à Morlaix. S'il n'était pas rentré dans deux jours, il faudrait avertir Catherine Peyrolles, à Lyon, afin qu'elle prenne les dispositions nécessaires.

Il avait posé sur la table les documents que Lévy-Marbot et Delpierre lui avaient remis.

— Quand vous aurez prévenu Catherine Peyrolles, avait-il ajouté, ils enverront quelqu'un chercher ces papiers.

Il avait souri.

205

— En sortant d'ici, Morlaix, j'aurai oublié votre adresse. De cela je suis sûr ! avait-il ajouté.

Le médecin avait haussé les épaules, lui avait tendu un verre de cognac.

— Je ne me soucie pas de moi, mais de vous, avait-il répondu. Il y a des risques qu'on ne doit pas courir. La tentation suicidaire existe, Thorenc. Elle s'avance masquée. On croit être poussé par une volonté de vivre, et c'est la mort qui vous berne et vous entraîne. Il faut se méfier du désir d'héroïsme : ce n'est souvent qu'un piège, un désir de mort.

— Je veux essayer de sauver quelqu'un, avait murmuré Bertrand.

— S'il est trop tard, et si c'est au risque de vous perdre ?

— Vous parliez du dégoût qu'on peut éprouver envers soi, avait repris le journaliste en sortant du salon, suivi par Pierre Morlaix. Je ne veux pas connaître ça.

— Vous ?

Thorenc avait serré le médecin contre lui.

— Attendez deux jours, avait-il murmuré.

Il s'était enfoncé dans la foule noire et grise du métro.

Puis il avait descendu l'avenue Foch et était entré dans l'immeuble qui portait le numéro 77, disant à la concierge qui le dévisageait, soupçonneuse, qu'il se rendait chez Lydia Trajani.

Il avait attendu l'ascenseur, craignant de se retrouver face à face avec l'un des invités de Lydia : Konrad von Ewers, le général von Brankhensen, ou, pire, Alexander von Krentz ou Michel Carlier. Et pourquoi pas Henry Lafont ? Mais la cabine était vide. Peut-être la jeune femme était-elle seule ?

C'était le pari qu'il avait fait. La surprendre et l'émouvoir, peut-être la menacer, lui lancer un défi. Elle était si joueuse — flambeuse, même — qu'elle pouvait vouloir le relever.

Une vie, désormais, tenait à cela.

22.

Thorenc avait entendu le brouhaha de rires et de voix quand Lydia Trajani avait ouvert la porte du vestibule.

Elle s'était immobilisée, la bouche entrouverte, paraissant hésiter entre sourire et crier. Elle avait les épaules et les bras nus et le décolleté de sa robe fourreau en lamé noir laissait voir tout l'arrondi de ses seins.

Elle avait légèrement levé les bras comme pour tendre les mains à Thorenc. Il avait entr'aperçu sous ses aisselles les petites touffes noires, puis il avait remarqué le clignement de sa paupière gauche qu'elle ne réussissait pas à maîtriser — un tic qui était l'aveu de sa surprise, peut-être même de sa frayeur.

Il avait dit au domestique d'annoncer à madame Trajani que l'un de ses amis d'Antibes demandait à la voir, et que c'était urgent.

— Je n'imaginais pas…, avait-elle commencé.

Elle avait repoussé la porte, puis s'était avancée, bras tendus, mais il n'avait pas saisi ses mains.

Elle s'était arrêtée à un pas et il avait reconnu ce parfum lourd et entêtant qui lui avait toujours fait penser à un drapé doré, rayé de traces brunes.

— Je suis en compagnie de quelques amis, avait-elle indiqué en montrant la porte d'un hochement de tête.

Les éclats de voix et les rires parvenaient, assourdis, jusque dans le vestibule.

Puis le visage de Lydia Trajani s'était contracté, dévoilant des traits durs, les rides qui encadraient sa bouche charnue, le rouge vif des lèvres souligné par un mince trait noir. Ses paupières étaient teintées d'un vert sombre, et ses yeux prolongés par deux lignes de même couleur. Elle avait tout à coup entouré de ses mains le cou de Thorenc et il avait senti ses longs ongles peints sur sa nuque.

— Qu'est-ce que tu veux ? avait-elle questionné.

Thorenc avait connu un instant de panique. Il n'avait pas réfléchi à ce qu'il devait lui dire, à la façon de lui présenter ce qu'il attendait d'elle.

Elle n'avait pas bougé, ses doigts lui enserrant toujours le cou.

Il avait saisi ses poignets, lui avait écarté les bras, mais elle s'était alors avancée et il avait eu ses seins contre sa poitrine.

Il avait dit en la forçant à reculer :

— Thomas Irving et John Davies…

Aussitôt, la paupière gauche de la jeune femme avait recommencé à battre de manière incontrôlée.

Pour la première fois depuis qu'il était arrivé à Paris, Bertrand avait alors eu le sentiment que tout n'était pas exclusivement gris et noir. C'était comme si, dans l'obscurité, une petite lueur apparaissait.

— Ils m'envoient, avait-il repris.

Elle s'était dégagée brusquement.

— Toi ? avait-elle glapi.

Son visage marquait le doute et le mépris.

— Les choses ont changé depuis le débarquement en Afrique du Nord. Nous sommes en contact. Alliés ! avait-il répliqué.

La vue de cette paupière dans le visage de Lydia qui continuait de cligner machinalement avait rendu de l'assurance à Thorenc.

Il avait marmonné que Davies et Irving voulaient obtenir à n'importe quel prix la libération d'une jeune femme internée au camp de transit de Compiègne. Elle allait être d'un jour à l'autre déportée en Allemagne. Il fallait tout mettre en œuvre pour l'empêcher.

Sa voix s'était étranglée, et il s'était soudain senti envahi par le désespoir. Il venait, sans même y avoir réfléchi, de décider d'abandonner Victor Garel — Garel, qui lui avait sauvé la vie —, ainsi que son épouse. Mais comment aurait-il réussi à arracher trois personnes à la mort ?

Il ne pouvait, il ne devait penser qu'à Claire.

Il s'était méprisé. Il n'avait plus éprouvé que dégoût envers lui-même. Mais il n'en avait pas moins répété que Thomas Irving et John Davies voulaient que tout fût mis en œuvre pour sortir Claire Rethel du camp.

Lydia Trajani se mordillait les lèvres.

— Juive ? avait-elle questionné.

Thorenc avait simplement indiqué qu'elle avait été arrêtée sous le nom de Claire Rethel.

— C'est un nom qui sonne faux, avait-elle grimacé. Une Juive, bien sûr : les Américains ne s'intéressent qu'à ça. Et comment veulent-ils que je fasse ?

Elle avait commencé à marcher dans le vestibule.

— Combien d'argent ? avait-elle demandé.

Thorenc avait dû paraître ne pas comprendre, car elle s'était emportée, revenant vers lui :

— La vie de cette Juive, ils la paient combien ? On achète et on vend tout, en ce moment ! Ils ne croient tout de même pas qu'on va la tirer de là comme ça, parce que je vais faire un joli sourire aux gens de la Gestapo !

Elle avait mis les mains sur ses hanches, et, d'une manière provocante, s'était cambrée, sa robe se tendant sur son bas-ventre et ses cuisses.

— Il n'y a pas de limite au prix, avait-il dit, mais il faut avancer les fonds.

— Ils sont fous ! Ils me prennent pour qui ? s'était-elle exclamée. Et si...

Elle s'était tue, tout à coup, dévisageant Thorenc. Il avait soutenu son regard. Il voulait qu'elle imagine d'elle-même que Davies et Irving étaient prêts à révéler aux Allemands qu'elle leur transmettait des informations.

— Tu tomberas avec moi ! avait-elle murmuré.

Elle avait compris.

Thorenc avait secoué la tête.

Elle avait hésité quelques instants, puis lui avait pris la main et l'avait entraîné, ouvrant la porte, se dirigeant à grands pas vers la pièce d'où montaient, de plus en plus présents, les voix et les rires.

23.

Thorenc avait essayé de dégager sa main, mais, d'un mouvement impérieux, Lydia Trajani l'en avait empêché, écrasant sa paume entre ses doigts bagués. Il avait donc suivi la jeune femme avec un sentiment croissant de malaise à être ainsi tenu et conduit.

Ils avaient traversé deux salons et un fumoir.

Les pièces étaient plongées dans la pénombre, tous rideaux tirés. Il avait heurté plusieurs meubles. Il s'était alors rendu compte que ces lieux qu'il avait connus, près de deux ans auparavant, au début de l'année 1941, quand il avait passé la nuit dans ce même appartement, étaient désormais encombrés de tout un mobilier disparate. Une coiffeuse en fer forgé voisinait avec deux commodes en marqueterie, une liseuse avec un canapé de cuir blanc. De nombreux tableaux étaient appuyés aux murs, posés à même le sol. Des aiguières, des théières, des carafons, des couverts en argent massif étaient dispersés sur les meubles, et un autre service de table occupait un coin du parquet entre deux fauteuils.

D'un coup sec, Thorenc avait retiré sa main. Il s'était arrêté, regardant autour de lui.

Lydia Trajani s'était retournée :

— J'achète tout ce qui est à vendre.

Elle avait parlé le menton en avant, et, pour la première fois, il avait remarqué combien sa mâchoire inférieure était forte, tout le bas de son visage lourd et carré.

Elle avait repris d'autorité la main de Thorenc.

À cet instant, une voix cassée avait dominé les autres. Elle était dure et aiguë, pleine de dissonances mais sans épaisseur : comme s'il s'était agi d'un son artificiel, d'une voix recréée. Dans le silence qui s'était promptement établi, toutes les autres voix semblant se soumettre à celle-ci, elle avait répété qu'il fallait aller chercher Lydia, qu'on allait tout casser si elle ne revenait pas.

Seule une porte à double battant séparait encore cette voix de Thorenc qui, sans doute angoissé, avait lancé un coup d'œil à Lydia.

Elle avait posé sa main gauche sur la poignée de porte tandis que la droite serrait, mais presque tendrement, celle de Thorenc. Et elle avait murmuré :

— C'est Henry Lafont. Écoute-le, approuve-le, ne dis rien. Surtout, ne dis rien, laisse-moi faire !

Elle avait ouvert la porte.

Thorenc avait tout de suite identifié Lafont. Il n'avait même vu que lui, assis en bout de table, deux seaux à champagne posés de part et d'autre de son assiette. Il avait également reconnu les deux hommes qui se tenaient derrière Lafont. Ils se penchaient vers lui sans quitter le journaliste des yeux. Douran et Ahmed étaient donc devenus les gardes du corps de Lafont. Ils avaient dû lui chuchoter que cet homme qui pénétrait dans la salle à manger, et que Lydia

Trajani tenait par la main, n'était autre que Bertrand Renaud de Thorenc, qu'ils avaient souvent vu à la Boîte-Rose quand ils en contrôlaient les entrées.

Dodelinant de la tête, Lafont avait eu un sourire ironique, puis avait demandé à Douran de lui remplir sa flûte. Il l'avait levée, avait trempé ses lèvres dans le champagne et lancé :

— Rien ne vaut une bonne Veuve !

De ses yeux perçants, mobiles, il avait rapidement dévisagé les convives, puis était revenu fixer Thorenc.

— C'est pour cela qu'il faut supprimer les maris !

Ils avaient ri tout autour de la table, et c'est seulement à compter de cet instant que Thorenc les avait regardés.

Françoise Mitry, la propriétaire de la Boîte-Rose, et l'actrice Viviane Ballin étaient assises l'une à droite, l'autre à gauche de Lafont. Thorenc avait aussi reconnu Pinchemel, l'industriel, Fred Stacki, le banquier suisse, Alfred Greten qui dirigeait la Continental Films, Michel Carlier, le directeur de *Paris-Soir*, et, en uniforme, le lieutenant Konrad von Ewers qui se trouvait installé en face de Simon Belovitch.

Belovitch s'était levé. La peau de son visage et de son cou était fripée, couverte de petites plaques d'eczéma, et il bougeait la tête comme une tortue. Ses yeux exorbités étaient comme écrasés par des paupières gonflées, soulignées de cernes noirs.

Avant même que Thorenc eût pu faire le moindre geste, Simon Belovitch l'avait serré entre ses bras courts, le pressant contre son ventre difforme qu'enfermait difficilement un gilet de soie.

— Vieille canaille, tu le connais ! avait lancé Lafont. Juif, comme toi ?

215

Belovitch avait passé un bras sous celui de Thorenc.

— Le fils de Cécile de Thorenc, Bertrand Renaud de Thorenc ! Cécile est ma plus vieille passion.

— J'aime beaucoup les aristocrates, avait ricané Lafont. J'ai fait autrefois leurs poubelles ; aujourd'hui, c'est moi qui leur verse des ordures sur la tête. Et ils en redemandent !

Son rire avait retenti au milieu du silence gêné des convives qui avaient tous baissé la tête.

— Nous connaissons tous Bertrand, ce cher Bertrand, avait dit Françoise Mitry au bout de quelques instants. Je l'imaginais bien loin d'ici, à Londres, à Alger, peut-être déjà mort, qui sait ? Je vous voyais bien jouer au héros en Afrique, mon cher Thorenc. Mais c'est nous que vos amis cherchent à tuer. Une bombe, hier soir, à la Boîte-Rose : mais ces cons n'ont tué que les serveuses, ils ont fait exploser leur engin trop tôt. Vous, Thorenc, vous n'auriez pas commis une connerie pareille. Vous étiez un habitué !

Françoise Mitry s'était tournée vers Viviane Ballin, puis vers Lydia Trajani :

— Il n'a pas vieilli, n'est-ce pas ? Toujours aussi séduisant. Qu'est-ce que vous faites pour ça, Bertrand ? On ne vous voit plus, vous vivez où ?

— Il est partout, avait lâché Fred Stacki.

Sa voix était pleine d'indulgence, et il avait cligné de l'œil en signe de connivence.

— Et il est même ici, avait-il continué, chez notre belle, inoubliable Lydia !

Henry Lafont avait levé son verre, dit qu'il fallait porter un toast au nouvel arrivant :

— Buvez, buvez aussi ! avait-il ordonné d'une voix impatiente en tendant l'index vers Thorenc.

216

Il avait saisi la flûte que lui tendait Douran et il avait bu, essayant de noyer ainsi le sentiment de dégoût qui l'avait envahi.

Il avait repensé à tous ces gens qu'il avait vus, enveloppés dans « *les haillons de la vieille misère* », et il avait eu honte de se trouver là avec ces corrompus, ces collabos, complice du seul fait de les côtoyer et de les écouter, tous cherchant à profiter des circonstances pour amasser, jouir — et les uns comme les autres, Belovitch aussi bien que Konrad von Ewers ou Lydia Trajani pensant aussi à sauver leur peau et à se prémunir contre la défaite en aidant l'autre camp.

Thorenc avait observé Henry Lafont. Peut-être cet homme qui, en 1940, n'était encore qu'un criminel pourchassé par la police, et qui, aujourd'hui, était devenu, à la tête de sa bande de la rue Lauriston, l'un des personnages les plus puissants, les plus redoutés, les plus courtisés de Paris, était-il en définitive le moins calculateur. Et Bertrand avait éprouvé envers lui ce qu'il avait ressenti parfois devant des bêtes enragées, prédatrices, mais dont l'énergie de mort le fascinait.

Lydia avait repris sa place en face de Lafont. Elle avait fait asseoir Thorenc entre elle et Konrad von Ewers.

Le lieutenant s'était penché vers le journaliste. Son regard était voilé et il semblait avoir de la peine à garder les paupières ouvertes. Il avait murmuré :

— Vous allez gagner la guerre… Maintenant, avec ce qui se passe à Stalingrad, c'est sûr. Mais — il avait posé la main sur l'avant-bras de Bertrand — qu'est-ce que ça veut dire, gagner, si les communistes occupent toute l'Europe ? Il faut s'entendre, cher ami, tout de suite ; sinon, il sera trop tard, et Staline sera pour vous et pour nous bien plus insupportable que Hitler !

Il avait laissé tomber son menton contre sa poitrine, puis il avait sursauté, paru découvrir qui était son voisin de table, et s'était étonné :

— Ah, vous êtes là ? Ces policiers de Marseille vous ont donc relâché ?

Il avait souri d'un air las.

— J'espère que vous interviendrez en ma faveur quand on voudra me fusiller...

Il avait hoqueté, disant qu'ils étaient du même côté, que cette guerre était absurde, fratricide, que l'Europe allait se diviser entre nations civilisées et barbares, et qu'Allemands, Français, Anglais, Italiens et Espagnols étaient ensemble du côté de la civilisation...

Tout en écoutant von Ewers, Thorenc n'avait pas cessé de regarder Henry Lafont qui se penchait souvent vers Viviane Ballin, enlaçant l'actrice, lui parlant à l'oreille, et elle riait, rejetant la tête en arrière, lançant un coup d'œil vers Michel Carlier, son époux, qui souriait d'un air complaisant.

Celui-ci avait interpellé Thorenc, lui disant qu'il ne lui demandait plus s'il voulait écrire dans *Paris-Soir* : chacun avait choisi son camp, n'est-ce pas ?

Carlier s'était levé et était venu s'appuyer aux épaules du journaliste, lui chuchotant qu'il avait fait d'Isabelle Roclore, l'ancienne secrétaire de Bertrand, sa collaboratrice directe :

— Elle est d'une intelligence remarquable. Mais vous la connaissiez bien, je crois, avait-il ajouté d'une voix un peu grasse.

Thorenc avait eu du mal à se contenir, contraint d'entendre encore Carlier lui raconter qu'Isabelle avait séduit Drieu La Rochelle que, depuis lors, on voyait tous les jours au journal.

Il n'avait pas pris la peine de répondre, essayant plutôt d'entendre ce que Lydia Trajani murmurait à Simon Belovitch qui l'écoutait les yeux mi-clos, les mains croisées sur l'estomac. Il paraissait somnoler, mais, de temps à autre, jetait un coup d'œil rapide vers Lafont, vers Thorenc, puis refermait prestement les yeux, pareil à un gros saurien aux aguets.

Bertrand était intrigué par cet homme qui réussissait à survivre alors que tout le désignait à la persécution, et qui demeurait apparemment serein, à quelques pas de Henry Lafont, le pillard et le tueur de Juifs, le criminel que les Allemands avaient fait *Hauptmann* de la SS !

Simon Belovitch avait hoché plusieurs fois la tête, puis s'était levé, marchant pesamment, s'arrêtant auprès de Pinchemel pour lui chuchoter quelques mots, s'approchant de Lafont, se glissant entre lui et Viviane Ballin, s'asseyant sur le bord de la chaise de l'actrice et entreprenant de lui parler longuement.

Henry Lafont s'était reculé, les deux mains appuyées au rebord de la table, se balançant d'avant en arrière, la chaise calée sur deux pieds. Il n'avait cessé de considérer un à un chacun des invités, les obligeant tous à baisser les yeux. Douran et Ahmed appuyaient le regard de Lafont d'une mimique menaçante.

Thorenc, pour sa part, s'était efforcé de ne pas broncher, soutenant ce regard.

Lafont avait quitté la table et s'était dirigé vers les fenêtres qui donnaient sur une terrasse dominant l'avenue Foch.

Il portait un costume discret, de coupe élégante ; la veste croisée, éclairée par une pochette blanche, arborait de longs revers. Il s'était frotté les mains, pressant ses paumes l'une contre l'autre comme pour écraser quelque chose.

Tout à coup, il s'était tourné vers Simon Belovitch :

— Et tu me proposes cela ici, en face du siège de la Gestapo, à moi qui suis capitaine des SS ! avait-il dit d'un ton goguenard, accentué encore par le timbre aigu et irrégulier de sa voix. Racheter une Juive ! Parce qu'elle l'est, ne me racontez pas d'histoires... Eh bien, je vais vous dire...

Il s'était avancé vers la table.

— Je me fous qu'elle soit juive ! Tu l'es bien, toi, et nous travaillons ensemble...

Il avait tendu le bras vers Thorenc.

— Vous, monsieur de Thorenc, vous, l'aristocrate, le gaulliste, n'est-ce pas, sachez une chose : Lafont ne rend de comptes à personne, Lafont décide seul, Lafont choisit de faire ce que bon lui semble !

D'un étui doré, à gestes maniérés, il avait sorti une cigarette qu'il avait allumée, laissant longtemps brûler la flamme du briquet.

— Je suis toujours preneur d'une bonne affaire.

Il avait familièrement posé son bras sur l'épaule de Belovitch.

— Ce vieux Juif sait parler aux hommes comme moi, avait-il ajouté. D'ailleurs, il convainc aussi ces messieurs de la Gestapo, on en fera un Aryen d'honneur ! Je vous prends à témoin...

Il avait écarté les bras et s'était penché sur la table :

— Le contrat est conclu, je la fais sortir. Simon Belovitch verse la moitié tout de suite, le reste à la livraison. Mais…

Il s'était assis, avait frappé des mains sur ses cuisses.

— … je garde dans tous les cas ce qui a été versé, même si la femme est morte…

Il avait décoché un regard à Thorenc, souri.

— Dans ce cas, avait-il repris, si cela peut satisfaire monsieur de Thorenc, je peux même livrer le corps, s'il est disponible.

Il s'était tourné vers Ahmed et Douran :

— On s'en va ! avait-il décidé brutalement.

Il avait invité Thorenc à le suivre afin de mettre au point les détails de l'opération.

Devant l'entrée de l'immeuble stationnait une Bentley blanche dans laquelle Lafont s'était installé, faisant signe à Thorenc de s'asseoir à côté de lui.

Un énorme bouquet était posé sur le siège à côté du chauffeur. L'arôme était si fort que Thorenc en avait eu la nausée. Il avait eu l'impression d'entrer dans un reposoir.

— Belovitch paie pour vous : parfait ! lui avait dit Lafont. Il s'imagine qu'il souscrit ainsi une assurance qui lui garantira l'impunité quand les Allemands auront été vaincus. Ils le seront, ça ne fait plus un pli. Mais, en attendant, j'aurai vécu comme un seigneur en m'empiffrant de femmes, de fleurs — j'adore les fleurs… —, en rencontrant des gens comme vous dont je faisais jadis les poubelles et qui viennent maintenant picorer ma merde !

Il avait ri grassement :

— Je mets chaque soir une pute et une aristocrate dans mon lit, j'adore ça ! Elles aussi. Eh bien, la vraie pute, la plus pute des deux, tu vois — il avait enfoncé l'index entre les côtes de Thorenc —, ça n'est pas celle qu'on croit ! Ç'a été ma plus grande surprise !

La voiture s'était arrêtée devant le 93 de la rue Lauriston que gardaient des hommes armés de mitraillettes.

— Dis-moi tout de cette femme, avait repris Lafont. Elle vaut tant que ça ? Cinq lingots d'or et deux millions de francs ? C'est quoi : une Américaine ? Même pour Belovitch, c'est beaucoup. Il n'est pas si généreux, habituellement. S'il tient tant à te faire plaisir, ça veut dire que tu es un type important, de l'autre côté...

Il avait posé la main sur la cuisse de Thorenc.

— Si je te livre à Oberg, tu crois qu'il me paiera combien ? Plus que Belovitch pour cette fille-là ?

Thorenc avait glissé la main dans sa poche, palpé la petite boîte contenant sa pilule de cyanure.

Il n'avait éprouvé aucune angoisse. Il avait fait tout ce qu'il devait faire pour sauver Claire Rethel.

Thorenc avait répondu aux questions précises que lui posait l'homme de la rue Lauriston, sans lui révéler pour autant le nom de Myriam Goldberg.

— Je ne vous invite pas à entrer chez moi, avait de nouveau ricané Henry Lafont en descendant de voiture, car je ne pourrais sans doute pas résister au plaisir de vérifier si vous vous taisez quand on vous chatouille un brin, ou bien si vous lâchez tout avant même qu'on vous ait touché ! Les gens

comme vous, je les connais bien : c'est tout dans la préten-
tion, et rien dans les couilles !

Lafont s'était écarté d'un pas, puis avait lancé :

— Mais peut-être pas... peut-être que vous en avez ? En
attendant, foutez le camp, et vite ! Lydia ou Belovitch vous
donneront des nouvelles. C'est eux qui ont monté l'affaire.
C'est avec eux que je traite.

Et il avait claqué la portière.

Thorenc s'était éloigné, s'astreignant à marcher lentement, pensant qu'à chaque pas Douran et Ahmed, qui
avaient suivi la Bentley blanche de Lafont à bord d'une
voiture noire, pouvaient se jeter sur lui et l'entraîner à l'intérieur du 93, rue Lauriston.

Il avait imaginé ce qui surviendrait alors.

Mais, pour autant, il n'avait ni pressé le pas, ni regardé
derrière lui.

24.

Thorenc a marché une partie de la nuit au bord des falaises.

Il s'est souvent approché de l'à-pic qui surplombe d'une centaine de mètres le chaos des éboulis et le golfe de terres rouges où s'élèvent la ferme Ambrosini et la borie.

Le ciel est si clair que les rochers calcaires et les pierres sèches des bâtiments de la ferme et de l'abri de berger se détachent, blancs, sur l'étendue sombre des champs.

Thorenc s'est assis, les jambes dans le vide.

Il a quitté la ferme Ambrosini au moment où la BBC, après avoir annoncé l'assassinat de l'amiral Darlan à Alger — Gaston Ambrosini avait aussitôt posé au centre de la table la bouteille d'alcool de prune —, précisait qu'un tribunal militaire réuni d'urgence avait condamné à mort le patriote Fernand Bonnier de La Chapelle, qui avait exécuté le traître. Cet homme de vingt ans avait déjà été fusillé et le Conseil impérial qui s'était réuni sitôt après la mort de l'amiral avait désigné le général Giraud comme haut-commissaire et commandant en chef des Forces françaises en Afrique du Nord.

Thorenc s'était alors levé.

Il avait imaginé la satisfaction de John Davies et de Thomas Irving.

Fernand Bonnier de La Chapelle avait accompli un acte de justice, croyant servir la France combattante, et c'était le plan de Roosevelt qui se réalisait !

Bertrand avait été submergé par la révolte et le désespoir. Il avait eu le sentiment que chaque action, quelles qu'eussent été les intentions de son auteur, se dégradait comme l'eau de source se charge peu à peu de terre et devient boue.

Il avait ouvert la porte.

Au moment de sortir, il s'était retourné. Les Ambrosini le regardaient. Il n'avait pas voulu répondre aux questions que leurs yeux lui posaient.

Il avait montré à Julia Ambrosini l'escalier conduisant à la chambre où Claire Rethel reposait.

D'un mouvement de tête, Julia l'avait rassuré : elle veillerait sur celle qu'elle avait appelée la « pauvre petite ».

Thorenc s'était alors mis en marche.

Il s'était demandé si Claire dormait vraiment. Depuis qu'il l'avait retrouvée, elle refusait de lui parler, et même de le regarder. Il avait pourtant eu un éclair de joie quand, téléphonant à Lydia Trajani, deux jours après la soirée passée chez elle, celle-ci lui avait annoncé :

— Elle est chez Simon Belovitch. Il t'attend. Il faut y aller tout de suite.

Comme craignant d'être entendue — et peut-être Henry Lafont ou le général von Brankhensen se trouvait-il chez elle ? — elle avait expliqué d'une voix étouffée que Lafont était homme à avoir conclu un marché avec la Gestapo. Il avait certes obtenu la libération de Claire Rethel — sans doute avait-il payé pour cela des policiers subalternes — mais peut-être avait-il aussi expliqué qu'il comptait se servir de la jeune femme comme appât.

— Tu es peut-être la proie qu'il compte leur livrer. Dépêche-toi, Bertrand ! Tu peux en revanche compter sur Simon Belovitch…

Thorenc s'était rendu à l'hôtel particulier que ce dernier occupait à l'angle du square Pétrarque et de l'avenue Paul-Doumer. La porte en était gardée par des hommes armés de mitraillettes, sans doute des sbires appartenant à la bande de la rue Lauriston.

Le hall de l'hôtel, immense, dallé de marbre, aux murs recouverts de tapisseries, était encombré de caisses.

Le lieutenant Konrad von Ewers et Pinchemel attendaient d'être reçus par Belovitch.

— Vous aussi, vous entrez dans le circuit ? avait fait Pinchemel.

Il avait expliqué à Thorenc qu'il avait pris la liberté d'occuper son appartement du 216, boulevard Raspail : la concierge, madame Maurin, lui en avait remis les clés. Pinchemel avait en effet été convaincu que Thorenc était passé en Angleterre. Il avait prétendu avoir ainsi évité une réquisition des lieux au bénéfice d'un de ces voyous de la rue Lauriston, Douran ou Ahmed, mais, dans l'entourage de Lafont, il y avait encore pire : Marabini et Bardet, des fous criminels…

— Naturellement, je vous rendrai la clé quand la situation sera redevenue normale.

Konrad von Ewers, qui s'était tenu à l'écart, les avait rejoints, vantant l'extraordinaire habileté de Simon Belovitch, son entregent. Ce dernier dînait aussi bien avec Laval qu'avec un ferrailleur de Montreuil. Naturellement, il vivait avec la tête sur le billot. Juif, il était haï par des gens comme Michel Carlier, et sans doute aussi par Lafont, et méprisé par le général von Brankhensen. Mais il était assez rusé pour empêcher ou dissuader le bourreau d'assener le coup de hache.

— Il tient tout le monde. Il paie royalement les gens de la Gestapo, Lafont, moi — mais oui, moi ! — et le général von Brankhensen. Et il est le seul capable de trouver aussi vite autant d'or et d'argent. C'est un magicien, un sourcier !

Konrad von Ewers avait poursuivi à voix plus basse :

— Si vous êtes là, c'est sans doute que Lafont a réussi à faire libérer la jeune femme en question, mais disparaissez vite avec elle ! Lafont aime beaucoup se faire payer deux fois : une première fois pour obtenir la libération de quelqu'un, une autre fois pour le revendre à un autre service de la Gestapo !

Pinchemel, qui n'avait pas entendu la dernière phrase, avait continué d'évoquer les talents de Belovitch :

— Vous lui demandez de vous trouver une tonne de manganèse, et il vous la livre ! Mais ce serait la même chose si vous cherchiez des coupons de tissu ou bien une négresse rousse... Il est extraordinaire, irremplaçable !

— C'est bien pour ça qu'il reste en vie, avait murmuré Konrad von Ewers.

Puis il avait poussé Thorenc vers l'escalier qui se trouvait au fond du hall, tout en murmurant :

— Voyez-le tout de suite.

Toutes les portes des pièces du premier étage, à l'exception d'une seule, étaient ouvertes.

Rond et vif, Belovitch passait de l'une à l'autre, les bras en mouvement, si courts que ses mains paraissaient jaillir directement du torse ou du ventre.

Thorenc avait aperçu un officier allemand dans l'une des pièces. Il examinait des diamants disposés sur une tablette recouverte de velours noir. Il n'avait pas même levé la tête quand le journaliste s'était avancé vers Simon Belovitch.

Celui-ci avait entraîné Bertrand en lui parlant à mi-voix.

La jeune femme était là, lui avait-il dit, épuisée, effrayée.

Il avait secoué la tête tout en décochant à son visiteur des regards apitoyés.

Elle était malade ; on l'avait peut-être droguée pour la faire sortir du camp. Elle n'avait pas proféré un seul mot.

Belovitch s'était approché d'une fenêtre, avait montré, garée dans la cour de l'hôtel, une ambulance : il fallait partir sur-le-champ.

Il avait fouillé dans ses poches, sorti des papiers, les avait fait glisser entre ses doigts comme des cartes à jouer.

Thorenc avait aperçu des documents barrés de tricolore, d'autres portant l'aigle et la croix gammée.

— Je n'ai pas de chauffeur, tu devras conduire toi-même, avait dit Belovitch. Mais tout devrait bien se passer. J'ai dit à Lafont que je la garderais ici trois ou quatre jours et que je ne savais pas comment tu comptais lui faire quitter Paris.

Il avait tendu les papiers à Thorenc.

— Tu comprends, Bertrand, lui avait-il dit en tentant en vain de lui envelopper les épaules de son bras court, je n'ai aucune confiance en Lafont, et il n'en a aucune en moi. Mais peut-être me croit-il plus bête que lui. Au fond, c'est ça : il me croit inférieur…

Il avait souri :

— Ils sont tous comme ça : malgré eux, ils sont dupes de leurs propres inepties, ce qui est bien utile…

— J'ai déjà une carte d'identité de médecin, avait murmuré Thorenc en consultant les faux papiers.

— Le hasard, les coïncidences, c'est comme l'action du bon Dieu…

Belovitch avait lancé un coup d'œil à l'officier allemand, toujours aussi absorbé dans l'examen des diamants.

— Elle est là, avait soufflé Belovitch en désignant la porte fermée.

Il s'était tourné, avait montré l'extrémité opposée du corridor. Il fallait que Thorenc prenne l'escalier de service conduisant jusque dans la cour. Il avait fouillé dans ses poches, sorti les clés de l'ambulance. Le plein était fait. Il y avait des bidons d'essence sous la couchette.

Il paraissait de plus en plus anxieux et Thorenc l'avait senti gagné lui aussi par l'angoisse.

— Il faut partir tout de suite, Bertrand. Lafont est un animal sauvage, il sent les choses. J'ai eu tort de préciser devant lui que Cécile de Thorenc était ma plus vieille passion ; il va comprendre que je te connais depuis ton plus jeune âge, et que je ne vais donc sans doute pas te trahir, mais que c'est lui que je vais choisir de tromper. Il va deviner ça d'instinct, et il va venir ici avec ses tueurs, ses deux Arabes, Douran et Ahmed ; ils t'attendront et te vendront à Oberg ; mais, au préalable, ils te feront parler…

Il avait ouvert la porte.

Thorenc avait d'abord aperçu les jambes de Claire. Elles étaient couvertes de bleus, d'éraflures. Puis il avait découvert ses mains enflées, énormes, comme si on les avait écrasées en retournant les doigts et en les brisant un à un. Alors seulement il avait regardé son visage. Les yeux n'étaient plus ces taches noirâtres qu'il lui avait vues naguère, mais ses lèvres étaient encore tuméfiées.

Il avait répété « Claire, Claire », tout en glissant ses mains sous ses aisselles. Il l'avait soulevée. Elle s'était raidie. Elle avait dit :

— Je ne veux pas les quitter, je veux rester avec eux !

Puis, comme si l'effort avait été trop grand, elle s'était affaissée contre lui.

Simon Belovitch tournait autour d'eux, répétant qu'il fallait se hâter. Lafont pouvait certes respecter sa parole, mais à sa manière : il avait libéré la fille, il pouvait donc la revendre, et Thorenc par la même occasion !

Ils étaient enfin parvenus dans la cour. L'ambulance était garée devant la porte de l'escalier de service. Brusquement, Claire Rethel s'était cabrée. Elle avait commencé à se débattre, les yeux révulsés, la bouche entrouverte.

Elle avait voulu crier.

— Attache-la ! avait recommandé Belovitch. Endors-la !

Il avait tendu une boîte de médicaments à Thorenc.

Celui-ci avait allongé la jeune femme sur la couchette. Avec ses doigts, il avait dû lui écarter les lèvres et la forcer, en comprimant ses mâchoires, à entrouvrir la bouche.

Il avait failli hurler en voyant ses dents brisées, ses gencives sanguinolentes.

Elle l'avait regardé. Il était sûr qu'elle l'avait reconnu. Elle n'avait plus résisté, murmurant :

— Je ne voulais pas les laisser là-bas, ce n'est pas juste !

Elle avait accepté d'avaler deux cachets, puis elle avait tourné le dos à Thorenc et, après avoir hésité, il avait noué les sangles, serrant très fort afin qu'elle ne puisse pas se dégager.

Il avait refermé les portes arrière de l'ambulance.

Simon Belovitch lui avait souri :

— Je n'ai pas payé tout ce que je dois à Lafont. Il me laissera donc vivre encore quelque temps.

D'un geste, il avait empêché Bertrand de le remercier.

— Je t'ai toujours un peu considéré comme mon fils..., avait-il dit en essayant de le presser contre lui.

Mais Thorenc s'était dégagé avec vivacité.

25.

Thorenc a attendu l'aube. Il a écouté le bruit de l'eau qui jaillit au pied des falaises après un long parcours souterrain dans les profondeurs du plateau.

Il s'est plusieurs fois penché, attiré par le vide, comme si une force sombre voulait s'éjecter de son corps, l'entraînant après avoir creusé en lui des gouffres et des grottes.

Il a eu envie de basculer, d'aller rejoindre ces roches éclatées qui formaient un cône d'éboulis dans lequel les torrents se perdaient à nouveau.

Il a pensé que ce désir de mort était peut-être né au mois de mai 40, quand il avait tiré avec Minaudi sur la colonne allemande qui avançait en chantant dans la clairière de la croix de Vermanges. Pour la première fois, il avait tué.

Plus tard, il avait creusé une fosse pour Marc Nels, le radio du réseau Prométhée. Il avait vu les corps de ces deux policiers dans l'appentis du mas Barneron ; c'est lui qui les avait abattus.

Il avait su qu'au fond du puits gisaient Léontine Barneron et Gisèle.

Il avait découvert le visage martyrisé de Minaudi, celui de Claire.

Mais peut-être toutes ces morts, toutes ces souffrances n'auraient-elles pas encore suffi.

Il doit maintenant vivre avec le souvenir de Victor Garel et de sa femme qu'il a accepté d'abandonner pour sauver Claire.

Et pourquoi, tout cela ? Pour que le général Giraud succède un jour à Pétain ? Pour que les résistants se divisent et peut-être s'affrontent ?

Il ne devrait pas être surpris.

Les hommes sont ainsi : boue et ciel. Il le sait. Il l'a compris dès ses premiers reportages.

Alors, pourquoi cette tentation de mort ?

Peut-être, pour continuer à vivre, faut-il refuser de voir la boue, de côtoyer ne serait-ce qu'un instant des hommes comme Lafont ou Pinchemel, comme Michel Carlier ou même Simon Belovitch, ou des femmes comme Lydia Trajani ?

Le mal, le médiocre, le cruel et le sordide désagrègent l'espoir et la volonté.

Thorenc a froid. Ses oreilles sont devenues douloureuses, comme si on les avait pincées, tordues, déchirées.

Il cherche en tâtonnant des touffes d'herbe et des racines pour s'y accrocher. Puis il y a tout à coup ces hommes autour de lui : Régis et Aldo, et leur père, Gaston Ambrosini.

On lui met la main sur l'épaule. On s'accroupit autour de lui.

Gaston dit que la pauvre petite s'est réveillée. Julia lui a préparé un bouillon de poule. La pauvre petite l'a bu, et elle a demandé du pain.

— Du pain, répète Gaston Ambrosini en hochant la tête.

— Elle a pu le manger, ajoute Régis.

Gaston et Aldo aident Thorenc à se relever.

— Ce froid et puis la chaleur dans la journée, ça fend les pierres, remarque Gaston Ambrosini.

Ils marchent tous les quatre sur le haut plateau.

Aldo raconte que Jacques Bouvy est revenu, il y a deux jours. Quand la nuit est tombée, ils ont allumé de grands feux de bois sec sur le plateau. Un avion est passé, si bas qu'ils ont tous cru qu'il allait s'écraser contre les falaises. Il a parachuté une dizaine de containers qu'on a ensuite cachés dans les grottes.

— On les a même pas ouverts, lâche Aldo.

Il regarde Thorenc en rigolant :

— C'est toi qui commandes ! ajoute-t-il.

Régis passant le premier, ils se glissent l'un derrière l'autre dans une fissure de la roche.

Gaston Ambrosini a allumé une torche. Les voix résonnent comme dans une nef. Les containers sont alignés sur le sol.

Thorenc ouvre le premier. Les mitraillettes sont serrées les unes contre les autres. Sous les armes, on a coincé, entre les boîtes de munitions, trois cartouches de cigarettes.

Gaston Ambrosini enfonce la torche dans un creux de la paroi. Les autres s'asseyent sur la terre noire.

Gaston éventre l'une des cartouches, déchire l'un des paquets, prend une cigarette qu'il allume à la flamme grésillante de la torche. Puis il donne du feu à ses fils et à Thorenc.

Ils fument en silence.

— Ici, dit Gaston Ambrosini en montrant la grotte, il y a toujours eu des hommes qui se sont cachés — il frappe par trois fois son front avec son poing —, des têtus à qui les injustices ne plaisent pas. On est comme ça, nous autres, ajoute-t-il.

Puis, tourné vers Thorenc, il murmure :

— Et toi aussi !

Thorenc baisse la tête, craignant qu'on ne devine son émotion.

26.

Assis dans l'obscurité de sa chambre, Thorenc, dans la nuit lumineuse, regarde briller les tuiles des toits et l'eau noire du Rhône.

Il a attendu sans impatience que le dernier des participants à la réunion quitte l'appartement de Catherine Peyrolles.

À chaque fois qu'il a entendu la porte se refermer, il s'est quelque peu penché pour suivre la silhouette qui s'éloignait dans la rue du Plâtre.

Il a été décidé qu'on laisserait passer une demi-heure après chaque départ. Mais, avant même que Philippe Villars ne se lève, Thorenc est sorti du bureau pour gagner sa chambre.

Catherine l'a suivi dans le couloir, le retenant par le bras, murmurant qu'elle tenait à lui parler le soir même, mais qu'il faudrait qu'il attende plus de deux heures avant que le dernier participant soit parti.

Il a souri.

Il ne s'est même pas soucié de l'inquiétude qui a tout à coup semblé saisir Catherine, laquelle, après s'être éloignée, est revenue sur ses pas, l'a rejoint sur le seuil de la chambre, lui disant qu'après tout elle pouvait remettre au lendemain cette conversation dont l'objet, a-t-elle précisé après un moment d'hésitation, était d'ordre personnel, strictement personnel.

Thorenc lui a répété qu'il attendrait.

— Où serons-nous, demain ? a-t-il répliqué.

Catherine a aussitôt approuvé et il a aimé son pas rapide et volontaire qui résonnait dans le couloir.

Thorenc s'est alors installé devant la fenêtre, s'étonnant de sa propre sérénité, se souvenant de ce qu'il avait éprouvé au bord de la falaise, sur le haut plateau.

C'était comme si les eaux de mort, au lieu de l'entraîner, s'étaient à nouveau enfoncées jusqu'à disparaître, à l'instar de ces lacs souterrains, froids, vert sombre, qui peuvent rester ignorés durant des millénaires. Et il faut un cataclysme pour qu'ils se déversent.

Il a cherché à comprendre les raisons de son apaisement.

Peut-être l'attitude des Ambrosini, cette force qu'ils puisaient dans la mémoire des lieux, dans la simplicité de leur mode de vie, la répétition de gestes venus du fond des âges, cette sagesse résolue qui avait fait dire à Julia qu'il valait mieux que Thorenc ne revoie pas, avant de quitter la ferme, la « pauvre petite ». Il fallait que celle-ci oublie un peu, avait-elle ajouté, d'autant plus que le visage de Bertrand, pour Claire, rappelait trop à l'évidence celui des jours de souffrance.

— Vous aurez tout le temps après, avait dit Julia Ambrosini en le raccompagnant jusqu'à la voiture de Jacques Bouvy. Il faut qu'elle cicatrise. Vous, c'est comme quand on verse du vinaigre sur une blessure. Ça désinfecte, mais ça brûle. Laissez-la dormir...

Il avait pensé à Claire à chaque minute du trajet, puis en revoyant Catherine Peyrolles, et, durant toute la réunion, il n'avait cessé d'attendre le moment où il pourrait demander à Pierre Villars de faire transporter la rescapée à Londres ou en Algérie.

Lorsque ce dernier avait indiqué que Max avait mis sur pied un Service des opérations maritimes et aériennes, que le prochain Lysander allait se poser sur le haut plateau, repéré par Jacques Bouvy qui y avait déjà organisé un parachutage d'armes, Thorenc était intervenu dans ce sens.

Il s'était tourné vers Philippe Villars dont il avait aussitôt perçu la joie.

— Vous avez donc pu faire sortir Claire du camp de Compiègne ? avait interrogé l'ingénieur.

René Hardy avait mimé un silencieux bravo.

Pierre Villars, au contraire, s'était rembruni.

Qui avait décidé de cette opération ? Qui l'avait menée ? Avec quels moyens, quels hommes ? Les Allemands ne relâchaient pas si facilement l'un de leurs prisonniers, ou alors il fallait donner quelque chose en échange.

— Cinq lingots d'or et deux millions de francs, avait répondu Thorenc.

Il avait senti qu'on le regardait avec une sorte d'effroi.

— Vous avez payé ça ? avait bredouillé le commandant Pascal.

— On a payé pour moi.

— Qui ça ? s'était exclamé Pierre Villars.

Il y avait des limites qui avaient été franchies par certains, avait-il poursuivi sur sa lancée. Il avait déjà mis en garde les responsables des mouvements contre les initiatives individuelles de Thorenc — d'autres aussi, il voulait bien en convenir. Au point où on en était de la guerre, de l'organisation des Mouvements unis de Résistance, de l'Armée Secrète, ces comportements n'étaient plus acceptables. De Gaulle jouait une partie difficile, sur le fil du rasoir. Il venait de recevoir l'appui explicite des communistes dont un des chefs clandestins était arrivé à Londres, manifestant ainsi officiellement le ralliement du PCF à la France combattante. Les socialistes avaient fait de même. Et Blum, de sa prison, avait écrit une lettre à Roosevelt et à Churchill pour leur demander de soutenir de Gaulle, et non Giraud. Un premier pas avait été fait avec la rencontre, déplaisante, humiliante, même, mais nécessaire, que les Américains avait organisée près de Casablanca entre de Gaulle et Giraud. Personne ne doutait que, dans cette partie, les Américains avaient choisi Giraud, mais tous ceux qui connaissaient de Gaulle savaient qu'il l'emporterait. À la condition que la Résistance soit unie derrière lui, qu'elle se comporte comme une force organisée, contrôlant aussi bien les maquis qui se constituaient un peu partout que les activités de renseignement, les attentats ou les manifestations populaires comme celle qui venait d'avoir lieu à Montluçon. Là-bas, la foule mêlée aux cheminots avait réussi à empêcher le départ vers l'Allemagne d'une centaine d'ouvriers. Elle avait bloqué les trains, chanté *La Marseillaise* et *L'Internationale*, bousculé les gardes mobiles, et une compagnie allemande qui avait chargé, baïonnette au canon, avait eu du mal à disperser les manifestants. Voilà ce que devait être la Résistance, ce qu'elle était, et non pas une collection d'aventuriers, ni une juxtaposition de fiefs dont les seigneurs agissent à leur guise sans se soucier d'une stratégie d'ensemble, soucieux, les uns d'actes individuels pour satisfaire leur orgueil ou régler des comptes personnels, les autres pour conserver ou accroître leur petit pouvoir...

Pierre Villars avait parlé longtemps, allant et venant à travers le bureau.

L'époque des aventuriers, fussent-ils héroïques, et des féodaux, eussent-ils combattu dès les premiers jours de l'été 40, était révolue. La France était tout entière occupée. Le gouvernement de Vichy ne faisait plus guère illusion. Les nazis ne cherchaient plus à donner le change. Ils voulaient la soumission. Ils n'avaient plus besoin du masque de la collaboration. Ils déportaient, fusillaient. Et ceux qui les aidaient devaient être abattus. Ici, à Lyon même, il fallait organiser ces exécutions. Était engagée une course de vitesse entre la répression et l'action. À Marseille, les Allemands venaient de rafler plusieurs milliers de Juifs, et ils étaient en train de faire sauter le quartier du Vieux-Port.

Le commandant Pascal avait approuvé Pierre Villars. Lui-même avait essayé de monter, avec le groupe des FTPF de Stephen Luber, une série d'attentats, mais la Gestapo de Dunker et les hommes d'Antoine Dossi — « Il est rétabli », avait murmuré Bouvy en se penchant vers Thorenc — avaient frappé avant même que la première action ait eu lieu. Il semblait que, parmi les résistants arrêtés, certains se fussent mis au service de Dunker et de Dossi.

D'un geste, Pierre Villars avait demandé à Pascal de se taire. En fin de compte, il ne s'agissait là que de détails, avait-il éludé.

Le mot avait blessé Thorenc. Il avait imaginé, à côté des hommes torturés qui refusaient de parler, ceux qui acceptaient de collaborer et de dénoncer leurs camarades sans qu'on ait eu besoin de les frapper. Hier courageux clandestins, aujourd'hui traîtres efficaces.

À nouveau il avait eu — ç'avait été la seule et unique fois de la soirée — la nausée, un sentiment de dégoût, comme si, en lui, les eaux mortes s'étaient remises à rouler.

Pierre Villars avait continué de parler, énumérant les actions réussies, les bombes jetées dans les *Soldatheim*, le renforcement des maquis du Vercors et de l'Ain, de ceux de haute Provence, les sabotages de voies ferrées, et, par-dessus tout, l'unité qui se constituait autour de De Gaulle. Naturellement, l'évolution de la guerre, la certitude que les armées allemandes étaient encerclées à Stalingrad et allaient être anéanties, renforçaient la Résistance et influençaient l'opinion.

— De Gaulle, avait-il conclu, a eu une fois de plus raison en affirmant, dans son message de Noël, que la France voit réapparaître à l'horizon son étoile. Mais — il avait fixé Thorenc — plus d'aventuriers !

Ils s'étaient détendus. Catherine Peyrolles avait servi du Viandox brûlant, car il faisait frisquet dans le bureau. L'espace de quelques minutes, ils avaient devisé sans respecter l'ordre du jour.

C'est à ce moment-là que Thorenc avait obtenu, avec l'aide de Philippe Villars, que Claire Rethel soit transportée à Londres par le prochain Lysander qui se poserait sur le haut plateau.

Il s'était aussitôt senti apaisé, et lorsque la discussion avait repris, que Catherine s'était à nouveau penchée sur son carnet de notes, il avait dit sur un ton d'allègre provocation qu'il était prêt à tenter d'abattre Pierre Laval. Bonnier de La Chapelle avait bien réussi à exécuter Darlan !

— J'ai dit : plus d'aventuriers ! avait répété d'une voix accablée Pierre Villars.

Ils avaient tous ri, puis, dans le silence revenu, Thorenc avait murmuré :

— Je ne plaisantais pas.

Pierre Villars avait répondu d'une voix sèche que la question n'était pas inscrite à l'ordre du jour, et que, d'ailleurs, la réunion était close.

Thorenc a entendu des pas s'éloigner dans la rue du Plâtre. Il n'a nul besoin de regarder la silhouette pour reconnaître, à ce martèlement énergique, la démarche du commandant Pascal.

C'est le dernier à partir.

Donc, Catherine Peyrolles va venir.

Il est déjà levé à l'instant où elle frappe à la porte de la chambre.

Quatrième partie

27.

Thorenc est resté debout devant la fenêtre et devine que Catherine Peyrolles, après avoir ouvert la porte, hésite à pénétrer dans la chambre.

Il voudrait aller vers elle, lui parler, peut-être même l'enlacer. N'ont-ils pas passé une nuit ensemble ? Cependant, il ne peut que soulever un peu les bras, dans un geste qu'il juge ridicule, comme s'il lui offrait ses mains vides, comme s'il voulait lui faire comprendre qu'il est totalement démuni.

Et il l'est vraiment.

Elle fait un pas. Elle dit qu'il vaudrait peut-être mieux qu'ils parlent dans son bureau plutôt que dans cette chambre ; au demeurant, ce qu'elle a à dire...

Elle s'interrompt, fait un nouveau pas comme si elle avait enfin surmonté ses hésitations.

— Mais, pour moi, c'est important, murmure-t-elle.

Elle lui rappelle qu'avant son départ pour Paris, elle lui avait annoncé qu'elle aurait, à son retour, quelque chose à lui confier.

Il lève les mains un peu plus haut, comme s'il se rendait à ses raisons, qu'il était en son pouvoir et attendait donc qu'elle s'exprime.

Elle se laisse tomber sur le bord du lit, puis se relève, s'installe sur la chaise qui se trouve derrière un petit bureau placé à l'opposé de la fenêtre. Elle y appuie ses coudes, le menton dans ses poings.

Il se souvient d'une statuette égyptienne qu'il avait placée sur l'un des rayonnages de son atelier du boulevard Raspail. Qu'est-elle devenue ? Peut-être a-t-elle été volée quand Marabini, Bardet, Douran, Ahmed, les hommes de Lafont ont saccagé son domicile ?

Il regarde Catherine. Il ne sait pas si elle est belle, mais elle est noble avec ses traits purs, ciselés. On dirait un visage sculpté.

Il voudrait lui raconter ce qu'il a vu à Paris, ce dîner, avenue Foch, chez Lydia Trajani, sa visite avenue Paul-Doumer, chez Simon Belovitch, et puis il devrait aussi lui parler de Claire Rethel et de ce qu'il a ressenti, il y a quelques nuits, assis, les pieds dans le vide, au bord de la falaise.

Il se borne à indiquer qu'à Paris, il s'est souvent remémoré ce poème qu'elle lui avait lu — et il se met à en réciter le premier vers, et Catherine déclame en même temps que lui :

« Dans l'étrange Paris de Philippe le Bel... »

Et ils se mettent à rire.

Thorenc se rapproche, tire le fauteuil de manière à s'installer de l'autre côté du bureau, face à Catherine.

— Je ne sais plus..., commence-t-elle.

Dans son visage, seules les lèvres bougent, le visage et les yeux sont figés comme s'ils étaient de pierre.

248

Elle murmure d'autres vers qu'il lui semble déjà connaître :

> *« Les raisons d'aimer et de vivre*
> *varient comme font les saisons*
> *Les mots bleus dont nous nous grisons*
> *cessent un jour de nous rendre ivres*
> *La flûte se perd dans les cuivres... »*

— Je ne sais plus si je vous l'ai déjà lu, reprend-elle. Mais c'est de cela que je voulais parler avec vous...

Elle hésite, puis redit :

> *« Les raisons d'aimer et de vivre*
> *varient comme font les saisons... »*

— Ce n'est pas facile, en ce moment, poursuit-elle. Il y a tant d'occasions de mourir qu'on ne se soucie plus guère des raisons de vivre et d'aimer. On vit.

Ses traits ne bougent toujours pas.

Tout à coup, il lui saisit les poignets, avance son visage. Il dit qu'il s'est posé la question, qu'il a eu envie de se jeter au bas d'une falaise parce qu'il a eu le sentiment que la mort gagnait, qu'elle pourrissait chaque action et qu'il en avait eu assez de vivre tout cela. Et puis — il hausse les épaules —, comme l'a souligné Catherine, il y a tant d'occasions de mourir utilement !

— Par exemple, indique-t-il, en essayant de tuer Laval...

— Je n'ai voulu mourir qu'une seule fois, murmure-t-elle.

C'était ce 3 juillet 1940, quand Paul Peyrolles a été tué à Mers-el-Kébir et qu'elle a perdu son enfant.

Il lui serre les poignets, elle baisse les avant-bras, posant les poings sur le bureau. Il les caresse et elle rouvre ses paumes.

— Je veux un enfant de vous, dit-elle d'une voix lente. Là, maintenant, pour m'obliger à survivre, pour nous obliger à vaincre.

En retirant ses mains de celles de Thorenc, elle ajoute qu'elle a pensé cela après la nuit qu'ils avaient passée ensemble dans ce logement.

— Pour vous, poursuit-elle, cette décision n'implique aucun engagement : ni que vous reconnaissiez l'enfant, ni que vous vous sentiez responsable de moi.

Elle veut simplement un enfant de lui, pour elle, comme un pacte qu'elle conclurait avec la vie, pour que la mort soit vaincue par ce choix qu'elle fait d'un enfant, en ce moment précis, au milieu de la guerre, alors qu'elle risque d'être arrêtée, torturée.

Thorenc se surprend à penser déjà à ce qu'il faudra faire après la naissance de cet enfant : sans doute le cacher sous un faux nom afin que la Gestapo ne puisse se servir de lui pour les faire chanter, comme elle l'a déjà fait si souvent, menaçant des parents de torturer leur progéniture s'ils ne parlaient pas.

— Je pourrai accoucher en Corse, dit Catherine.

Elle a reçu des nouvelles de l'île. Plusieurs de ses proches sont engagés dans la Résistance, presque tout entière unifiée dans le Front national que dirige un de ses parents éloignés, Arthur Giovoni, professeur comme elle. Il a regagné clandestinement l'île après avoir été déplacé sur le continent par Vichy.

— Ils seront les premiers libérés, ajoute-t-elle. J'en suis sûre.

Elle se lève et, sans un mot de plus, se dirige vers la porte.

Thorenc la laisse quitter la chambre. Mais il éprouve, en ne la voyant plus, un tel sentiment de solitude, un tel désespoir, le froid des eaux mortes réimprégnant tout son corps, qu'il traverse à grands pas la pièce, puis s'engage dans le couloir.

Il la rejoint. Il pense qu'elle est folle, mais il la saisit par les épaules, l'obligeant à se retourner, à se blottir contre lui.

28.

Thorenc lève les yeux.

Le soleil est encore caché par les toits de l'hôtel Thermal et de l'hôtel du Parc. Mais le ciel de ce début de matinée du samedi 30 janvier 1943 est déjà envahi par une lumière presque blanche qui fait fondre peu à peu le bleu profond de la nuit. L'eau ruisselle le long des gouttières, des stalactites forment une frange irrégulière au bord des tuiles.

Thorenc se tient à une cinquantaine de mètres du perron de l'hôtel Thermal.

Il s'est caché, à l'aube, dans l'entrée d'une villa qui se dresse à droite de l'hôtel. Lorsqu'il est arrivé, les rues de Vichy étaient désertes. Il a dû se jeter plusieurs fois derrière des buissons, des massifs pour ne pas être repéré par les patrouilles d'hommes en armes.

Puis il a couru jusqu'à la villa.

Elle était habituellement occupée pawwwww le général Xavier de Peyrière et par son frère Charles, toujours conseiller diplomatique de Pétain. On a dit que ce dernier avait tenté de convaincre le Maréchal de gagner Alger au lendemain du débarquement américain, mais que le clan Laval l'avait emporté, et les Peyrière avaient été de ce fait écartés du pouvoir.

Le lieutenant Mercier, qui continue d'avoir ses entrées à Vichy, a assuré à Thorenc que la villa serait vide, ce samedi 30 janvier.

Il n'a pas questionné Thorenc sur ses intentions. Il lui a simplement dit :

— Vous n'aurez aucune chance. Depuis l'assassinat de Darlan, Laval vit dans la terreur d'un attentat. Il a toujours autour de lui une dizaine d'hommes, revolver au poing.

Thorenc les a vus. Ils entourent la voiture blindée de Laval quand elle s'arrête devant l'hôtel du Parc. Il faudrait, pour atteindre le président du Conseil, lancer de très près plusieurs grenades sur le groupe, puis tirer des rafales. Et, même après cela, il n'y aurait aucune garantie absolue de réussite.

Thorenc s'est assuré qu'il était impossible de monter un attentat sur la route qu'emprunte chaque matin la voiture de Laval. Elle la parcourt à vitesse réduite, tant le véhicule est alourdi par des épaisseurs de blindage. De plus, entre la propriété de Laval, à Châteldon, et l'hôtel du Parc, le président du Conseil a exigé qu'on place un garde armé tous les cent mètres. Et la route, chaque matin, est interdite pour près de deux heures à toute circulation.

Thorenc a donc dû renoncer, comme il y avait pensé, à utiliser l'ambulance avec laquelle il avait transporté Claire Rethel de Paris à la ferme Ambrosini. Il avait imaginé de la remplir d'explosifs et de la lancer à toute vitesse contre la voiture de Laval.

Et de mourir dans l'opération.

Il lui a fallu se rabattre sur une autre solution.

Depuis qu'il attend dans l'entrée de la villa, Thorenc y réfléchit avec sérénité.

C'est une décision raisonnée. Elle ne doit rien au désespoir. Les eaux mortes, il les a refoulées au plus profond de lui. Mais il a décrété qu'il devait faire ce choix. Qu'il s'accordait même un privilège exorbitant par rapport à tant de victimes, à celles et ceux qui, comme Victor Garel et sa femme, seront volés de leur mort. On les tuera quand on le voudra. Ou, pis encore, on les laissera crever en les empêchant de choisir de mourir.

Il entend conserver cette liberté-là. Que sa mort lui appartienne ! Il a l'impression que tout est désormais en ordre derrière lui.

Au milieu de la nuit, il s'est engagé dans la forêt qui entoure le château des Trois-Sources où il est arrivé la veille. Il a voulu gagner Vichy à pied afin d'éviter les contrôles établis sur les routes.

Il est descendu dans les gorges de l'Allier, puis a traversé la rivière qui n'est encore en cet endroit qu'un torrent de montagne. Il est remonté sur l'autre rive.

Il a dû attendre longtemps, couché dans l'herbe glacée, que les patrouilles s'éloignent.

Et c'est dans cette immobilité qu'il a pensé qu'il avait à présent le droit de mourir.

La guerre était perdue pour l'Allemagne. La BBC avait annoncé la veille que les troupes de la VIᵉ armée du Reich, encerclées à Stalingrad, avaient commencé à se rendre à l'Armée rouge. Hitler s'apprêtait à proclamer plusieurs jours de deuil.

La même nuit, Thorenc avait entendu, répété plusieurs fois par le speaker de Londres, ce message dont Bouvy lui avait donné la teneur : « L'oiseau bleu s'est envolé et a rejoint son nid. »

En l'écoutant, Thorenc n'avait pas seulement éprouvé de la joie, mais la sensation qu'il était libéré d'une contrainte oppressante. Il avait enfin pu respirer calmement. Il avait accompli son devoir envers Claire Rethel.

Elle avait pu embarquer sur le Lysander qui s'était posé quelques minutes sur le haut plateau avant de repartir avec elle, et l'avion avait atterri en Angleterre. À cette heure, Claire devait dormir dans un lit d'hôpital, à l'abri de toute menace.

La patrouille s'était enfin éloignée, mais Thorenc était resté allongé malgré l'humidité qui le pénétrait.

Il avait repensé à Catherine Peyrolles, à cette dernière nuit passée avec elle, à la manière lente et grave dont ils avaient fait l'amour, sans échanger un mot ; mais leurs corps avaient été si proches que Bertrand avait eu le sentiment qu'il ne pourrait plus se détacher de celui de Catherine, qu'elle faisait désormais partie de lui. C'était comme si, au cours de cette nuit-là, ils avaient accompli une cérémonie sacrée dont ils étaient l'un et l'autre les desservants.

Le lendemain matin, Catherine l'avait observé pendant qu'il préparait son arme, faisant jouer le barillet. Puis elle l'avait aidé à la fixer à l'intérieur de son avant-bras.

Ç'avait été un autre rituel, tout aussi silencieux.

Ce n'est que sur le seuil, à l'instant où il quittait l'appartement, qu'elle s'était agrippée aux manches de son manteau et qu'elle l'avait tiré à elle avec une sorte de fureur douloureuse. Ça n'avait duré que quelques secondes, le temps de ce geste. Elle ne l'avait pas embrassé, mais était restée sur le palier à le regarder descendre l'escalier.

Thorenc avait eu la certitude qu'il laissait un fils, qu'il resterait ainsi inscrit dans l'avenir. Catherine Peyrolles dirait à cet enfant ce qu'elle jugerait bon de son père.

Il tâte son arme, regarde à travers le verre dépoli de la porte d'entrée.

Des hommes en uniforme noir, coiffés d'un béret de chasseur, forment une haie d'honneur devant l'entrée de l'hôtel Thermal. D'autres sont rassemblés en deux sections rangées l'une en face de l'autre.

Thorenc reconnaît Joseph Darnand qui, ses décorations barrant sa poitrine, passe et repasse devant ses hommes, cette Milice dont, ce samedi 30 janvier 1943, il célèbre la naissance.

Une petite foule de badauds s'est massée entre la villa où se trouve Thorenc et l'entrée de l'hôtel.

Il entend les commandements lancés par Darnand de sa petite voix cassée, suraiguë. Il aperçoit Laval, entouré de ses gardes du corps, qui s'avance.

Les hommes se mettent à chanter :

> *« Miliciens, faisons la France pure*
> *Bolcheviks, francs-maçons, ennemis*
> *Israël, ignoble pourriture*
> *Écœurée, la France vous vomit !*
>
> *Pour les hommes de notre défaite*
> *Il n'y a pas d'assez dur châtiment*

Nous voulons qu'on nous livre les têtes
Nous voulons le poteau infamant... »

Thorenc entrouvre la porte.

Deux miliciens hissent le drapeau tricolore. Les autres, bras tendus, répètent :

« À genoux, nous faisons le serment
Miliciens, de mourir en chantant
Nous voulons qu'on nous livre les têtes
Nous voulons le poteau infamant ! »

Thorenc prend son arme.

Il aperçoit Darnand qui s'immobilise face à Laval.

— Monsieur le Président, commence Darnand, une force s'est levée. Vous en prenez le commandement. Donnez-nous les moyens, et vous ne serez pas déçu !

Et Laval de répondre :

— De toute mon âme, je m'efforcerai de vous permettre de servir la France. Je veux être votre ami, et je serai votre chef !

Thorenc ouvre un peu plus la porte. Il entend les voix des miliciens :

« Nous jurons de refaire la France
À genoux, nous faisons ce serment ! »

Il lève le bras, vise. À cette distance, il peut atteindre Laval ou Darnand.

Brusquement, il a devant lui le corps d'un enfant que l'un des badauds vient de soulever et de jucher sur ses épaules.

Il entend Darnand lancer :

— Miliciens et francs-gardes, avec Laval, France debout, France quand même, France toujours !

Il devine que Laval et Darnand pénètrent à l'intérieur de l'hôtel Thermal.

Il baisse le bras.

Le soleil envahit le ciel et l'éblouit.

29.

Thorenc s'agenouille. Il fixe un instant ce crucifix que deux candélabres, placés de part et d'autre de l'autel, éclairent d'une lumière dorée.

Le temps de ce regard, il oublie qu'il est un homme pourchassé. Il est enveloppé par le murmure de la dizaine de fidèles qui prient, et c'est encore le bruit d'une eau qui l'entraîne.

Il se souvient de la voix de Catherine Peyrolles qu'il a appelée la veille au soir de Vichy. Il a d'abord hésité à la reconnaître. Son ton était plus grave. Il s'est même demandé si quelqu'un, peut-être un homme de la Gestapo, ne se trouvait pas près d'elle, la forçant à parler, mais, au bout de quelques mots, il n'a plus douté : elle était seule, et il l'a imaginée, assise dans son bureau, ne livrant aucun indice mais pourtant précise, prudente et sûre d'elle.

— On vous attend chez le docteur. D'urgence, avait-elle dit.

Cela signifiait donc que Thorenc devait se rendre à la clinique du docteur Boullier, à Clermont-Ferrand.

— Il est très inquiet à votre sujet.

Il lui fallait par conséquent quitter sur-le-champ Vichy où la police ou la Gestapo étaient peut-être déjà sur ses traces.

Catherine avait ajouté :

— C'est tout, pour vous...

Puis, détachant chaque mot, d'une voix quelque peu hésitante, elle avait repris :

— J'aimerais vous serrer les mains, vous dire que je suis heureuse et que c'est la première fois depuis trois ans. Peut-être même n'ai-je jamais été aussi heureuse...

Il n'avait pas répondu.

— Voyez le docteur, avait-elle répété. Soyez prudent, soignez-vous bien.

Elle avait raccroché avant qu'il ait pu ajouter un mot.

Un doux bonheur était entré en lui lentement, insidieusement, et avait chassé toutes les autres pensées. Il n'avait plus éprouvé d'inquiétude. Il avait jeté deux grosses bûches dans la cheminée de la plus petite pièce du château des Trois-Sources, où il s'était installé. Il s'était couché devant le feu, s'enveloppant dans un tapis.

Le château n'était qu'un amoncellement de gros cubes sombres et glacés dans lesquels les pas résonnaient. Thorenc s'y était réfugié lorsqu'il avait compris qu'il ne pourrait plus tirer sur Laval ni sur Darnand. Il n'avait eu que le temps de replacer son arme dans sa manche, puis de se mêler aux badauds.

Il avait vu avec surprise et un peu d'effroi des miliciens courir vers la villa des Peyrière où il se trouvait encore à peine quelques minutes auparavant. Ils l'avaient encerclée, mais dans un désordre furieux, comme s'ils avaient été aussi déterminés qu'affolés.

Ils avaient forcé la porte, celle-là même que Thorenc venait de tirer derrière lui, et ils s'étaient engouffrés à l'intérieur.

Bien qu'il sût qu'il était imprudent de ne pas s'éloigner immédiatement, Thorenc était resté parmi la foule de curieux. Il avait été fasciné par ces hommes qui criaient, brisaient des meubles, enfonçaient des portes. C'était comme s'il avait assisté à son propre lynchage.

Il avait enfin quitté les lieux.

Il n'avait pu admettre, en raison, que c'était lui qu'on recherchait. Cependant, cela semblait hautement probable. Un passant l'avait-il vu et dénoncé ? Ou bien savait-on qu'il était là, à l'affût, et quelqu'un avait-il souhaité qu'il ouvrît le feu pendant la cérémonie, qu'il tuât Laval ou Darnand, débarrassant ainsi l'un des clans de Vichy d'un ou de deux rivaux triomphants ?

Tout en marchant en direction du château dans la forêt du belvédère des Trois-Sources, Thorenc n'avait pu ajouter foi à cette hypothèse.

Il avait agi de sa propre initiative. Le lieutenant Mercier était le seul à savoir, à avoir deviné, plutôt, quelles étaient ses intentions. C'était Mercier qui lui avait indiqué que la villa Peyrière était inoccupée. Mais, dans le même temps, Mercier avait insisté sur l'inutilité de cette tentative. Que penser ?

Il s'était senti perdu dans les volumes sombres, silencieux et froids du château.

Il avait téléphoné à Catherine Peyrolles, puis avait longuement contemplé les flammes, sûr que la jeune femme avait voulu lui faire comprendre qu'elle était enceinte.

Il avait alors rêvé à des temps pacifiques, à une autre vie avec elle, avec lui, son fils — car ce serait bien sûr un fils.

Puis il avait pensé qu'il aurait aussi aimé avoir une fille pour qu'elle ressemblât à Catherine Peyrolles, ou peut-être à Claire Rethel, à Geneviève Villars, à Isabelle Roclore... Et il s'était moqué de lui-même...

Tout à coup, il avait eu froid. Il avait dû somnoler un long moment, car les bûches n'étaient plus que ce tas de braises gris-rouge qui lui chauffait encore un peu le visage, mais laissait son échine glacée.

L'aube était là, enveloppant la forêt et le parc du château de brumes noires.

Rejetant le tapis dans lequel il s'était enroulé, il s'était levé d'un bond, en frissonnant.

Il devait quitter le château au plus vite, rejoindre Clermont-Ferrand, fuir Vichy où on le recherchait sans doute. Cependant, il avait senti en lui une telle assurance, une telle volonté de vivre — presque de la joie —, si inattendues après les semaines qu'il avait vécues, qu'il s'était interrogé.

Il s'était mis à marcher sur la route interrompue çà et là par des nappes de brouillard dans lesquelles il s'était enfoncé, relevant le col de sa canadienne, tirant sur son chapeau pour qu'il lui couvrît tout le front. Le froid humide collait à chaque parcelle de peau à découvert, puis s'infiltrait dans tout le corps.

À frapper du talon le sol goudronné, à entendre résonner son pas, il avait éprouvé une satisfaction physique qui amplifiait encore la sorte de gaieté qui l'habitait.

Était-ce parce que Catherine Peyrolles lui avait annoncé qu'elle attendait un enfant ? D'un mouvement instinctif, il avait plusieurs fois rejeté cette hypothèse.

Il avait préféré penser qu'il était exalté par le désastre allemand subi à Stalingrad. Le maréchal Paulus et vingt-quatre généraux nazis avaient capitulé. Les Russes avaient tué près de trois cent mille soldats et en avaient fait prisonniers près de cent mille. C'était la mort annoncée du Reich.

Hitler avait ordonné trois jours de deuil. Bertrand avait vu le drapeau nazi en berne sur le bâtiment de la représentation allemande à Vichy. Et il avait même eu l'impression que les officiers allemands qu'il avait croisés marchaient tête basse, comme n'osant plus affronter le regard des passants.

Et puis il y avait cette peur des collaborateurs, des serviteurs des nazis, de Darnand qui avait dit : « Un danger domine tous les autres : le bolchevisme » ; de Laval qui avait répété : « Je voudrais que la France comprît qu'elle devrait être tout entière avec l'Allemagne pour empêcher que notre pays connaisse le bolchevisme… » Et les petites canailles qui terrorisaient, pillaient, torturaient, qui livraient aux Allemands, au tarif de cinquante marks par réfractaire démasqué, les Français qui essayaient d'échapper au Service du travail obligatoire en Allemagne, s'inquiétaient désormais pour leur peau.

« Que va faire la France devant la menace rouge ? écrivait-on dans *Je suis partout*. Qu'attendons-nous pour constituer des corps de protection, oui, qu'attendons-nous pour organiser notre défense intérieure, celle de nos foyers, de nos personnes, de nos biens ?… »

Thorenc s'était persuadé que c'étaient ce deuil allemand, cet affolement rageur des collaborateurs qui lui avaient insufflé une nouvelle et joyeuse énergie, mais, sitôt arrivé à Vichy, il avait eu envie de retéléphoner à Catherine Peyrolles, de lui dire que, dès le lendemain de la Libération, il l'épouserait et reconnaîtrait l'enfant.

Et il n'avait plus trop su ce qu'il devait penser de lui-même.

Il était entré dans la gare sans même se rendre compte qu'elle était envahie par des miliciens qui regagnaient sans doute Lyon et Clermont après la cérémonie, et chantaient :

« *Nous voulons qu'on nous livre ces têtes*
Nous voulons le poteau infamant ! »

Ils dévisageaient les voyageurs avec une morgue insolente, provocante.

Thorenc avait détourné les yeux, pris un billet pour Clermont. Un milicien qui se tenait près de l'employé avait exigé qu'il montre une pièce d'identité.

Bertrand avait essayé de dissimuler l'angoisse qui, comme un flot de chaleur inattendu, lui était montée du bas-ventre, mais il avait eu le sentiment que son visage s'empourprait. Le milicien lui avait néanmoins rendu ses papiers au nom du docteur Bertrand Duparc sans émettre le moindre commentaire. Et Thorenc était allé s'asseoir dans la salle d'attente.

Il avait déployé le journal, tenté de lire. Certains articles étaient entourés d'un cadre noir. Les titres se voulaient sobres, sans doute imposés par la censure : « L'héroïque résistance des forces européennes à Stalingrad a pris fin. Les défenseurs de Stalingrad sont morts avec la certitude de la victoire finale… »

C'est à ce moment-là qu'il avait eu l'impression qu'on l'observait.

Un homme qui, se sentant surpris, avait aussitôt détourné la tête — trop vite pour que Thorenc ne remarquât pas son mouvement —, se tenait appuyé au comptoir des guichets. Il était petit, engoncé dans un loden vert foncé ; il portait des gants noirs et un chapeau de feutre assorti à son manteau. Il s'était éloigné, cherchant à ne pas montrer son visage.

Thorenc avait à nouveau regardé son journal, mais n'était plus parvenu à lire la moindre ligne.

Peut-être, en effet, l'attendait-on ? Peut-être n'avait-il été que l'instrument d'une provocation ?

Il n'avait revu l'homme qu'en gare de Clermont-Ferrand. Il se tenait à une trentaine de mètres, dans la pénombre, et quand Thorenc s'était dirigé vers la sortie, marchant vite, l'autre lui avait emboîté le pas.

Bertrand avait alors parcouru au hasard les ruelles du vieux Clermont. Il avait essayé à deux ou trois reprises de se mêler à la foule qui se pressait devant quelques boutiques, un restaurant communautaire qui distribuait des repas à huit francs pour les plus démunis. Mais l'homme n'avait pas lâché prise, se faufilant derrière lui, se rapprochant même dès qu'il s'était engagé dans le marché Saint-Pierre. La foule y était plus dense et Thorenc avait pensé pouvoir s'y perdre, mais son suiveur n'était plus qu'à quelques pas de lui, écartant de ses mains gantées de noir les ménagères qui faisaient la queue.

Bertrand avait hésité. Il pouvait lui faire face, le bousculer. Mais il avait aperçu dans le marché plusieurs policiers qui seraient intervenus en cas de rixe.

Il avait donc continué à flâner en essayant de faire croire qu'il ne s'était nullement rendu compte de la filature. Là était sa seule chance : rendre cet homme assez confiant, sûr de lui, et profiter de sa vanité pour le duper, peut-être l'abattre.

Thorenc était entré dans la cathédrale. Il avait été saisi par la pénombre glacée. Seuls les prie-Dieu les plus proches de l'autel étaient occupés.

Il s'était agenouillé sur l'un d'eux, au premier rang, au bord de l'allée.

Il entend ce pas qui résonne à l'intérieur de la nef et qui couvre le murmure des prières.

Il baisse la tête jusqu'à toucher de son front ses mains nouées, appuyées à l'accoudoir du prie-Dieu.

Il peut ainsi, sans paraître bouger, explorer du regard le chœur de la cathédrale, et deviner, malgré l'obscurité, à droite de l'autel, une porte noire qui doit donner soit sur la sacristie, soit dans la rue.

Il imagine le temps qu'il lui faudra pour l'atteindre. Quand il bondira, ce sera comme s'il sautait dans l'abîme ; mais il aura agi pour sauver sa vie.

Il n'entend plus le pas.

Il ne doit surtout pas se retourner.

L'homme est peut-être assis derrière lui et s'apprête à lui poser le canon de son arme contre la nuque.

Thorenc dénoue ses mains, glisse la droite sous la manche de sa canadienne. Il touche la crosse de son revolver. L'arme est fixée par des élastiques à son avant-bras. Il la tire, puis place sa main armée à l'intérieur de sa canadienne, sur sa poitrine.

Derrière lui, un frottement, celui d'un prie-Dieu qu'on déplace sur les dalles.

Il ne se retourne toujours pas.

Puis ce corps contre le sien, cette voix, ce contact dur dans son dos.

Thorenc éprouve comme une jubilation soudaine qui se mêle à son angoisse. Il avait prévu cela ! Il n'est pas paralysé par la peur, mais tendu. Un lointain souvenir lui revient : il est accroupi au bord d'une piscine, quelques secondes avant de plonger, de se battre pour l'emporter...

— Gestapo, police allemande, levez-vous, retournez-vous, n'essayez pas de vous enfuir ! dit la voix.

L'homme est un Français, ou bien un Allemand parlant le français sans accent.

— Au moindre geste, je vous abats. Allons, sortons. Debout !

Thorenc se redresse, tourne sur lui-même. L'homme a un visage rond, une peau très blanche ; un léger duvet blond couvre son menton.

En même temps qu'il remarque ces détails, Thorenc sort la main de sa canadienne et tire tout en bondissant de côté et en se ruant vers la porte noire, à droite de l'autel.

Avant de pousser la porte, il a l'impression que la nef est envahie de hurlements, de bruits de pas qui couvrent l'écho de la détonation qui se réverbère encore sous la voûte.

Puis c'est le silence, l'obscurité.

Il traverse une pièce où s'entassent des prie-Dieu, des statues. Il pousse une autre porte donnant sur un petit palier, puis sur un escalier qui se perd dans un puits noir.

Il saute plusieurs marches. Il heurte du front la voûte d'une crypte. Il tâtonne, découvre des stèles, des tombeaux. Il s'enfonce. Une autre porte : il la pousse. Elle cède. La pièce est une sorte de long boyau éclairé par des soupiraux dont certains donnent sur la place.

Il entend des éclats de voix, des bruits de moteurs, des ordres, des claquements de portières, des cris.

Il ne voit rien. Les ouvertures sont étroites, à peine plus larges que la paume d'une main, et situées au ras du plafond.

Thorenc imagine que les Allemands doivent encercler le quartier, contrôler les identités.

Ils ont dû identifier la victime comme l'un de leurs agents.

Il s'accroupit dans l'angle le plus éloigné de la porte.

Si on le découvre, il ne pourra pas fuir.

Il fait jouer le barillet de son arme.

Il pense tout à coup à cet homme sur lequel il a tiré sans même réfléchir, sans l'ombre d'une hésitation.

A-t-il changé à ce point en l'espace de quelques jours ?

Peut-être ses doutes, ses remords, le sentiment de lassitude et de dégoût qui l'a habité n'étaient-ils qu'une faiblesse passagère due à la fatigue, à l'incertitude sur le sort de Claire Rethel, à l'angoisse contenue qu'il avait éprouvée durant tout son séjour à Paris ?

Il ferme les yeux, baisse la tête. Il revoit ce crucifix devant lequel il s'est agenouillé et au pied duquel il a tué un homme.

30.

Thorenc se recroqueville, les jambes serrées, la tête rentrée dans les épaules, comme s'il ne voulait plus être que ses mains crispées sur la crosse de l'arme dont il pointe le canon vers la porte, essayant de ne pas trembler, les coudes posés sur ses cuisses.

Les voix sont là, derrière, à quelques mètres.

Les pas s'éloignent, puis se rapprochent.

Sa vie est prise dans un étau dont les mâchoires vont et viennent, s'écartent puis se rejoignent, comme font ces bruits.

On glisse une clé dans la serrure.

Il se souvient que, tout à l'heure, il a simplement poussé la porte et qu'elle a aussitôt cédé.

La clé cliquette ; la porte ne s'ouvre toujours pas.

Des voix s'impatientent, recouvrent celle, claire et frêle, qui explique que cette porte est toujours fermée, que cela fait des lustres que personne ne pénètre plus dans cette cave.

Un choc écrase tout à coup les voix. La porte tremble.

Thorenc soulève quelque peu les coudes. Il imagine que, dans le cadre de la porte brisée à coups de bottes, il va voir se découper une silhouette. Il tirera. Ils lanceront alors une grenade. Thorenc l'entendra peut-être rouler sur le sol. Il fermera les yeux. Et c'en sera fini.

Peut-être, si on lui en avait accordé le temps, aurait-il choisi pour prénom de son enfant celui de Julie, à cause de cette jeune femme, Julie Barral, qu'il a autrefois entendue crier au moment où on l'arrêtait — il murmure : « Julie de Thorenc », « Julie Peyrolles » — ou bien celui de Victor à cause de Victor Garel qu'il imagine recroquevillé lui aussi dans un baraquement, dans l'attente qu'on le tue : « Victor de Thorenc », « Victor Peyrolles », murmure-t-il à nouveau.

Les pensées vont si vite que les visages s'effacent les uns les autres.

Bertrand revoit celui de sa mère, encore jeune, un foulard noué autour de la tête ; elle sourit à Simon Belovitch sur le balcon de la villa des remparts, à Antibes. Lui-même n'est qu'un enfant qui hurle de douleur parce qu'il vient de tomber dans l'escalier et qu'il sent le sang couler sur le mollet de sa jambe gauche.

Il entend sa mère qui dit :

« Ne vous inquiétez pas, Simon, il joue la comédie, comme à son habitude. »

Et elle rit.

« Il veut attirer l'attention, c'est le fils d'une actrice. Que voulez-vous, mon cher, nous avons ça dans le sang ! »

C'est cette jambe-là qui a été blessée alors qu'il s'enfuyait, dans le quartier de la Joliette, et qu'un agent de police l'a soutenu, caché, sauvé.

Il y a un nouveau coup contre la porte. Elle tremble sur ses gonds. Le bruit envahit la cave. Thorenc a envie d'appuyer sur la détente afin de mettre un terme à cette attente.

Puis les pas et les voix s'éloignent, s'estompent.

Le froid et la nuit coulent dans la cave par les soupiraux.

La jambe gauche de Thorenc est comme paralysée. Il a si mal, la crampe est si douloureuse, fouaillant sa cuisse, son ventre, sa poitrine, qu'il se laisse tomber sur le côté afin de pouvoir s'étirer.

Au bout de quelques minutes, la contracture s'est relâchée. Il veut se relever. Il prend appui sur le sol, se met à genoux. Et il reste ainsi, comme saisi, avec la tentation de se mettre à prier.

Tant de fois, depuis le début de cette guerre, la vie l'a tiré par les cheveux hors des eaux mortes, pour le sauver de l'arrestation, de la prison. Et du doute...

Tant de fois, alors que d'autres ont été emportés dès la première balle, dès la première rafle. Ils n'étaient ni plus imprudents ni meilleurs. Le corps de l'imprimeur Maurice Juransson, celui du professeur Georges Munier, ceux de Léontine Barneron et de Gisèle ne sont plus depuis long-temps que chairs anonymes décomposées. Et lui est vivant, par l'effet de quelle grâce ?

Le hasard, mais c'est un autre mot pour dire mystère.

Pourtant il ne prie pas. Il ne remercie pas. Il n'implore pas protection pour les jours à venir. Qui peut devancer le hasard, percer le mystère ? Il se sent simplement coupable d'être entré dans cette cathédrale, d'avoir abattu un homme aux pieds de ce Christ qui a refusé la violence et en est mort.

Il se redresse, s'assied. Pose son arme sur ses cuisses. Il a si froid qu'il claque des dents, et c'est comme si ses pensées s'entrechoquaient, engendrant à chaque fois une souffrance.

Il se souvient de la voix de Pierre Villars. Ils marchaient le long des quais du Rhône et de la rue du Plâtre après une réunion chez Catherine Peyrolles.

Villars racontait le séjour qu'il avait effectué à Londres en compagnie de Jean Moulin, qu'il appelait désormais Rex plutôt que Max.

D'abord, la voix avait été émue, enthousiaste et admirative.

Elle décrivait la demeure de De Gaulle à Hampstead, près de Londres.

Dans le salon, le Général s'était avancé vers Jean Moulin, lui avait demandé de se mettre au garde-à-vous, puis avait dit : « Nous vous reconnaissons comme notre compagnon, pour la Libération de la France, dans l'honneur et par la victoire. » Et il lui avait donné l'accolade. Moulin avait le visage crispé, les larmes aux yeux.

Quelques jours plus tard, de Gaulle lui avait fait parvenir ses instructions en ces termes :

« Il doit être créé dans les plus courts délais possibles un Conseil de la Résistance, unique pour l'ensemble du territoire métropolitain et présidé par Rex, représentant du général de Gaulle. Ce Conseil de la Résistance assurera la représentation des groupements de Résistance, des formations politiques résistantes et des syndicats ouvriers résistants. »

Puis la voix de Pierre Villars s'était irritée, indignée. Certains, disait-il, contestaient, refusaient que ce Conseil national de la Résistance associât les partis politiques et qu'il fût présidé par Rex. Ils accusaient ce dernier de n'être qu'un « ambitieux ».

Ambitieux ! s'était exclamé Villars. Alors que ces gens-là manœuvraient, s'en allaient en Suisse retrouver John Davies qui avait quitté Alger pour reprendre, à Genève et à Berne, aux côtés du chef de l'OSS, Allen Dulles, ses manœuvres de séduction, en fait de corruption, de certains chefs de la Résistance. Il avait offert aux Mouvements unis de Résistance près de dix millions par mois ! Ils pourraient ainsi être autonomes, peser, arbitrer — contre de Gaulle, si nécessaire. « C'est un véritable coup de poignard que vous donnez dans le dos de De Gaulle ! » leur avait dit Moulin.

Ce sont eux, les ambitieux, avait répété Pierre Villars.

En retrouvant ces mots qui se heurtent dans sa mémoire, Thorenc a l'impression qu'on le secoue et qu'il grelotte non de froid, mais de désespoir et de colère.

Est-ce déjà le temps des rivalités ? Brossolette et Moulin s'accusant l'un l'autre d'ambitions personnelles, se hurlant leur antipathie mutuelle à l'occasion de leur rencontre dans le bois de Boulogne, alors que passaient dans les allées des cavaliers allemands occupés à leur promenade quotidienne ? Et Frenay se querellant avec le général Delestraint pour le commandement et la stratégie de l'Armée secrète...

Pendant ce temps, les jeunes gens réfractaires au Travail obligatoire en Allemagne affluent dans les forêts de Savoie, sur le haut plateau provençal, dans le Vercors. Ils attendent des armes.

Mais quand six bombardiers anglais survolent à basse altitude la région d'Annemasse, leurs soutes bourrées de containers, la DCA allemande les attend en embuscade là où était censé se trouver un maquis, et trois appareils sont abattus.

« Certains parlent, avait dit d'une voix amère Pierre Villars. Ils n'attendent même pas de recevoir une gifle. Ils lâchent tout ce qu'ils savent. Ils collaborent avec la Gestapo, qui les tient. »

Thorenc noue ses bras autour de ses jambes repliées, et enfonce son visage entre ses cuisses. Il essaie de n'être qu'une boule qui conserve sa chaleur dans l'obscurité glacée de la cave que plus un seul bruit ne trouble.

Pierre Villars s'était insurgé contre ces membres de réseaux qui s'imaginaient pouvoir continuer d'avoir des affections, une femme, des enfants, et qui conservaient leurs photos sur eux !

Klaus Wenticht et Barbie, à Lyon, sortaient ces clichés les uns après les autres, les posaient sur la table devant l'homme arrêté qu'ils venaient de fouiller. Ils lui demandaient de choisir celui de ses enfants qu'il voulait voir torturer le premier, à moins qu'il ne préférât que sa femme, son tendre amour, fût expédiée dans quelque bordel de Russie ?

Dans la crypte de la cathédrale, Bertrand s'est mis à trembler. Mais il n'a sur lui aucune photo. Il se veut la seule cible.

« Nous sommes tous menacés, avait continué Villars. La Gestapo a reconstitué, me dit-on, à partir des aveux de certains de nos camarades, toute l'organisation de la Résistance. Elle sait tout, Thorenc, tout de nous ! Vous, vous êtes en tête de liste, juste après Rex dont ils connaissent l'identité.

Si nous tenons encore quelques mois, c'est que Dieu nous protège ! »

Thorenc voudrait s'endormir, mais le souvenir de ces propos et le froid qui se glisse par le col de sa canadienne, s'insinue sous les manches, le long des mollets et des cuisses, le maintiennent éveillé.

Ce n'est pas Pierre Villars, mais le commandant Pascal qui, lors d'une de leurs dernières réunions, à Lyon, avait fait état des manœuvres des gens d'Alger, des giraudistes auxquels les Américains offraient d'immenses moyens, des centaines de chars, d'avions, pour équiper leur armée, cependant que Roosevelt continuait de se gausser auprès des journalistes de « la capricieuse lady de Gaulle » qui minaudait, faisait la fière et n'avait même pas de quoi se payer une paire de chaussures et une robe décente, mais que Churchill entretenait ! On ne savait pas trop pourquoi, ajoutait le président américain, qui avait conseillé au Premier ministre britannique de « couper les vivres » à cette prétentieuse pour la rendre plus raisonnable ! Et Downing Street tardait à donner à de Gaulle l'autorisation de se rendre à Alger !

Où gît l'espoir ?

Faut-il croire de Gaulle quand il dit : « Restons fermes. Marchons droit. Vous verrez qu'on reconnaîtra que nous fûmes les plus habiles, parce que nous fûmes les plus simples » ?

Mais comment ne pas le suivre quand il n'y a, ailleurs, que trahison, arrière-pensées, compromissions, abandons, un Laval qui déclare : « Les petites nations comme la France doivent obéir à Berlin et à Rome » ? Ou bien quand on voit ces affiches où, sur fond rouge sang, se profile l'immense et régulier visage d'un soldat allemand casqué vers lequel marchent deux colonnes de petits hommes noirs comme des insectes que l'horizon avale ? Et qu'on lit les mots qui se détachent sur cette affiche : « Ils donnent leur sang, donnez votre travail ! »

Comment accepter ce mariage de soumission, d'hypocrisie et de barbarie ?

Le lieutenant Klaus Wenticht torture dans les locaux de l'École de santé militaire de Lyon.

Et ceux qui osent encore s'appeler « gouvernement de Vichy », les Laval, les Darnand, les Bousquet, et, leur servant d'emblème, Pétain, livrent aux Allemands les Juifs, les réfractaires, ces jeunes gens de vingt à vingt-trois ans que les gendarmes s'en vont quérir et que les miliciens pourchassent.

Dégoût, mépris pour ces prétendus gouvernants qui viennent d'accepter de remettre aux Allemands les hommes politiques qu'ils détenaient : Léon Blum, Paul Reynaud, Georges Mandel, Édouard Daladier et même le général Gamelin !

Thorenc resserre ses bras autour de ses jambes. Il crispe les mâchoires pour qu'elles ne claquent pas.

Il faut puiser son énergie dans ce mépris, cette colère, ce refus de la trahison. Il faut se battre même si on est entravé par les habiletés des uns et les arrière-pensées des autres.

Et même si, parfois, parmi ses propres camarades, on découvre aussi des lâches et des traîtres.

Il revoit la scène : les miliciens se ruant sur la villa de Peyrière où il s'était tenu à l'affût.

Quelqu'un l'avait-il trahi ?

Il lui faut maintenant essayer de reconstituer chaque regard, de retrouver les propos, de deviner les intentions de ceux qu'il a côtoyés, ses plus proches compagnons.

Et cette perspective le glace.

31.

Thorenc entend le grincement de la clé qu'on tourne dans la serrure. Il se lève, mais sa jambe gauche ne veut pas se déplier. Il a l'impression qu'elle va se briser, comme un arc à la corde trop tendue. Il étouffe un cri.

La porte s'ouvre. Il aperçoit, éclairé par la petite flamme penchée d'un cierge, un visage rond aux yeux écarquillés. Puis, alors que l'homme s'est avancé de quelques pas dans la cave, il découvre qu'il porte la soutane d'un prêtre.

— Je sais que vous êtes là, dit-il.

Il a une voix fluette. Il raconte qu'il sortait du confessionnal quand il a vu Thorenc s'enfuir. Il a porté secours à l'homme que ce dernier avait blessé.

— Des fidèles vous ont également aperçu, ajoute-t-il.

Il questionne à nouveau :

— Vous êtes là ?

Il soulève le cierge, mais le cercle de lumière jaunâtre vient seulement effleurer la pointe des souliers de Thorenc.

— Tout le monde a quitté la cathédrale avant que les Allemands n'arrivent, reprend-il.

Il fait un nouveau pas.

— N'avancez plus, ordonne Thorenc.

L'homme sourit.

— Je suis prêtre, chuchote-t-il. L'Allemand vous avait menacé.

Puis il baisse la tête. Il ajoute que Thorenc n'en a pas moins commis le plus grand des sacrilèges : il a voulu tuer un homme sous le regard du Christ, devant l'autel, à l'intérieur d'une cathédrale.

— Vous rendez-vous compte ? soupire-t-il.

— Il jugera, répond Thorenc.

Il sort de l'ombre. Le prêtre recule, paraît effrayé. Thorenc s'aperçoit qu'il le menace encore de son arme.

Tout à coup, un cri lui échappe. C'est comme si la peau de sa cuisse et de son mollet se déchirait.

Le prêtre s'approche, lui demande s'il est blessé.

— Comment sortir ? s'enquiert Thorenc en s'appuyant au mur.

Il peut à peine parler.

— Une crampe ? interroge le prêtre en plaçant son cierge de manière à examiner le visage de Bertrand.

Il fait couler un peu de cire fondue sur l'un des meubles qui s'entassent dans la crypte, puis y colle le cierge. Il s'agenouille et entreprend de masser la jambe de Thorenc. La douleur s'efface peu à peu pendant que le prêtre parle tout en comprimant puis étirant les muscles.

Les Allemands surveillent le quartier, lui dit-il. Mais il faut se méfier aussi des miliciens et des policiers français qui rôdent encore autour de la cathédrale. Il a, comme chaque nuit, fermé les portes, mais il les a vus au-dehors, sur le parvis. Ils sont venus de Vichy. Ils sont comme enragés. Ils ont molesté des fidèles. Ils sont persuadés que le bandit — comme ils disent — est resté caché à l'intérieur de la cathédrale.

— Voilà, fait le prêtre en se redressant.

Il reprend le cierge.

— J'ai vu le visage de la haine, murmure-t-il.

Chaque jour, les gendarmes conduisent des réfractaires jusqu'à la gare. Les miliciens les attendent et les battent avant de les pousser dans les wagons.

— Cette guerre, c'est notre Golgotha, ajoute-t-il.

Les trains passent chargés d'enfants, de pauvres gens : des Juifs. Leurs mains se tendent. Parfois, on voit leurs yeux. Et on ne peut oublier.

— Il faut se dépêcher, dit-il.

Cependant, il s'arrête sur le seuil pour confier encore qu'il a célébré plusieurs messes pour le maréchal Pétain : la nef était pleine, les fidèles priaient et chantaient avec ferveur.

— J'ai honte, aujourd'hui.

Il monte rapidement les escaliers. Thorenc le suit jusque dans la sacristie.

Le prêtre explique qu'on peut quitter par là la cathédrale et gagner aussitôt les ruelles du vieux Clermont.

— Vous savez où aller ?

Thorenc secoue la tête.

Le prêtre hésite, puis murmure que sa mère, madame Vivien, habite 2, rue du Marché, à quelques pas de la cathédrale.

— C'est une vieille femme, ajoute-t-il comme pour s'excuser.

Il sourit : elle a accroché dans sa chambre un portrait du Maréchal ; mais elle est veuve de guerre.

— Je lui dirai que vous êtes recherché par les Allemands.

Après avoir éteint la lumière, il ouvre la porte de la sacristie. Les maisons de la vieille ville dressent leur masse sombre. Il indique où se trouve la rue du Marché, puis fait un rapide signe de croix.

— Je crois que Dieu vous pardonnera, murmure-t-il.

Puis il s'élance à travers la place et Thorenc, derrière lui, est presque obligé de courir.

32.

Les coudes appuyés sur la table, Thorenc a pris son visage dans ses mains et fermé les yeux.

Assis en face de lui dans la petite salle à manger de sa mère, l'abbé François Vivien parlait à voix basse. Il s'interrompait souvent ; chaque fois, Bertrand se redressait, le regardait. Les lèvres du prêtre tremblaient comme s'il murmurait une prière. Puis il reprenait son récit.

Il a rapporté que même les rues éloignées du quartier entourant la clinique du docteur Boullier étaient parcourues par des voitures allemandes, des policiers, des soldats, des miliciens. Ceux-ci fouillaient les maisons, contrôlaient les papiers des passants.

On avait d'abord refusé de le laisser franchir les barrages. Il était pourtant accompagné d'un enfant de chœur portant le crucifix. Il avait été appelé pour administrer l'extrême-onction à l'un de ses plus anciens paroissiens qui venait d'être opéré par le docteur Boullier.

Un officier avait interrogé l'abbé Vivien. Il parlait parfaitement le français et s'exprimait d'une voix suave. Il avait un visage ouvert, mais ses yeux étaient perçants. À la fin, il avait souri avec bienveillance, montré la clinique, indiqué qu'à chaque fois qu'on voudrait l'empêcher d'aller plus loin, l'abbé Vivien devrait répondre que le lieutenant Wenticht l'avait autorisé à passer.

— J'avais à peine fait quelques pas quand il m'a lancé — jamais je n'oublierai le ton sur lequel il m'a dit cela — que je trouverais quelques morts en sus de l'agonisant que j'allais *convoyer*.

L'abbé Vivien a répété ce dernier mot, ajouté que c'était le terme précis que le lieutenant avait employé.

— Wenticht est l'un des chefs de la Gestapo de Lyon, a murmuré Thorenc. Un tortionnaire !

Le prêtre s'est signé.

À cet instant, sa mère a ouvert la porte. Elle s'est avancée, les épaules enveloppées dans un châle noir, ses longues mèches grises enroulées dans un chignon retenu par des peignes en écaille.

Elle a posé sur la table un plateau, deux tasses et une théière. Puis elle a versé un liquide presque rouge, disant qu'il s'agissait d'une infusion de pommes, que ça réchauffait.

— Vous n'avez pas froid ? a-t-elle demandé en se frottant les mains, toute voûtée, comme rabougrie.

Thorenc a commencé à boire le liquide brûlant mais sans saveur. Peut-être s'est-il déjà habitué à l'odeur douceâtre de pommes qui l'a tant surpris quand, il y a trois jours, au milieu de la nuit, il est entré pour la première fois dans ce logement de trois pièces si exiguës qu'il suffit de quelques pas pour aller d'un bout à l'autre du couloir qui les dessert. La cuisine est à droite de l'entrée, presque entièrement occupée par une cuisinière en fonte. Les toilettes sont à l'extérieur, sur le palier.

— Ne sortez de l'appartement que la nuit, a dit l'abbé Vivien. Les voisins seraient étonnés de vous voir. J'ignore ce qu'ils pensent.

Quand, cette nuit-là, après avoir vérifié que les volets étaient fermés, l'abbé Vivien a fait la lumière, Thorenc a découvert que sur tous les meubles et les étagères étaient alignées des pommes rouges. Il y en avait plusieurs rangées, serrées sur le buffet, mais aussi sur la table. L'abbé Vivien a expliqué que sa mère possédait un petit jardin de cinq cents mètres carrés à la sortie de la ville, qu'elle y cultivait quelques légumes, mais qu'il était surtout précieux pour les quatre pommiers plantés à chaque angle du terrain.

— Nous nous nourrissons de pommes, a indiqué le prêtre.

Dans la chambre de la vieille femme, les fruits occupent même l'un des côtés du grand lit.

Laure Vivien a voulu montrer à Thorenc le portrait de son époux, « mon brave Albert ». Il avait été photographié en pied, casqué, les pouces passés dans son ceinturon.

C'était la dernière photo qu'elle avait reçue de lui, en octobre 18. Il venait de rentrer de permission. Sous le cadre de cuivre était accroché un crucifix. Laure Vivien s'est signée.

— Je prie pour tous les deux, a-t-elle dit en montrant la photo du maréchal Pétain, placée non loin de celle du brave Albert Vivien. Il fait ce qu'il peut..., a-t-elle continué. Mais, maintenant, il est prisonnier des Allemands. J'espère qu'ils ne nous le tueront pas, ce brave homme ! Il est bon. Quand il parle, on sent qu'il est ému, on croit qu'il va pleurer. Et moi, quand il a dit : « C'est le cœur serré qu'il faut cesser le combat », j'ai sangloté. Qu'est-ce que vous vouliez qu'il fasse ? Il faut bien accepter son destin. J'ai bien accepté la mort de mon brave Albert, moi, et j'étais toute jeune, avec un enfant sur les bras. Il faut se soumettre, vous savez ; la vie, elle ne vous apprend que ça !

Thorenc a trouvé le parfum des pommes entêtant, écœurant, même.

Mais il n'a plus pu entendre le frottement des pantoufles de madame Vivien sur le linoléum du couloir sans être ému. Cette vie ténue lui serre le cœur.

— Ils avaient sorti tous les malades des chambres, a repris l'abbé Vivien.

Le prêtre a placé sa main devant ses yeux comme pour éviter de revoir la scène.

Les malades étaient couchés par terre, dans les couloirs et jusque dans le hall de la clinique. Certains geignaient, d'autres, des enfants, criaient. Les policiers, eux, éventraient les matelas, les balançaient dans le parc.

— Ils avaient laissé mon paroissien dans sa chambre, a poursuivi l'abbé Vivien. Il râlait. Il n'était plus conscient, mais, quand je lui ai pris la main, il a rouvert les yeux, et je crois qu'il a prié avec moi.

S'étonnant que l'abbé se déplaçât depuis la cathédrale, le lieutenant Wenticht avait attendu sur le seuil de la chambre, et il avait fallu que les parents du paroissien confirment qu'ils avaient tenu à ce que leur proche reçût les derniers sacrements des mains et de la bouche du prêtre qu'il connaissait.

— À ce moment-là, a poursuivi l'abbé Vivien, cet Allemand m'a fait peur. Il a l'intelligence de ceux qui aiment le mal, je vous assure ! Il a voulu savoir où je me trouvais à l'instant où son policier avait été abattu. Il a paru sceptique quand je lui ai répété que je n'avais rien vu. Il a dit qu'ils allaient interroger tous les fidèles qui avaient assisté à la scène. Ils les identifieraient tous !

L'abbé Vivien a baissé la voix :

— Je ne sais pas si vous pouvez encore rester chez ma mère, a-t-il dit. Ils peuvent venir perquisitionner ici.

Thorenc a approuvé. Il s'est levé, puis, en se tenant sur le côté de la fenêtre afin de ne pas être aperçu, il a observé la rue du Marché dont les pavés brillaient, couverts de l'humidité glacée qui s'infiltrait jusque dans le petit appartement. Le froid était si vif qu'il n'avait pas quitté sa canadienne, glissant ses mains dans les manches. Il lui a même semblé qu'il supportait d'autant moins cette température glaciale qu'il voyait Laure Vivien grelotter. La vieille femme voûtée répétait presque à chaque instant qu'elle n'avait jamais connu hiver aussi rigoureux, que Dieu voulait vraiment châtier les hommes pour les crimes qu'ils commettaient. Bertrand a essayé de lui expliquer que les Allemands s'emparaient de la quasi-totalité du charbon produit en France, mais elle a paru ne pas entendre, murmurant qu'elle comprenait le bon Dieu : Il avait donné toutes leurs chances aux humains, mais ceux-ci n'avaient su que saccager le monde. Ç'avait commencé comme ça... Elle avait montré les pommes, puis, se reprenant, elle avait ajouté :

— Enfin, heureusement qu'on les a, ça calme la faim !

— Je partirai demain, a décrété Thorenc en revenant s'asseoir face à l'abbé, qui a repris son récit.

Le lieutenant allemand l'avait conduit sous les combles de la clinique. Il y avait là de petites chambres dans lesquelles se trouvaient plusieurs corps de jeunes gens qui avaient cherché à se défendre. Wenticht les avait considérés avec indifférence, les écartant même de la pointe du pied, disant :

— Vous voyez ce qu'il arrive aux idiots ! Ils préfèrent crever ici plutôt que d'aller travailler en Allemagne. Mais je tiens à vous montrer en particulier celui-ci.

C'était un homme âgé d'une cinquantaine d'années qui avait été blessé de plusieurs balles, sans doute au moment où il essayait de fuir. Son corps était agenouillé devant une petite fenêtre donnant sur l'avant-toit.

Wenticht avait retourné le cadavre de manière que l'abbé Vivien découvrît son visage.

— Vous le connaissez ? avait-il demandé.

Il avait haussé les épaules, ajouté :

— Nous, nous le connaissons fort bien : c'est le commandant Joseph Villars. Vous pouvez faire dire une messe pour le salut de son âme ; elle aura valeur d'avertissement.

Dans l'une des chambres, l'abbé avait aperçu le docteur Boullier, ligoté sur une chaise. Sa tête retombait sur sa poitrine. Ses cheveux étaient collés par le sang coagulé. Son visage était si tuméfié qu'il ressemblait à une boule noire, crevassée. Ses doigts étaient sanguinolents.

— Je suis entré dans cette chambre, a murmuré Vivien.

Les policiers qui s'y trouvaient l'avaient violemment repoussé, le menaçant de lui faire subir le même sort.

— J'ai résisté, a ajouté l'abbé, tête baissée. Wenticht a finalement donné l'ordre de me laisser faire.

Le prêtre avait essuyé le visage du docteur Boullier avec son mouchoir, puis lui avait donné l'extrême-onction en s'agenouillant devant lui.

— Il ne vivra pas, a-t-il indiqué à Thorenc. Je suis même sûr qu'il a déjà succombé. Il respirait à peine.

Thorenc a écrasé ses yeux sous ses poings fermés.

Il avait peu connu le docteur Boullier, mais l'homme, dès 1940, avait mis à la disposition du commandant Villars tout ce qu'il possédait : le château des Trois-Sources et sa clinique. Avait-il été imprudent en accueillant des réfractaires au Travail obligatoire et en leur fournissant des certificats médicaux ? Qui l'avait dénoncé ? L'un de ces jeunes gens, ou bien quelqu'un qui avait voulu d'abord livrer le commandant Villars et frapper ainsi le cœur de la Résistance ?

Le *cœur* ! Ce mot, Thorenc n'a pu se retenir de le murmurer, lui-même surpris par l'émotion qui l'a soudain étreint. Il a regardé l'abbé Vivien :

— Le commandant Villars était un homme de cœur, a-t-il répété.

Sitôt prononcée, cette phrase si banale et emphatique l'a gêné. Mais qu'aurait-il pu dire d'autre ? Évoquer la détermination et la lucidité de Joseph Villars dès les années 30 ? son courage ? son refus de céder ?

Thorenc a ajouté que Villars avait cinq enfants, tous engagés dans la Résistance.

Vivien s'est signé.

Ils sont restés silencieux.

Bertrand a écouté le frottement feutré des pas de Laure Vivien dans le couloir.

Tout à coup, en se levant, il a dit qu'il comptait quitter le logement de madame Vivien le jour même, profitant de ce que Wenticht n'avait sûrement pas encore fini d'exploiter ce qu'il avait découvert à la clinique Boullier.

Il a lu dans le regard de l'abbé la reconnaissance et le soulagement.

Il a ouvert la porte de la salle à manger. Il a aperçu la vieille femme qui sortait de la cuisinière un plat de terre contenant des pommes cuites, et, à la vue de ces fruits dont la peau s'était racornie, fripée, noircie, il a pensé au visage du docteur Boullier. Et il a eu envie de hurler.

L'abbé Vivien l'a rappelé, l'invitant à regagner la salle à manger, à s'y rasseoir et à l'écouter encore.

Il s'était passé quelque chose de curieux, dans le hall de la clinique, a-t-il raconté. Wenticht lui avait montré une dizaine de mitraillettes que les policiers avaient trouvées, cachées dans les chambres.

— Nous n'allons pas laisser assassiner nos soldats, vous comprenez ça, monsieur l'abbé ? lui avait dit Wenticht. Il faut nous aider à empêcher ces assassins de commettre leurs crimes. La plupart d'entre eux sont des étrangers, communistes et juifs. Ce sont les Juifs, n'est-ce pas, qui ont crucifié le Christ ? Eh bien, ce sont eux que nous pourchassons !

Il avait mis une main sur l'épaule du prêtre.

— Vous n'êtes pas du côté des bolcheviks et des Juifs, j'imagine ?

Vivien avait répondu qu'il était du côté de la souffrance, de la compassion et de la pitié. Tel était le message de Dieu.

Brusquement, Wenticht avait poussé Vivien vers un homme qui avait masqué le bas de son visage avec une écharpe. Son chapeau était rabattu sur ses yeux. Wenticht avait obligé Vivien à s'approcher davantage, et il avait senti le regard de l'homme le scruter.

L'autre avait fini par secouer la tête.

— Vous avez de la chance, avait conclu Wenticht. Pour l'instant, je suis contraint de vous croire.

— Le dénonciateur, a murmuré Thorenc.

Il s'est mis à interroger l'abbé avec une passion telle que celui-ci a reculé, secouant à son tour la tête avec effroi. Il ne dirait rien, a-t-il répété. Aurait-il vu le visage de l'homme, ce qui n'était pas le cas, qu'il ne le décrirait pas à Thorenc. Si l'homme était le traître, sa punition viendrait sans qu'il soit nécessaire de la susciter. Le remords est le châtiment de Judas, a-t-il dit.

Thorenc a eu un mouvement d'impatience, déclarant qu'il le découvrirait de toute façon et le tuerait. L'abbé lui a pris le poignet, mais, tout à coup, a paru hésiter.

— Faites selon votre conscience, a-t-il lâché.

Bertrand s'est tourné.

Il a vu Laure Vivien qui disposait sur une assiette les pommes cuites et il a été ému aux larmes par les gestes lents et le modeste sourire de la vieille femme.

33.

Thorenc s'est arrêté au bord du lac Noir qui s'étire comme une boutonnière au centre du haut plateau de Dieulevoye, à près de trois heures de marche de la ferme Ambrosini.

Il s'est retourné et a aperçu en contrebas, à quelques centaines de mètres, Jacques Bouvy qui grimpait lentement en compagnie de Gaston Ambrosini.

Il les a devancés pour être quelques instants seul face à ce paysage de cimes et de vallées qui lui donne chaque fois un ineffable sentiment de plénitude.

Il a l'impression de voguer dans ce ciel bleu, aussi libre qu'Icare. Il s'assied sur l'herbe soyeuse qui couvre les rives du lac, et, s'appuyant sur ses bras tendus, la tête renversée en arrière, les yeux mi-clos, il respire à pleins poumons cet air que le soleil ne réussit jamais à réchauffer tout à fait.

Il est arrivé la veille de Clermont-Ferrand au terme d'un voyage de deux jours. Il ne s'est pas arrêté à Lyon, mais est descendu à Montélimar, attendant Bouvy devant la gare.

C'était jour de mistral, les rafales tranchaient comme une lame affûtée.

Il a été heureux de retrouver Bouvy et sa petite voiture que le vent, sur la route, paraissait capable de soulever, qu'il déportait de droite et de gauche, la ballottant comme un esquif.

Bouvy a d'abord parlé posément, comme un officier qui passe au rapport, évoquant la constitution de deux centrales — tel était le nom qui avait été choisi — qui allaient rassembler l'ensemble des renseignements recueillis par les mouvements de Résistance et les réseaux. Elles en assureraient la transmission à Londres.

Bouvy a jeté un coup d'œil à Thorenc et précisé que l'une s'appelait Coligny, l'autre Prométhée...

— Vous vous souvenez ? a-t-il dit. C'est le nom qu'avait choisi Geneviève Villars pour son réseau.

Il s'est demandé si elle jouait un rôle dans cette nouvelle structure, ou bien si elle travaillait pour l'Organisation civile et militaire.

— On s'unit, a-t-il ajouté, mais, dans le même temps, ça prolifère et ça se subdivise !

Puis Bouvy a changé de ton.

Il se tenait loin du volant, le dos droit, les bras raides, comme s'il maintenait de la sorte la voiture collée au sol et la poussait d'autant mieux en avant.

— Vous savez ce que dit Max ? Que les chefs de Combat et de Libération sont dans un état de surexcitation dangereux. Ils veulent qu'on appelle à l'insurrection, que les mouvements passent à l'action généralisée, qu'on crée dans les usines des bastions armés. Dieu sait que je ne suis pas un attentiste, mais de là à inciter à la révolte ouverte, les armes à la main, il y a un pas. Je suis de l'avis de Max : ils perdent leur sang-froid ! Et puis, cette affaire de financement par

John Davies, c'est insupportable ! Max l'a dit : c'est trahir de Gaulle au moment précis où il faut le soutenir.

Il a ralenti et la voiture a aussitôt paru basculer, comme si elle ne pouvait résister au vent qu'en roulant à vive allure.

— Qu'est-ce que vous en pensez ? a-t-il demandé à Thorenc.

Celui-ci s'est borné à répondre par une moue renfrognée.

— On se chamaille, a repris Bouvy. On s'injurie. Il y a eu chez Catherine une réunion au cours de laquelle les gens ont failli en venir aux mains, tout en s'accusant des pires arrière-pensées. Le général Delestraint a été accablé par certains : il serait incompétent, attentiste, etc. Si c'est cela, l'union, le Conseil national de la Résistance sera encore pire que feu la Chambre des députés !

Thorenc a cessé d'écouter. Difficile, alors qu'on était traqué par la Gestapo, de vivre en même temps ces divisions, ces rivalités, ces jalousies mesquines, ces stratégies politiques que les uns et les autres commençaient à déployer en pensant à l'après-guerre, se défiant des partis politiques, des communistes, de De Gaulle — et chaque clan avait ses obsessions, ses inquiétudes, et si tous étaient menacés, tous n'en continuaient pas moins à se chamailler avec, sur leur gorge, le talon de botte du lieutenant Klaus Wenticht !

Bouvy s'est enfin tu.

— Catherine Peyrolles ? a murmuré Thorenc.

— Heureuse, sereine, épanouie, courageuse, inébranlable...

Malgré l'ironie que Bertrand n'a pas manqué de percevoir dans les propos de Bouvy, il a gardé ces mots en lui plusieurs minutes, souhaitant poursuivre la route en silence. Mais Bouvy n'a pas tardé à se remettre à parler.

— Quelqu'un les renseigne, a-t-il lâché.

Penché en avant, le visage fermé, le menton prognathe, Bouvy a de nouveau changé d'attitude.

Il y avait d'abord eu, a-t-il commencé à énumérer, le déplacement de la Gestapo de Lyon à Clermont...

— Ce n'était pas une affaire de réfractaires. Wenticht n'aurait pas fait le voyage avec une trentaine de ses hommes pour cueillir quelques jeunes insoumis. Les gendarmes et la Milice auraient amplement suffi à la tâche. Non, Thorenc — il a secoué la tête —, Wenticht savait que le commandant Villars se cachait dans la clinique. C'est lui qu'il voulait prendre. Je vais dire plus : s'ils ne vous ont pas arrêté à Vichy, c'est parce qu'ils ont pensé qu'une réunion devait se tenir avec Villars chez le docteur Boullier, et ils ne souhaitaient pas la faire annuler. Votre arrestation aurait donné l'alerte. Ils se sont donc contentés de vous filer.

Il a tapé sur le genou de Bertrand :

— Vous avez bien réagi, Thorenc ! Quand on a su ce qui s'était passé à la cathédrale, on a préféré ne pas bouger, on ne s'est pas rendus à la clinique : ni Pierre Villars, ni Philippe, ni René Hardy, ni moi. On a attendu. Mais le commandant Villars était sur place, tout comme Boullier et comme ces malheureux réfractaires qui, eux, n'ont vraiment pas eu de chance. Wenticht a dû se contenter du commandant et de Boullier.

À Lyon, a continué Bouvy, les gens de la Gestapo arrêtaient au même moment Raymond Villars, chez lui, et son fils Mathieu au monastère Fra Angelico.

— Le salaud qui nous vend connaît tous les rouages, a ajouté Bouvy.

— Catherine ? a de nouveau murmuré Thorenc.

On avait toujours tenu son nom et son adresse secrets, même quand elle avait assisté à diverses réunions, et celles qui avaient eu lieu chez elle n'avaient concerné qu'un tout petit nombre de participants — « le noyau du noyau, le centre du centre », a précisé Bouvy.

— Mais personne n'est à l'abri, a-t-il repris après un silence.

Il s'est tourné vers Thorenc et l'a fixé intensément durant une ou deux secondes :

— Si vous avez un peu d'influence sur elle, a-t-il dit en regardant à nouveau la route, conseillez-lui de quitter Lyon. Tout le monde se retrouve dans cette ville. C'est, pour la Gestapo, comme un étang poissonneux. Ils n'ont qu'à jeter un filet et à le tirer. Et si, par surcroît, ils ont un collabo caché dans la vase, qui sait où les poissons se planquent, comment voulez-vous qu'ils ne fassent pas une bonne pêche ? Nous sommes fous, Thorenc. Il faudrait se disperser. Il y a d'autres villes en France, non ?

Thorenc aurait maintenant désiré que Bouvy continue de parler, mais l'autre semblait désormais frappé de mutisme. Dans son visage amer, des rides profondes cernaient sa bouche.

Ils ont roulé à vive allure sur le chemin de terre conduisant à la ferme Ambrosini.

Quand Thorenc a vu les bâtiments se détacher sur les terres rouges encerclées par les collines, il a posé la main sur le bras de Bouvy afin qu'il ralentisse :

— Qui ? a-t-il interrogé. Qui ? Est-ce que vous avez une idée ?

Bouvy a brutalement arrêté la voiture, coupé le moteur et ouvert la portière par où le vent s'est engouffré.

— Qui trahit ? Pourquoi pas vous, Thorenc ? Vous vous en sortez toujours. Vous avez été en relation avec eux. Vous vous faites libérer de prison. Vous ne tirez pas sur Dossi. Vous échappez à la Gestapo. Vous réussissez à sortir Claire Rethel du camp de Compiègne alors qu'elle est déjà sur le marchepied du wagon pour l'est. Et maintenant vous échappez à une souricière à Clermont-Ferrand après un attentat manqué contre Laval que personne ne vous a demandé de commettre — comme d'ailleurs celui contre Dossi...

Thorenc a écouté Bouvy sans le regarder, puis s'est tourné vers lui :

— Qu'est-ce que vous foutez alors ici avec moi, Bouvy ?

— Je ne tire aucune conclusion de ce qui vous est arrivé, si ce n'est que vous avez de la chance, de l'intelligence et du courage.

Il est remonté en voiture, a remis le moteur en marche et, tout en roulant lentement vers la ferme, il a indiqué qu'à la demande de Pierre Villars il a interrogé l'abbé François Vivien.

— Vous êtes *clair*, Thorenc. Mais Pierre voulait s'en assurer. Vous le connaissez : il ressemble en cela aux communistes. Ils ne se fient à personne. Ça les arrange, tous ces gens qui se soupçonnent, se surveillent les uns les autres. Souvenez-vous, Staline en 36 : les grands procès, les traîtres... Au fond d'eux-mêmes, ils pensent que tous ceux qui ne sont pas communistes sont des suspects. Pierre Villars n'est pas loin de partager cette idée. Et il n'est même pas communiste… en tout cas, pas tout à fait !

Ils sont arrivés sur l'aire. Julia Ambrosini est sortie de la ferme en s'essuyant les mains à son tablier.

— Il y a quelqu'un, a encore murmuré Thorenc, quelqu'un que nous avons côtoyé, qui est sans doute parmi nous, et qui parle, qui les guide… Il faut le trouver, Bouvy, avant que…

— Avant quoi ? a répondu Bouvy en claquant la portière. Après lui, un autre craquera. C'est l'une des lois de la guerre que nous menons. Quand vous écrasez la tête d'un enfant dans un étau sous les yeux de sa mère, vous ne pouvez pas demander à cette femme de garder nos petits secrets. Cela dit, Thorenc…

Il a pris Bertrand par l'épaule, et, dans un souffle :

— Bien sûr, il faut le trouver et le tuer.

Ils ont embrassé Julia qui s'est tournée vers la bergerie.

— Les hommes sont là, a-t-elle indiqué.

Elle les a appelés, et Gaston et ses deux fils se sont avancés.

Le vent faisait voleter la laine de mouton restée accrochée à leurs gilets.

On eût dit de gros flocons plus gris que blancs.

34.

Thorenc entend les éclats de voix dont les falaises dominant le lac Noir renvoient l'écho.

Il se lève et, marchant le long de la rive, sur cette terre meuble couverte d'un duvet herbeux, il aperçoit des silhouettes qui dégringolent les cônes d'éboulis.

Elles surgissent des grottes qui s'ouvrent à flanc de falaise, disparaissent derrière les blocs, sautent de rocher en rocher en se dirigeant vers le lac.

Thorenc se retourne et distingue Jacques Bouvy et Gaston Ambrosini qui ont enfin atteint le plateau. Ce sont eux que saluent les jeunes hommes. Certains brandissent leurs armes en poussant des cris dont l'écho roule sur le plateau de Dieulevoye.

Thorenc fait de grands gestes des bras pour exiger le silence.

Il imagine que l'écho va, comme une avalanche, atteindre les vallées, alerter les Allemands et les miliciens qui, un jour, monteront jusqu'au plateau. Et les premières victimes seront alors Julia, Gaston, Régis et Aldo Ambrosini.

Il se laisse emporter par une colère faite d'indignation et de désespoir, empoignant par le col de son blouson de grosse laine bleue le premier des jeunes gens à s'arrêter devant lui.

Il le secoue, l'abreuve d'insultes, et il voit un étonnement mêlé de frayeur figer le visage de ce garçon d'une vingtaine d'années qui a tenté de se vieillir en cachant son acné sous une barbe clairsemée.

Envahi par un sentiment d'impuissance et d'accablement, Thorenc baisse tout à coup les bras. Il s'éloigne seul, va s'asseoir près de l'eau. Il y plonge les mains. Elle est si glacée qu'il a l'impression qu'on lui tranche les poignets et qu'il va laisser couler ses deux mains au fond du lac.

Quelqu'un s'assied auprès de lui et dit :

— Il faut les comprendre, ils ne savent pas ce qu'est la guerre. À leurs yeux, c'est comme un jeu. Pour l'instant.

Bertrand a d'emblée la certitude qu'il connaît cette voix.

Il tourne la tête : José Salgado lui sourit, lui offre une cigarette. Il l'accepte, lui qui ne fume que très rarement, mais c'est une façon de dissimuler sa stupeur sous des gestes simples et rituels : avancer le visage vers la flamme du briquet, plisser les yeux, aspirer la première bouffée, et, de la sorte, ne pas parler.

Il attend en silence que Salgado explique qu'après l'attentat contre le commissaire Antoine Dossi, la Gestapo et l'OVRA italienne se sont abattues sur Nice. Stephen Luber et Christiane Destra ont réussi à quitter la ville, et peut-être ont-ils gagné Paris ou Toulouse. Jan Marzik a été pris sur le quai de la gare d'Antibes. Quant à Salgado lui-même, il s'est réfugié à Marseille. Il y a retrouvé le commandant Pascal qui l'a dirigé vers cette ferme Ambrosini, et quand les premiers réfractaires sont arrivés, venant de Manosque, de Digne et même de Marseille, il est monté avec eux sur le plateau de Dieulevoye. Ils vivent dans les grottes.

Salgado soulève sa mitraillette : ils ont des armes, mais pas assez de munitions ; et ils ont faim et froid.

Il montre sa cigarette.

— Ce sont les dernières, précise-t-il.

Tout en fumant lentement, avec application, il désigne la trentaine de jeunes hommes qui se sont regroupés autour de Jacques Bouvy :

— Qu'est-ce qu'on fait de ces gosses ?

Debout au centre du cercle, Bouvy semble leur dispenser une leçon de stratégie, traçant avec le bout d'une longue branche des lignes dans la terre meuble.

Thorenc les dévisage. Ils sont si jeunes. Ils tentent de se réchauffer en se serrant les uns contre les autres et en rentrant la tête dans leurs épaules. Comment pourraient-ils résister à des soldats aguerris dont la peau, au bout d'années de campagne, a acquis l'épaisseur de la corne, et qui tuent un homme comme on écrase un brin d'herbe sous son talon ?

— Il ne faut pas les exposer, murmure Thorenc.

José Salgado approuve d'un hochement de tête, mais Bertrand devine en lui une hésitation, presque une réticence.

— Au premier engagement, ils se feront massacrer, reprend-il.

Salgado le regarde. Il porte maintenant une barbe drue qui donne à tout son visage l'aspect d'une grosse boule noire.

— Vous étiez à Madrid, lâche-t-il. Ça fait plus de sept ans que ça dure, que je lutte, que je me cache, que j'assiste à des massacres. Vous les avez vous-même décrits, Thorenc. Et vous croyez qu'on peut empêcher ce qui doit advenir ? Nous sommes — et eux comme nous — emportés par le courant. Ils sont là, donc il faut qu'ils se battent, et donc je vais les conduire au combat. Au début, nous effectuerons quelques sabotages, puis, un beau jour, on nous surprendra et nous nous en sortirons — ou pas. Qui peut le dire ? Mais il faut aller jusqu'au bout. Et puis, qui sait, il n'est pas interdit d'avoir de la chance…

Il se penche vers Thorenc :

— Vous vous souvenez de Joseph Minaudi ? Vous l'avez retrouvé dans une cellule, à Marseille…

Thorenc a un mouvement d'irritation. Jamais il n'oubliera le visage de Minaudi, écrasé sous les coups de nerf de bœuf du commissaire Dossi.

— Vivant ! murmure Salgado.

Minaudi s'était pourtant tranché la gorge dans sa cellule, après que Dossi l'eut remis à la Gestapo.

Il avait été transporté à l'hôpital de Moulins, car on voulait continuer à le torturer, mais les médecins allemands l'avaient déclaré mort. On l'avait déposé à la morgue de l'hôpital. Un médecin français avait constaté qu'il survivait. On l'avait opéré d'urgence, caché, transporté dans un cercueil…

— Vivant ! répète Salgado.

Il prend appui sur l'épaule de Thorenc pour se relever.

— C'est comme une loterie, conclut-il.

Il fait quelques pas et attend que Thorenc l'ait rejoint pour ajouter :

— On sera prudent. On ne les exposera pas inutilement. Moi aussi, j'ai vu trop de morts !

Jacques Bouvy s'est approché et a entraîné Thorenc le long du lac. Une légère brise dessine sur l'eau noire des rides concentriques au centre desquelles oscillent de hautes herbes ployées.

— J'ai deux hypothèses, commence Bouvy.

Ils marchent silencieusement durant plusieurs minutes et atteignent ainsi l'extrémité du lac. De là, on aperçoit la juxtaposition des cimes qu'on peut croire d'abord chaotique, mais dont on finit par comprendre l'ordonnance en suivant les nervures saillantes des reliefs et les creux correspondants des vallées.

Bouvy s'immobilise :

— Ils n'ont pas touché à Catherine Peyrolles, reprend-il. Il y a donc deux hypothèses…

Thorenc s'est placé en face de lui, visage contre visage.

— Je sais, murmure Bouvy, vous en excluez une, mais moi…

Il recule d'un pas.

— Je ne couche pas avec Catherine Peyrolles, donc je la retiens. Catherine connaît les adresses de chacun de nous, celles de nos lieux de réunion.

Thorenc s'est jeté en avant, mais Bouvy lui a saisi les poignets. Cet homme râblé est plus fort qu'il y paraît.

— Ce peut être elle, dit-il en lâchant Thorenc.

Puis il secoue la tête.

— Pourtant, c'est comme pour vous : je n'y crois pas. Mais je ne l'écarte pas. Tout est possible, Thorenc, même l'incroyable ! Salgado m'a raconté l'histoire de Minaudi. J'en ai mille autres à votre disposition.

Thorenc lui a tourné le dos et regarde l'horizon, cette barrière de blocs aigus vers laquelle il aurait aimé s'élancer pour oublier toute cette boue.

— La deuxième…, reprend Bouvy.

Il s'est placé près de Thorenc.

— Il n'a jamais été chez Catherine Peyrolles, murmure-t-il, et c'est pour cela qu'il n'a pu la dénoncer, mais il n'ignore rien du reste…

— Mercier ? lâche Thorenc.

Il n'attend pas la réponse de Jacques Bouvy pour raconter comment Mercier lui avait indiqué que la villa des Peyrière, à Vichy, en face de l'hôtel Thermal, était inoccupée, et qu'il pouvait donc s'y cacher.

— Mais il m'a déconseillé d'agir, ajoute-t-il plus bas encore, comme s'il faisait ce constat à regret.

— Mercier ou Catherine Peyrolles : c'est l'un ou l'autre, décrète Bouvy.

Il hausse les épaules :

— Mercier, comme nous tous, n'est pas fait d'une seule pièce. Il peut livrer les uns et protéger les autres. Il veut se donner l'illusion de jouer au plus malin avec Klaus Wenticht. Il vous a fourni les moyens de tirer sur Laval mais il vous a averti de la difficulté de l'opération. Il vous a laissé libre, donc vous vous êtes jeté volontairement dans la souricière. Mercier croit ainsi avoir joué tout le monde : Wenticht, vous, Laval, etc. Il doit se prendre pour un stratège, alors qu'il n'est qu'un lâche qui se donne bonne conscience. Un salaud !

Bouvy émet un ricanement.

Il fait quelques pas, désigne les jeunes gens qui remontent maintenant les cônes d'éboulis :

— Ceux-là n'imaginent pas, marmonne-t-il. Tant mieux ! Il faut croire à des choses simples pour accepter de mourir. J'y crois, Thorenc, malgré tout. Vous aussi…

Il étreint l'épaule de son compagnon.

35.

Thorenc a vu cet homme s'avancer à pas lents dans la rue qu'inonde le soleil.

L'homme est nu-tête, ses cheveux noirs sont tirés en arrière. Il semble flâner, s'arrêtant parfois devant les boutiques, revenant sur ses pas, passant d'un côté à l'autre de la rue.

Thorenc n'a pas réussi à distinguer ses traits.

L'homme s'est tout à coup retourné, se penchant comme pour découvrir la perspective de la rue de la Guillotière, et, au-delà, les quais du Rhône. Il a même semblé à Bertrand qu'il faisait un signe.

Thorenc a écarté les rideaux quelques secondes, puis s'est vivement reculé, heurtant le fauteuil dans lequel Jacques Bouvy est assis.

— Ils sont là, murmure-t-il.

Il a remarqué sur chacun des trottoirs plusieurs hommes disposés à une vingtaine de mètres les uns des autres. Parmi les passants vaguant souvent en couple, ils tranchent par leur solitude, leur désœuvrement affecté. Ils semblent attendre. L'un d'eux porte ce manteau de cuir noir qui tient lieu d'uniforme aux policiers de la Gestapo.

Au bout de la rue, Thorenc a repéré au carrefour une voiture basse en stationnement.

— Vous êtes sûr ? interroge Bouvy en se redressant.

Ils guettent depuis la veille dans cet appartement du quatrième étage, en face de l'église Saint-Louis.

Bouvy a fait transmettre à Mercier un courrier lui fixant rendez-vous devant l'église, au coin de l'impasse qui longe le chœur et de la rue de la Guillotière. Quelqu'un le conduirait jusqu'à l'appartement où devaient se réunir les chefs des mouvements de Résistance autour du représentant du général de Gaulle. Il avait été désigné pour représenter l'ORA, l'Organisation de résistance de l'armée, a précisé Bouvy.

Celui-ci avait fait la grimace :

— L'appât est gros, mais Mercier l'avalera. S'il vient seul — Bouvy avait observé quelques secondes de silence — ... oui, Thorenc, s'il est seul, vous serez obligé de renoncer à votre rêve : c'est Catherine Peyrolles qui nous aura vendus.

Il avait de nouveau grimacé :

— Le mot n'est pas beau, mais il est précis. Elle aura vendu Boullier, le commandant Villars, Raymond Villars et Mathieu, les jeunes réfractaires abattus à la clinique, et vous aussi, Thorenc — en échange de quoi ? De sa vie ? De celle d'un de ses proches ? Elle a des enfants ? Ce serait sa seule excuse...

Il s'était tu à nouveau un long moment, avant de reprendre :

— Mais si Mercier se fait accompagner par ces messieurs, nous n'aurons plus qu'à le tuer, et vous pourrez continuer à coucher avec Catherine !

Thorenc avait eu envie de le souffleter. Il s'était approché de Bouvy, lequel avait aussitôt ajouté qu'il était persuadé, pour sa part, de la culpabilité de Mercier. Celui-ci allait avertir la Gestapo, et les Allemands, eux aussi, allaient mordre à l'hameçon, suivre Mercier dans l'espoir d'arrêter les chefs de la Résistance, et Max par la même occasion.

Bouvy a fixé le lieu de rendez-vous en face d'un appartement dont il était le seul à connaître l'adressse.

Ils s'y sont installés en début de soirée, et ils ont passé la nuit dans l'obscurité, parlant à voix basse, évoquant les événements qui se déroulent à Alger.

Le général Giraud a été contraint de déclarer caduques les lois de Vichy que, jusqu'alors, il avait maintenues en vigueur. Les ralliements à de Gaulle s'amplifient. En Tunisie, les soldats de l'armée d'Afrique désertent leurs régiments pour s'engager dans la colonne Leclerc qui vient d'arriver.

— Malgré les Américains et tous ces ralliés à Giraud, ces Pucheu, ces Varenne, malgré ces conseillers que Roosevelt lui a envoyés, de Gaulle va bouffer Giraud, vous allez voir, Thorenc... De Gaulle n'aura qu'à se montrer, et les Monnet et autres inspecteurs des Finances ou diplomates du Quai se mettront à son service. Ces gens-là savent repérer d'où souffle le vent.

À quatorze heures, ils ont vu arriver Mercier en manteau clair, un journal sous le bras. Il a regardé autour de lui, puis s'est placé au coin de l'impasse et de la rue.

— Il faut attendre, a dit Bouvy en se laissant tomber dans le fauteuil.

C'est peu après que Thorenc a aperçu l'homme qui feignait de flâner. Au bout de quelques instants, il l'a observé aux jumelles.

Au fur et à mesure qu'il tournait la bague moletée, mettant au point l'image, il a fait apparaître ces cheveux noirs, ce front bombé, ces traits réguliers qu'il a reconnus d'emblée.

— Klaus Wenticht est là, a-t-il murmuré.

Bouvy a bondi du fauteuil. Puis il a dévisagé Thorenc avec étonnement.

— Il m'a interrogé, en juillet 40. Je voulais franchir la ligne de démarcation, a expliqué Bertrand sans cesser de suivre Wenticht avec les jumelles.

L'officier allemand s'est de nouveau arrêté.

Il n'est plus qu'à une trentaine de mètres de Mercier qui paraît s'impatienter. L'heure du rendez-vous est maintenant passée, et, selon les consignes de la clandestinité, il n'aurait pas dû attendre plus de deux ou trois minutes. Mais il ne semble pas disposé à partir, consultant sa montre, s'avançant vers la chaussée, dévisageant les passants.

— Si Wenticht est là, observe Bouvy, c'est que Mercier est une pièce essentielle dans le jeu de la Gestapo. Il a livré Villars. Wenticht espère, grâce à lui, prendre Max et décapiter les réseaux.

Se tenant sur le côté de la fenêtre, Bouvy soulève le rideau.

— Mais nous le liquiderons avant, n'est-ce pas, Thorenc ?

Wenticht est passé une première fois devant Mercier, tournant à peine la tête dans sa direction, puis, après avoir fait quelques pas, il est revenu vers lui, penchant un peu la tête pour lui parler.

Mercier a hésité, puis a emboîté le pas à Wenticht qui se hâte maintenant vers les quais du Rhône.

L'un après l'autre, les policiers dispersés le long de la rue ont eux aussi commencé à se diriger vers le fleuve.

— Je le ferai, répond Bertrand dans un souffle.

Il va s'allonger sur le canapé et, les mains nouées sous la nuque, il regarde l'ombre envahir peu à peu le ciel.

36.

Thorenc a d'abord vu cette jeune femme en robe de chambre blanche sur le perron de la villa qu'habitait l'homme qu'il était venu tuer.

Elle s'est étirée, levant les bras, se dressant sur la pointe des pieds comme si elle avait voulu saluer le soleil qui commençait à percer, faisant scintiller les gouttes de rosée qui constellaient les pelouses du parc. Puis elle a passé ses doigts dans ses cheveux noirs, les répandant régulièrement sur ses épaules.

Elle s'est alors tournée vers la porte de la villa qu'elle avait laissée ouverte. Ce simple mouvement, faisant virevolter le tissu blanc autour d'elle, a été comme une figure de danse.

Thorenc s'est dit que le corps de cette jeune femme devait ressembler à celui de Lydia Trajani.

À cet instant, Mercier est sorti de la villa.

Il portait le même manteau clair que le jour où Thorenc l'avait épié rue de la Guillotière.

Il s'est arrêté sur le seuil comme si la vision de la jeune femme l'avait surpris, ébloui. Puis il a baissé la tête et posé son visage contre la poitrine de sa compagne, et Thorenc a deviné qu'elle écartait les bords de sa robe de chambre pour qu'il puisse embrasser ses seins nus.

Thorenc a levé le bras, posant le canon de son arme sur son coude gauche replié.

Il sait fort bien qu'il ne va pas tirer. Il est trop loin et n'entend pas risquer de toucher la jeune femme. Mais, à la voir presser de ses mains la tête de Mercier contre sa poitrine, il a éprouvé un sentiment de colère, de mépris et, en même temps, de compassion.

— Il faudrait la tuer aussi, avait dit Bouvy lorsque, quelques jours auparavant, il avait placé sous les yeux de Thorenc la photo de cette femme et la fiche sur laquelle il avait inscrit les renseignements rassemblés sur elle.

Elle s'appelait Sonia Barzine. Elle devait avoir moins de vingt ans. Klaus Wenticht, dont elle avait sans doute été la maîtresse, se servait d'elle comme de rabatteuse.

— Auriez-vous résisté ? avait dit Bouvy en désignant la photo.

On avait vu Sonia Barzine à Vichy, seule dans le restaurant de l'hôtel Albert-Ier où se retrouvaient ces hommes vaniteux qui se donnaient l'illusion de gouverner la France en servant Hitler.

Wenticht avait dû lui demander de séduire Mercier dont tout Vichy savait que, après avoir été l'aide de camp du général Xavier de Peyrière, il avait rompu avec lui et s'était rapproché des milieux de la Résistance. On le disait à présent proche de l'ORA. Il avait même fait le coup de poing contre des policiers de la Gestapo qui filaient d'un peu trop près le commandant Villars.

— C'est une histoire si banale ! avait marmonné Jacques Bouvy. L'officier et la belle espionne... Humain, et donc décevant !

Bouvy l'avait suivie durant plusieurs jours à Lyon. Elle portait des chapeaux extravagants, des capes noires, des robes drapées, des bracelets et des colliers qui faisaient qu'on se retournait sur elle.

— Au lit, on imagine ! avait ajouté Bouvy.

Il avait soupiré :

— Pauvre Mercier...

Puis il avait haussé les épaules :

— Un con ! Les hommes qu'on tient par les couilles sont de pauvres types. Et je suis sûr que Sonia Barzine, les couilles, elle doit...

Thorenc s'était détourné.

Il y avait certes de la complaisance dans l'insistance de Bouvy, mais aussi une manière de le mettre en garde. Comme Pierre Villars, il était persuadé qu'on ne pouvait sans danger mener une action clandestine et conserver des liens affectifs.

Il avait continué, malgré l'indifférence affectée de son compagnon :

— L'amour, le désir, la tendresse et même l'amitié, ça agit comme un acide. Ça ronge tout : la volonté, les convictions ! Wenticht n'a eu qu'à ramasser Mercier. Et sans doute à lui faire croire qu'il lui accordait une certaine marge de manœuvre, ou bien à lui laisser entendre que, s'il ne collaborait pas avec la Gestapo, on allait envoyer la belle Sonia Barzine dans un camp où on la ferait baiser par des chiens ! Oui, ils font ça... Qu'est-ce qu'il vous reste comme issue quand vous vous êtes mis dans ce genre de situation ? S'enfoncer dans l'illusion, profiter de la femme, dépenser pour elle l'argent que Wenticht donne à profusion, et s'ima-

giner qu'on fait de la grande politique ! On livre le commandant Villars, mais sans doute protège-t-on les gens de
l'Organisation de résistance de l'armée ; on joue Giraud
contre de Gaulle, les Américains contre les bolcheviks... Il
est établi que Mercier a effectué plusieurs fois le voyage de
Genève, qu'il y a rencontré John Davies. Vous savez comment on a appris ça ? Parce que les douaniers et les policiers
ont répété partout qu'ils n'avaient jamais vu une femme
comme Sonia Barzine. Et Mercier, qui aurait pu rester là-bas
avec elle, eh bien, il est rentré, ce con ! Parce qu'elle a dû
l'exiger, inventer une histoire quelconque, et lui a cru qu'il
allait changer le cours de la guerre ! Et John Davies l'a sans
doute conforté dans cette idée...

Bouvy avait eu ce rire aigre et sarcastique qui, chaque fois,
blessait Thorenc.

— Vous nous voyez raconter tout cela à nos jeunes gens
du plateau de Dieulevoye, à Gaston et aux fils Ambrosini ?
Leur dire que Klaus Wenticht, l'un des chefs de la Gestapo
de Lyon, a peut-être le même objectif que John Davies, un
agent de l'OSS, et qu'ils veulent l'un et l'autre se débarrasser
de Max en se servant pour cela du même homme ?

Thorenc s'était ostensiblement éloigné de Jacques Bouvy.
Il avait répondu qu'il ne voulait même pas entendre ces
hypothèses absurdes ; qu'en les formulant, Bouvy entrait
dans le jeu de Klaus Wenticht. La Gestapo voulait en effet
semer le trouble et le doute, diviser la Résistance, empêcher
son rassemblement dans le Conseil national que Max mettait
sur pied. Tout ce qui retardait la réunion de ce CNR, tout
ce qui favorisait tel clan, tel courant contre tels autres, devait
être rejeté.

— Ce n'est pas moi qui suis allé en Suisse, avait riposté Bouvy, mais vous, mais Mercier, et quelques autres encore. Vous savez fort bien, Thorenc, que certains acceptent le financement de leur mouvement par Davies. Mais nier que ces gens-là existent, écarter l'idée que Mercier s'imagine faire basculer la Résistance en agissant dans le même sens, c'est être aveugle !

— Je vais le tuer, avait murmuré Thorenc.

Ils avaient repéré la villa où Mercier habitait en compagnie de Sonia Barzine. C'était une grande bâtisse blanche située dans le quartier des théâtres romains, sur une colline dominant Lyon.

Un vaste parc l'entourait, fermé par un muret et une grille que l'on pouvait aisément franchir.

En face du portail se trouvait l'église Saint-Just où Thorenc et Bouvy s'étaient installés, découvrant que la sacristie était inoccupée, le prêtre ne venant que pour l'office dominical.

Ils avaient décidé d'agir seuls, sans avertir Pierre Villars qui aurait, selon Bouvy, tardé à donner son accord, sollicité l'avis des chefs de réseaux, et, qui sait, peut-être même ceux de Max et du BCRA. Cela aurait demandé des semaines et Mercier aurait continué d'agir, de livrer des hommes et des renseignements à Wenticht ; peut-être aussi en aurait-il profité pour filer en Suisse et se placer ainsi sous la protection de John Davies. Pourquoi pas ? Pucheu était bien en Afrique du Nord où il sollicitait le droit de combattre dans l'armée de Giraud ! Quant à Maurice Varenne, il était devenu le plus proche collaborateur de Jean Monnet, l'envoyé de Roosevelt auprès de Giraud !

Il fallait donc exécuter rapidement Mercier.

Thorenc avait craint que la Gestapo n'ait placé auprès de Mercier des gardes du corps ou ne l'ait mis lui-même sous surveillance. Mais, après avoir observé la villa durant cinq jours, ils avaient constaté que Mercier et Sonia Barzine y vivaient seuls, tout en la quittant souvent, comme un couple fortuné.

Ils faisaient penser à des trafiquants du marché noir : Mercier, une écharpe bleue tranchant sur son manteau clair ; Sonia Barzine, une capeline verte dissimulant ses cheveux et la grandissant d'autant plus qu'elle portait des chaussures à très hauts talons et à semelles épaisses.

Leur voiture, une Citroën noire à jantes jaunes, semblable à celles dont disposait la Gestapo — sans doute Wenticht l'avait-il mise à leur disposition —, était garée au bout de l'allée, devant le portail. Il fallait donc tirer sur Mercier avant qu'il n'ait eu le temps d'y monter.

Bouvy avait exigé que la jeune femme fût abattue en même temps que Mercier. Thorenc s'y était refusé. Ils s'étaient d'autant plus violemment opposés sur ce point qu'ils avaient dû, dans la sacristie, parler à voix basse, les dents serrées, presque front contre front, et ç'avait été comme si l'énergie qui ne passait pas par des éclats de voix se concentrait dans les propos rageurs qu'ils avaient échangés.

— Je ne suis pas un tueur ! avait martelé Thorenc.

Jacques Bouvy avait ricané. On le savait ! avait-il répliqué. Thorenc était un affectif. D'ailleurs, le commissaire Dossi pouvait s'en féliciter !

Bertrand avait menacé de ses poings Bouvy qui reprenait ainsi à son compte la thèse de Stephen Luber. Il avait répété qu'il avait appuyé sur la détente, mais que le revolver que lui avait remis Luber s'était enrayé.

— Je ne laisserai pas de témoin, avait dit Bouvy, et je ne tiens pas à me faire abattre par cette femme qui doit mieux tirer que vous !

— Foutez le camp, Bouvy ! avait répondu Thorenc. Je vais agir seul. Le commandant Villars, je le connaissais depuis l'avant-guerre. C'est une affaire personnelle. Je ne manquerai pas Mercier !

Il avait même ajouté que, s'il le fallait, il le tuerait à coups de crosse.

— Vous n'êtes qu'un amateur, Thorenc ! avait lancé Bouvy d'une voix excédée.

Il avait conclu qu'il partageait désormais l'avis de Pierre Villars sur les initiatives du journaliste. Mais peut-être celui-ci était-il tout simplement un suicidaire, qui n'avait pas le courage d'enfoncer le canon de son revolver dans sa bouche et qui cherchait à ce qu'un autre le fasse à sa place ?

— Mercier est sûrement sur ses gardes, avait indiqué Bouvy. Sonia Barzine aussi. Vous m'avez sauvé la vie, Thorenc, quand vous êtes intervenu au mas Barneron ; je ne l'oublie pas.

Il s'était éloigné et s'était mis à parler plus haut, solennellement. Cette opération, avait-il expliqué, devait être menée par deux hommes, l'un s'occupant de Mercier, l'autre de Sonia Barzine. La jeune femme était aussi coupable que Mercier, et peut-être même plus dangereuse. Si on la laissait en vie, elle recommencerait avec un autre. Et elle était aussi capable d'ouvrir le feu.

— Je ne veux pas qu'elle vous tue, Thorenc. Exécutez Mercier, je me charge d'elle.

Thorenc avait secoué la tête et défié son compagnon du regard. Celui-ci avait alors quitté la sacristie en claquant la porte, et le bruit avait longuement résonné dans la nef vide.

37.

À l'instant où il avait sauté le muret et commencé à courir, courbé, à travers le parc de la villa, Thorenc avait pensé qu'il avait eu tort de vouloir agir seul.

Mais, au lieu de revenir sur ses pas, de regagner l'église afin d'y attendre le retour de Jacques Bouvy, il avait couru encore plus vite vers cette haute haie qui se dressait à droite du perron.

Il s'était accroupi, reprenant son souffle, s'assurant qu'il pouvait, à travers le feuillage, voir le portail, l'allée, les marches. Il avait sorti son arme, vérifié qu'il avait engagé une balle dans le canon et que le cran de sûreté était abaissé. Puis il s'était assis par terre.

Le sol était mouillé. Au bout de quelques minutes, le crachin avait imbibé ses vêtements et fini par couler le long de son visage. Il avait eu froid dans cette obscurité que rien ne fissurait.

Il s'était souvenu des propos de Jacques Bouvy.

Peut-être, en effet, était-il suicidaire, peut-être les eaux mortes qu'il avait cru avoir refoulées au fond de lui imprégnaient-elles encore chacune de ses pensées, de ses décisions, chacun de ses actes.

Il avait cherché à comprendre ce qui l'avait poussé à traverser la chaussée au lieu de s'en tenir au plan qu'il avait arrêté avec Bouvy et qui prévoyait qu'ils n'abattraient le traître que le lendemain matin.

Mais il avait aperçu Mercier et Sonia Barzine qui sortaient de la villa. Et il n'avait pas réellement réfléchi. Il avait murmuré :

— C'est maintenant, je dois y aller.

Il avait attendu que les feux arrière de la voiture aient disparu et il avait aussitôt quitté la sacristie, traversé la nef de l'église. Et ce n'est qu'à ce moment-là, alors même qu'il débouchait dans la rue et constatait qu'elle était déserte, noyée sous le crachin, qu'il avait pensé que Mercier et Sonia Barzine avaient dû aller dîner, qu'ils rentreraient sans doute au milieu de la nuit, après une soirée passée dans l'une des boîtes proches de la place Bellecour où se retrouvaient les agents de la Gestapo et les trafiquants du marché noir.

Il s'était persuadé, en s'élançant vers le parc de la villa, que son instinct ne le trompait pas.

Mais, tandis qu'il frissonnait à présent, en faction derrière la haie, il s'était demandé s'il n'avait pas été tout bonnement poussé par l'instinct de mort.

Il était à peine vingt-trois heures. Il avait encore hésité : il avait le temps de retraverser le parc, de courir vers l'église, d'y attendre Bouvy.

Mais il s'était recroquevillé, essuyant de la manche de son imperméable la pluie qui ruisselait sur son front et ses joues.

Il s'était évertué à imaginer ce qu'il devrait faire après avoir tiré sur Mercier.

Il s'était affolé, incapable de reconstituer l'itinéraire de fuite qu'il avait pourtant étudié avec soin en compagnie de Bouvy.

Il avait eu la certitude qu'il ne pourrait sortir de ce parc, qu'il y serait traqué, qu'il n'aurait plus comme issue que de sauter dans le vide.

Mais où était le vide ? En l'occurrence, il n'était pas acculé au bord d'une falaise. Pourtant, il avait la sensation de se trouver en déséquilibre. Il allait basculer dans l'abîme. Il s'était redressé, sentant que sa jambe gauche devenait douloureuse.

Tout à coup, il avait entendu le bruit du moteur. Il avait vu les phares éclairer le portail et dessiner de longues bandes jaunes dans l'allée. Il avait aperçu à travers les grilles la silhouette de Mercier qui poussait le portail, puis remontait à bord de la voiture.

Elle avait roulé lentement dans l'allée, puis s'était arrêtée devant le perron. Sonia Barzine était descendue. Elle riait aux éclats, oscillant sur ses hauts talons.

Thorenc avait calé le canon de son arme sur une branche.

Mais, brusquement, il avait vu sortir par la portière arrière de la voiture un homme qui n'était pas Mercier, qui avait pris Sonia par le bras et avait commencé à gravir avec elle les marches de la villa.

Dans la lumière des phares, Thorenc avait reconnu Klaus Wenticht.

Il avait entendu Mercier dire d'une voix joyeuse qu'il allait les rejoindre, qu'ils n'avaient qu'à commencer à se servir à boire.

C'était Mercier qu'il devait abattre.

Thorenc s'était un peu soulevé, prêt à faire feu, mais, à cet instant précis, l'allée avait été à nouveau éclairée. Une seconde voiture s'avançait vers la villa.

Trois femmes et deux hommes en étaient descendus et s'étaient dirigés, bras dessus bras dessous, vers le perron tout en chantonnant.

Thorenc s'était laissé retomber.

Il avait eu envie de hurler de rage et de peur.

Il avait dû fermer les yeux, le temps d'un long battement de paupières.

Lorsqu'il les avait rouverts, les lumières de la villa éclairaient de larges portions du parc, mais la haie le protégeait.

Il avait entendu les rires des femmes qui, brusquement, couvraient les voix masculines.

Il avait vu la silhouette de Sonia Barzine se découper dans le cadre de la porte.

Elle avait crié plusieurs fois : « Édouard ! Édouard ! », et Thorenc avait réalisé qu'eux-mêmes n'avaient jamais donné à Mercier son prénom, comme s'ils n'avaient pas souhaité mieux le connaître, se contentant de préciser sa fonction, son grade : « lieutenant Mercier », un masque qui s'était déchiré, laissant apparaître cet homme qui livrait ses camarades à l'ennemi, à la torture, à la mort, et qui répondait à présent à Sonia Barzine qu'il arrivait, qu'il allait juste refermer le portail.

Thorenc l'avait suivi des yeux cependant qu'il remontait l'allée presque entièrement éclairée par les lumières du hall.

En quelques enjambées, il s'était rapproché.

Quand Mercier avait posé la main sur le bord du portail, il se tenait à moins d'un mètre de lui.

Il avait vu cette nuque, ces larges épaules.

328

Il entendait un air de java, mais, au bout de quelques secondes, les rires et les voix s'étaient tus, la musique seule envahissant le parc.

Il avait fait un pas. Le gravier avait crissé. Mercier avait commencé à se retourner.

Thorenc avait dit :

— Mercier, vous avez trahi.

Dans le même temps, il avait fait feu, deux fois.

Puis il était resté immobile tandis que s'affaissait devant lui ce corps par-dessus lequel il allait lui falloir sauter pour atteindre la rue.

Il avait entendu des hurlements, s'était élancé, dévalant la pente droit devant lui, se souvenant qu'il aurait dû tourner dans la rue à droite, mais peut-être l'avait-il déjà dépassée ?

Il avait alors pensé qu'il allait s'écraser sur les éboulis, tout au bas de la falaise, là où jaillissaient les eaux mortes redevenues vives…

Cinquième partie

38.

Thorenc a tout à coup l'impression que ses yeux deviennent deux braises incandescentes, rouges puis blanches, qui vont lui calciner les paupières. Il sent au même instant que ce feu se propage, rayonnant à partir de sa nuque, parcourant comme des traînées de lave son dos, ses épaules, ses bras, ses jambes, enflammant son ventre, son sexe. Et, brusquement, réduisant son crâne à un cratère incandescent qui emplit sa gorge et sa bouche de matière en fusion.

Ses yeux éclatent. Il rouvre les paupières pour que la chaleur s'en échappe, que cette pression intolérable qu'il ressent sous sa peau, qui va le déchirer, le fendre, l'éventrer, fuse.

Dans une vapeur épaisse, il discerne trois silhouettes, l'une plus blanche que les autres, qui peu à peu se précisent.

Il devine les traits de ce visage au front bombé, aux cheveux noirs rejetés en arrière, aux traits réguliers, un sourire entrouvrant sa bouche.

Il cherche le nom de cet homme, et, comme s'il craignait de s'en souvenir, il referme les yeux.

On parle en allemand près de lui.

On dit :

— Il s'en va encore…

On répond :

— Recommencez, je veux pouvoir l'interroger.

Thorenc sent qu'on lui fait une piqûre à la base du cou et c'est à nouveau cette sensation de jets de lave qui se répandent sous sa peau.

Tout à coup, il se souvient du corps de Mercier qu'il a enjambé, des cris, du martèlement de sa course dans la rue en pente, et de ces détonations, de cette violente poussée en avant qu'il a ressentie dans l'épaule gauche ; il avait repensé à ce moment-là à sa fuite dans le quartier de la Joliette, à la seconde précise où une balle lui avait déchiré le mollet gauche et où il s'était affaissé.

Il s'était dit : « Maintenant c'est l'épaule, du même côté. » La douleur avait été si intense qu'il avait eu l'impression qu'on lui brisait le bras à hauteur du coude, puis qu'on le lui arrachait.

On avait hurlé plusieurs fois :

— *Halt ! Halt !*

Il y avait eu d'autres détonations.

Une voix toute proche avait commandé de ne plus tirer, disant qu'il fallait le prendre vivant.

Et Thorenc s'était répété : « Je dois mourir. »

Il avait voulu glisser la main dans sa poche pour atteindre la pilule de cyanure.

Il avait ressenti un choc sur le front et avait su qu'il venait de heurter la chaussée. Il avait encore eu le temps de penser : « J'ai tué Mercier. Je dois mourir. »

Les voix au-dessus de lui s'étaient croisées, l'une d'elles disant qu'on allait l'interroger dès cette nuit.

Il rouvre les yeux dans l'espoir que les brûlures vont cesser. Les silhouettes se précisent.

Un homme est penché. Il porte sur son uniforme une blouse blanche entrouverte. Il tient le poignet de Thorenc. Il dit que le pouls est rapide, mais régulier.

Un peu à l'écart, appuyé à une fenêtre grillagée, se tient un autre homme en manteau de cuir noir.

Le troisième tire une chaise près du lit, et Thorenc ne voit d'abord que son profil, son épaule, son flanc. L'homme s'assied, lui fait face, sourit et dit :

— Je suis sûr que vous me reconnaissez, monsieur Bertrand Renaud de Thorenc. Allons…

Il ne faut surtout pas dire un mot.

Il faut garder le regard vague, faire mine de ne pas se souvenir de Klaus Wenticht qui se penche sur lui sans cesser de sourire.

— Vous vous souvenez, Thorenc ? commence l'officier allemand. C'était à Moulins, en juillet 1940. Que d'événements depuis, n'est-ce pas ? Mais je n'ai cessé de me préoccuper de ce que vous faisiez. J'ai souvent pensé que vous étiez fou, Thorenc, que vous agissiez ainsi par désœuvrement. J'ai même, une fois, interrogé votre mère. Elle m'a dit que, depuis votre enfance, vous vous êtes toujours ennuyé, et que c'est pour cela que vous avez couru le monde, que vous n'avez manqué aucune guerre : pour voir, échapper à votre ennui.

Wenticht pose la main sur l'épaule gauche de Thorenc et c'est comme si on lui broyait tout le corps. Il ne peut s'empêcher de geindre, puis, parce que l'Allemand s'est mis à serrer de plus en plus fort, de hurler.

— Quelle idée de tuer Mercier, Thorenc ! Qu'est-ce que vous aviez contre ce brave Édouard ? J'ai souvent parlé de vous avec lui. Il vous estimait. Il pensait que vous faisiez fausse route, mais il m'a toujours demandé de ne pas vous arrêter, parce qu'il pensait qu'au moment décisif, quand il faudrait choisir entre les communistes et la défense de notre civilisation, vous seriez du bon côté. J'étais plus sceptique, mais j'appréciais Mercier, et, après tout, vous n'étiez pas la cible la plus importante. Mais qu'est-ce qui vous a pris ? Que les FTP communistes pratiquent ce genre d'action, soit : ce sont des bandits, des assassins, mais vous, Thorenc !

Il serre à nouveau l'épaule blessée. Thorenc hurle, ferme les yeux, mais la chaleur est trop vive ; il les rouvre.

— Il va falloir nous expliquer tout ça, Thorenc, reprend Wenticht.

Thorenc voit l'Allemand se lever, marcher autour du lit, rejeter les pans de son imperméable, enfoncer les mains dans les poches de sa veste.

— Nous savons déjà presque tout, dit-il. C'est ce qui a d'ailleurs convaincu Mercier de travailler avec nous. Quand il a vu le tableau que nous avons dressé des différents réseaux, de leurs liaisons, quand je lui ai donné la liste des principaux responsables, et même, pour certains, la date de leur nomination, la fréquence et la durée de leurs séjours à Londres, il a été stupéfait, tout comme vous le serez, Thorenc. Il ne nous manque que quelques détails, et nous avons aussi besoin de différentes confirmations. Mais il y a beaucoup de choses que vous ignorez et que nous connaissons. Parce que vous autres, Français, vous êtes aussi bavards que vous êtes douillets. Et puis…

Wenticht s'assied, effleure de la main l'épaule de Thorenc, et cela suffit pour que la douleur revienne, plus aiguë.

— Vous vous détestez tant entre vous que vous livrez ceux que vous n'aimez pas. Si j'interroge un communiste, il me dira tout ce qu'il sait des partisans de Giraud, de l'ORA. Dix fois on m'a donné le nom de Mercier, le vôtre, Thorenc, celui de Bouvy. Je ne vais pas continuer. Et le jour où j'arrête Mercier, ceux qu'il me livre d'abord, ce sont les communistes, ou les résistants qu'il soupçonne de les favoriser. Mercier n'aimait pas de Gaulle et il détestait le commandant Villars. Nous aussi, vous l'imaginez bien. Mais...

Wenticht allume une cigarette. Il en approche le bout rougeoyant de l'œil de Thorenc, puis se met à fumer, la tête penchée en avant.

— Mais, reprend-il, Mercier a été incapable de me livrer les hommes qui nous intéressent le plus : Pierre Villars, et surtout... — il écarte les mains — vous devinez qui ? Max, bien sûr, celui que vous appelez aussi Rex. Nous n'ignorons plus rien de lui, de la carrière du préfet Jean Moulin, de son visage, de sa ligne politique. Il est intelligent, courageux, coriace, mais il a rassemblé sur sa tête tant de haines, il a tant de rivaux que, voyez-vous, Thorenc, je pense que nous l'aurons. Quelqu'un nous dira : « Il est là, prenez-le, débarrassez-nous-en ! »

Wenticht incline sa chaise, empoigne l'épaule de Thorenc. Celui-ci hurle. L'Allemand le relâche et poursuit :

— En définitive, nous sommes bien utiles, Thorenc. On se sert de nous pour régler ses comptes. Les femmes qui ont un amant dénoncent leur mari : comment voulez-vous que nous ne répondions pas à leur attente ? Elles nous disent tout : qu'il est résistant, qu'il cache des armes, etc. Elles sont si heureuses quand nous arrivons… Mais, plus sérieusement, il y a tous ceux qui ne veulent pas de De Gaulle ni de son représentant en France. Ils apprécient le général Giraud. Ils sont soutenus par John Davies, les services américains de Berne et de Genève. Nous suivons ça de très près, Thorenc. Nous avons appris que vous aviez rencontré Davies et Irving à Genève.

Il a fouillé dans sa poche, sorti quatre feuillets agrafés ensemble.

— C'est le dernier message de Moulin à Londres. Le grand Rex se sent traqué. Écoutez, Thorenc, ce qu'il écrit : « Je suis recherché maintenant tout à la fois par Vichy et la Gestapo qui, en partie grâce aux méthodes de certains éléments des mouvements — vous entendez, Thorenc, il est lucide, votre Max ! —, n'ignore rien de mon identité et de mes activités. Ma tâche devient donc de plus en plus délicate alors que les difficultés ne cessent d'augmenter. Je suis bien décidé à tenir le plus longtemps possible, mais, si je venais à disparaître, je n'aurais pas eu le temps matériel de mettre au courant mes successeurs. »

Douleur dans l'épaule et le bras que Wenticht effleure, puis serre. Brûlure dans les yeux. Tête qui se fend par le milieu ou qu'on écrase. Thorenc geint. La souffrance qu'il ressent à écouter Wenticht avive celle qui lui ronge le corps, lui brise la tête, émiette ses pensées.

Wenticht semble en effet presque tout savoir de l'organisation de la Résistance, de ses forces et de ses divisions. Il raconte comment des chefs de réseaux se plaignent auprès des Américains, à Berne, de la « domination du Comité national français — de la France combattante, donc de De Gaulle — et de ses tentatives pour désigner des individus qui doivent diriger les mouvements de Résistance en France ». Ils remettent en cause l'autorité de Jean Moulin tout en prétendant se rassembler derrière de Gaulle, mais en contestant ses directives et l'homme qui le représente.

Wenticht avance à nouveau la main et la place juste au-dessus de l'épaule de Thorenc.

— Chaque fois que je pense à vous, dit-il, que je relève vos traces, je me souviens que vous avez interviewé notre Führer, avant guerre. Vous connaissez la politique, Thorenc, et depuis longtemps. Vous voyez bien ce qui est en train de se jouer ? C'est le sens de la guerre et de l'après-guerre. Il ne s'agit plus seulement de nous, Français, Allemands, mais de savoir qui souhaite ouvrir à deux battants la porte de l'Europe aux communistes. Je ne veux pas croire que vous, Bertrand Renaud de Thorenc, vous y soyez décidé. Et je tiens à vous dire...

Il se penche sur le prisonnier :

— Il y a de nombreux résistants — je pourrais vous citer leurs noms — qui n'acceptent pas la politique gaulliste consistant à favoriser les communistes pour prendre le pouvoir grâce à leur appui. Ce sont des patriotes, nos adversaires, mais nous nous comprenons. Ce que je vous demande, Thorenc...

Il approche son doigt tendu du pansement qui enveloppe l'épaule de Thorenc.

— Il faut nous aider à prendre Max. Bien sûr, nous pouvons y réussir sans vous, quelqu'un d'autre nous aidera, j'en suis sûr. Mais chacun doit mettre tous les atouts dans son jeu, et vous êtes une très bonne carte, Thorenc, n'est-ce pas ?

Wenticht enfonce tout à coup son index dans l'épaule de Thorenc qui hurle une nouvelle fois.

— Je veux les adresses, ordonne l'Allemand, toutes les adresses où nous pouvons trouver Max, les lieux où se tiennent les réunions auxquelles il peut assister. Vous les connaissez, j'en suis sûr. Il me les faut, Thorenc ! Vite, car les choses ne vont pas manquer de s'accélérer. De Gaulle a besoin que toute la Résistance apparaisse rassemblée derrière lui. Moulin va donc multiplier les consultations, essayer de tenir la première assemblée de ce Conseil national de la Résistance qu'il s'efforce de mettre sur pied. Il va convoquer plusieurs personnes. Certaines, bien sûr, refuseront d'y participer. Vous savez ce que dit l'un des responsables de réseau ? Que ce Conseil national n'est qu'une farce ! Une supercherie politique que montent de Gaulle et Moulin pour impressionner les Américains, leur faire croire que le premier est le chef incontesté de l'ensemble de la Résistance !

Wenticht se penche derechef sur Bertrand :

— Je veux toutes les adresses que vous connaissez, que ce soit à Lyon, à Paris ou ailleurs. Je veux que vous me disiez tout ce que vous savez sur Moulin et Pierre Villars !

Il se lève et, d'une voix sèche, cinglante :

— Je veux que vous me parliez pendant des heures, Thorenc !

Wenticht arpente la chambre.

— Vous n'avez pas le choix, Thorenc. Si vous vous taisez, vous allez vraiment souffrir. Et pourquoi ? Pour rien ! De toutes les façons, nous aurons Jean Moulin. Je vous ai lu son message. Il en est lui-même persuadé. Nous savons qu'il a dit qu'il était un mort en sursis depuis le 17 juin 1940. Comprenez-nous, Thorenc : nous nous battons contre les bolcheviks. Nous ne pouvons laisser sur nos arrières des gens qui, ici, à l'ouest, nous harcèlent et sont les alliés des Russes. Il nous faut nettoyer, nettoyer ! C'est aussi l'intérêt de la France. Je ne vous demande pas de nous aimer, Thorenc, mais de faire montre d'un peu de bon sens en songeant à vous et à l'avenir de votre pays.

Wenticht chuchote quelques mots à l'homme en blouse blanche.

— Vous n'êtes pas en état de parler, paraît-il, mon cher ami. On va donc vous soigner et vous retaper pendant quarante-huit heures.

L'Allemand se frotte les mains :

— Nous sommes beaucoup plus humains qu'on ne dit, Thorenc. Ces deux jours vous donneront le temps de réfléchir. Vous serez ainsi prêt à répondre à toutes mes questions. Si, par contre, vous persistez à vous taire, vous aurez choisi en connaissance de cause.

Il s'approche et assène un violent coup de poing dans l'épaule de Bertrand.

Les silhouettes s'effacent.

Thorenc pense qu'il sombre dans un de ces lacs noirs, immobiles et profonds, emprisonnés dans l'épaisseur du plateau.

39.

Il a l'impression que son bras droit va être arraché de son épaule, puis que son corps va retomber et qu'il verra sa main agrippée au sommet du portail qu'il se doit de franchir.

Il plaque ses cuisses, son sexe, sa poitrine, ses lèvres aux barreaux pour ne faire qu'un avec ce portail, se hisser par mouvements de reptation malgré son bras gauche paralysé, ces élancements fulgurants dans l'épaule, cette douleur que le pansement serré ne contient pas mais, au contraire, fait exploser.

S'il disposait de ses deux bras, il pourrait, par une simple traction, passer le portail et se retrouver dans la ruelle qui borde l'hôpital allemand de la Croix-Rousse.

C'est là, dans le quartier cellulaire de l'hôpital, qu'on l'a conduit en fin d'après-midi après l'avoir laissé sous la garde d'une sentinelle dans l'un des bureaux de l'École de santé militaire.

Il n'a plus revu Klaus Wenticht, mais il a entendu sa voix résonner dans les couloirs, s'emporter parce que le prisonnier n'avait pas encore été transféré à l'hôpital :

— Je veux qu'on le soigne, qu'on me le remette d'aplomb !

On l'avait enfin porté jusqu'à une ambulance.

Il n'avait pas ouvert les yeux. Il avait essayé de paraître inerte, évanoui, ballant d'un bord à l'autre du brancard, imaginant, à l'instant où on l'avait introduit dans le véhicule, qu'il pourrait peut-être en bondir.

Mais, regardant à travers ses cils, il avait pu constater que deux soldats se tenaient de part et d'autre du brancard ; après avoir refermé les portes, ils s'étaient assis sur une civière, jetant de temps à autre un coup d'œil à Thorenc.

Puis, constatant que celui-ci paraissait dormir, ils avaient commencé à parler, évoquant cette 23ᵉ division qu'on avait composée avec des hommes pris en France dans chaque service de la Wehrmacht, et qui était partie pour le front de l'est.

— On a fusillé hier un gamin de dix-neuf ans, avait déclaré à mi-voix le plus âgé qui avait ôté son casque. Ce petit con s'était tiré une balle dans la main.

L'autre soldat s'était contenté de hocher la tête.

Puis ils avaient parlé de leurs femmes, de ces salopards de Français qui avaient pris, dans les fermes, la place des paysans mobilisés. Eux, les Allemands, faisaient la guerre, et ces prisonniers français qui n'avaient même pas su se battre, qui avaient tout de suite levé les bras, se comportaient sûrement là-bas comme des coqs de village.

Les deux soldats avaient d'un même mouvement tourné les yeux vers Thorenc, s'interrogeant sur ce qu'avait pu faire celui-là.

— Terroriste, assassin, avait marmonné le plus âgé.

Dans la cour de l'hôpital, tout en le portant, ils avaient sciemment secoué le brancard, et Thorenc n'avait pu s'empêcher de geindre.

344

Un infirmier les avait guidés jusqu'à une chambre que gardait une sentinelle. Ils l'avaient fait rouler sur le lit. Thorenc avait à nouveau crié. L'infirmier les avait insultés, puis avait entrepris de défaire le pansement du blessé et de désinfecter sa plaie.

C'est lui qui avait serré si fort les bandes que Thorenc avait eu l'impression que son bras gonflait, comme si le sang ne parvenait plus à y circuler.

On avait refermé la porte de la chambre. Il avait entendu les rires de la sentinelle qui devait plaisanter avec des infirmières.

Il s'était aussitôt levé, malgré le poids insupportable qui paraissait accroché à son épaule gauche.

Il avait marché jusqu'à la fenêtre, bloquée par un cadenas. Il avait aperçu les toits de bâtiments bas, peut-être des garages, situés à environ deux mètres au-dessous. Au-delà, il avait découvert dans la nuit tombante une petite cour fermée par un portail qui donnait sur une ruelle.

C'était pour maintenant. C'était pour cette nuit-là.

Wenticht ne lui laisserait que le choix entre la trahison et la mort. Il fallait donc fuir en prenant le risque d'être abattu par un gardien, ou bien vivre encore quelques heures et attendre passivement que Wenticht choisisse le moment de le tuer.

Il avait guetté les bruits, attendu, couché, que l'infirmier repasse, lui touche le front, puis quitte la chambre.

Aussitôt, il avait essayé de forcer le cadenas, et, au bout de quelques minutes seulement, avait réussi.

345

Il en avait été si surpris qu'il était resté saisi, se demandant si on n'avait pas voulu faciliter sa fuite, peut-être pour le suivre afin qu'il conduisc la Gestapo à l'un de ces lieux qu'elle ne connaissait pas encore et qu'elle pourrait transformer en souricière.

Mais il n'a plus voulu réfléchir. Il a enjambé la fenêtre. Il a eu l'impression qu'il allait tomber la tête la première, mais il a sauté sur les toits plats des garages. Le choc a été si rude qu'il est resté étourdi ; sa blessure s'était sûrement rouverte.

Il s'est immobilisé sur la toile goudronnée qui recouvre les toits. Puis il a rampé et bondi dans la cour, courant jusqu'au portail, s'y accrochant de la main droite, s'y hissant.

Pourquoi son corps est-il si lourd ?

Passer ou mourir, ou, pis encore, trahir s'il ne peut résister à la torture. Car Wenticht frappera de nouveau son épaule blessée.

Thorenc se souvient des visages tuméfiés de Minaudi et de Claire Rethel.

Il atteint le haut du portail. La barre de fer cisaille son ventre. Il l'enjambe. Elle écrase son sexe. Il bascule et se retrouve affalé sur le sol de la ruelle. Et, tout à coup, c'est la pluie qui l'inonde, le fait frissonner, le fouette.

Debout, debout !

Il faut maintenant courir en rasant les façades, en s'éloignant le plus vite possible de l'hôpital allemand, ne traversant les carrefours qu'après s'être assuré qu'aucune patrouille, aucune voiture, aucune ronde de police n'approche.

Il pense à tous ceux qui déjà l'ont aidé, recueilli, à ces Français qui ont risqué leur vie en lui ouvrant leur porte : le docteur Morlaix, le policier de Marseille, l'abbé Vivien et sa mère, la vieille madame Laure Vivien.

Plusieurs fois, au bord de l'épuisement, il a la tentation de s'engouffrer dans un immeuble et de frapper à une porte, au petit bonheur.

Il entend un bruit de moteur, s'enfonce sous un porche.

Dès qu'il s'arrête, la douleur devient insoutenable, comme si tout le flanc gauche de son corps n'était qu'une plaie rougeâtre au centre de laquelle bat son cœur.

La voiture passe, disparaît.

Il parcourt des ruelles, contourne des places. Tout à coup, devant lui, cette longue percée rectiligne : la rue du Plâtre.

Elle est déserte, battue par l'averse.

Thorenc court, glisse, se redresse.

Il reconnaît cette façade obscure.

Il pénètre dans l'immeuble, s'accroche à la rampe pour ne pas s'écrouler dans l'escalier.

Il frappe à la porte, plusieurs fois, à petits coups espacés.

Si Catherine Peyrolles n'ouvre pas, il va mourir.

Il sent qu'il s'affaisse. Il s'appuie au battant.

Il murmure plusieurs fois :

— C'est moi… c'est moi…

Il a l'impression que la porte cède, qu'une haute paroi s'effondre et que les eaux mortes jaillissent de lui comme un torrent fonçant vers l'air libre.

40.

Couché, les yeux fermés, Bertrand a effleuré de sa main droite le drap lisse.

Il a tâtonné, reconnaissant le grain d'un tissu, la chaleur d'une couverture, et il est sorti peu à peu du sommeil, de ce rêve où il s'était imaginé allongé au bord d'un courant d'eau fraîche et claire dont il lui semble encore entendre le murmure.

Il s'est redressé comme pour s'arracher à ce mirage ; la douleur dans son épaule gauche a été si vive qu'il s'est cambré, son corps plié par la souffrance à hauteur des reins.

Il a réussi à étouffer un cri, mais, dès qu'il a ouvert les yeux, il a d'abord vu ces raies obliques, sur le mur, et cru au premier regard qu'il s'agissait de barreaux fermant une fenêtre.

Il s'est dit : « Ils m'ont repris. Ils vont me fusiller. » Puis, tournant un peu la tête, il a découvert le volet qui sectionnait la lumière en bandes blanches striant les cloisons et le parquet de la chambre. Il a reconnu l'armoire, la table basse, l'abat-jour.

Il était donc couché dans la chambre située au bout du couloir de l'appartement de Catherine Peyrolles. Il a aussitôt reconstitué sa fuite par les rues de la Croix-Rousse, et il s'est reproché de s'être réfugié ici, chez Catherine. Si on l'avait suivi, c'était comme s'il l'avait dénoncée.

Il aurait été tout aussi coupable que cet Édouard Mercier qu'il avait abattu.

Assassiné.

Il s'est levé. Il porte un pyjama qu'il ne connaît pas. Sans doute a-t-il appartenu à Paul Peyrolles. Il s'appuie au battant de la porte.

Catherine Peyrolles étant enceinte, Wenticht laissera peut-être naître l'enfant pour le martyriser ensuite sous les yeux de sa mère ?

Il se sent entraîné par le désespoir, l'accablement, un sentiment de défaite et d'impuissance.

Pourquoi l'a-t-on seulement blessé ? Pourquoi la balle n'a-t-elle pas fait exploser sa tête alors qu'il courait dans ces rues en pente du quartier des théâtres romains et qu'il entendait les cris des femmes, ces voix qui hurlaient *« Halt ! Halt ! »* ?

Il reste plusieurs secondes l'oreille collée à la porte. Il reconnaît les voix de Pierre Villars et de Jacques Bouvy.

S'ils se trouvent chez Catherine, c'est qu'ils sont persuadés qu'il n'a pas été suivi, que l'adresse est sûre.

Il ouvre la porte. Il s'avance dans le couloir et l'entrée, prenant appui sur les meubles, la cloison.

Il écoute.

Villars déclare que les chefs de Combat — Henri Frenay, notamment — reprochent à Moulin ce qu'ils appellent sa « méconnaissance du travail réel » accompli par les hommes des mouvements. Ils l'accusent de vouloir « fonctionnariser la Résistance ».

Il y a un silence. Peut-être Pierre Villars cherche-t-il dans ses papiers le document dont il souhaite donner lecture.

— Voilà le point essentiel, dit-il. Frenay écrit ceci à Moulin : « Vous semblez méconnaître ce que nous sommes vraiment, c'est-à-dire une force militaire et une expression politique révolutionnaire. Si, sur le premier point, et avec les réserves que j'ai faites, nous nous considérons aux ordres du général de Gaulle, sur le second, nous conservons toute notre indépendance. Nous nous considérons un peu, si vous le voulez, comme un parti qui soutient un gouvernement, mais n'est pas pour autant aux ordres de ce dernier. »

Thorenc a laissé retomber sa tête sur sa poitrine.

Tout à coup, il a le sentiment de l'inutilité de ce qu'il vient de faire — tuer une nouvelle fois un homme —, et de la folie que représentent ces arguties, ces contestations ? Qu'elles surgissent une fois la Libération intervenue, mais, alors que Wenticht connaît presque tous les rouages et les responsables de la Résistance, qu'il frappe à coups redoublés, arrêtant, torturant, forçant les uns ou les autres à trahir, est-ce l'heure de remettre Moulin en cause ?

Thorenc se remémore l'assurance et l'arrogance de Wenticht, la certitude qu'il a exprimée de capturer un jour prochain Jean Moulin.

Au fur et à mesure que les propos de l'officier allemand lui reviennent, il a l'impression que la douleur de son épaule se répand dans tout son corps.

Il se sent d'autant plus vulnérable qu'il a désormais la conviction que Moulin est traqué, le pressentiment qu'il ne réussira pas à échapper à ceux qui le pourchassent, qui veulent sa peau, et peut-être, comme Wenticht l'a dit, ceux-ci ne sont-ils pas tous membres de la Gestapo. Quel nouveau traître va prendre la place d'Édouard Mercier ?

Au moment d'ouvrir la porte, Thorenc entend Pierre Villars qui, à voix basse, mais en détachant chaque mot, est sans doute en train de dicter à Catherine Peyrolles les termes d'une lettre de Moulin à de Gaulle, constituant sa propre réponse aux arguments de Frenay :

« De quoi s'agit-il en dehors de la libération du territoire ? Il s'agit, pour vous, de prendre le pouvoir contre les Allemands, contre Vichy, contre Giraud, et peut-être contre les Alliés. Dans ces conditions, ceux qu'on appelle très justement les gaullistes ne doivent avoir, et n'ont en fait, qu'un chef politique : c'est vous. »

Thorenc reconnaît alors la voix de Jacques Bouvy qui répète :

— Mais qu'est-ce qu'ils imaginent : qu'on en est déjà à se partager le pouvoir ? On se bat, ils le savent, puisqu'ils sont comme nous dans la merde. Alors, qu'est-ce qu'ils veulent ? Qu'est-ce qu'ils craignent ? Qu'on leur prenne les places auxquelles ils ont droit ? Qu'ils se les foutent où je pense !

— Il ne faut pas être naïf, répond Pierre Villars. L'après-guerre se joue dès maintenant, et nous le savons tous ! Chacun prend ses marques. Seulement nous, nous pensons qu'on ne peut rien obtenir pour la France si nous ne sommes pas rassemblés derrière de Gaulle en le reconnaissant pour chef. Et de cela ils ne veulent pas, ou seulement du bout des lèvres...

Alors qu'il tourne la poignée de la porte, Thorenc a encore le temps d'entendre Villars évoquer ces éditions régionales du journal *Combat* où la manchette acceptée depuis plusieurs mois par les publications clandestines — « Un seul chef, de Gaulle ! Un seul combat, pour la Libération ! » — a été remplacée par une autre formule : « Un seul combat : pour la patrie ! »

— Voilà où ils en sont ! s'est exclamé Jacques Bouvy.

Il a d'abord vu Catherine Peyrolles qui s'est mise à balbutier en l'apercevant, sans qu'il perçoive un seul mot échappé de ses lèvres.

Elle s'est levée. Il se rend compte avec surprise qu'elle est déjà grosse. Elle porte une ample blouse blanche dont les pans débordent sur sa jupe et couvrent son ventre. Même son visage est plus rond.

Il faut qu'elle quitte Lyon sur-le-champ ! pense-t-il.

Pierre Villars et Jacques Bouvy se sont levés à leur tour.

Catherine l'a dévisagé d'un regard anxieux, mais c'est lui qui dit en s'asseyant :

— Comment ça va ?

— Bien, très bien ! répond Pierre Villars d'une voix un peu trop enthousiaste.

— Les traîtres sont exécutés et les héros s'évadent ! s'esclaffe Bouvy.

Il s'est approché de Thorenc, s'est penché pour lui entourer d'un bras les épaules.

— Je suis arrivé peu après devant la villa de Mercier. J'ai tout de suite compris quand j'ai vu Sonia Barzine, entourée de deux ou trois putains, qui gesticulait dans le parc. Les voitures de la Gestapo étaient déjà reparties. J'ai interrogé les voisins. Un seul m'a parlé. J'ai su que vous aviez été blessé.

Bouvy s'écarte de Bertrand.

Villars et lui étaient décidés, explique-t-il, à monter une opération pour tenter de le libérer.

— On ne vous aurait pas laissé tomber.

— Comment ça va ? demande à nouveau Thorenc.

Il ne s'est passé que quelques jours, mais il lui semble que des mois se sont écoulés. Il est vrai qu'il n'a plus pris connaissance des rapports d'ensemble depuis plusieurs semaines.

— L'union est faite, expose Pierre Villars sur le même ton enthousiaste, mais sans plus regarder Thorenc. Le Conseil national de la Résistance a été officiellement constitué. Il a déjà exprimé son entier soutien à de Gaulle. Il doit encore tenir sa première réunion, mais la simple annonce de sa naissance a déjà changé la donne à Alger. Toute la Résistance appuyant de Gaulle, les Américains vont devoir s'incliner et accepter qu'il incarne le pouvoir politique légitime. On fera de Giraud le chef militaire. Ça va bien, très bien ! conclut Pierre Villars en lançant un coup d'œil à Bouvy.

— On ne peut mieux ! marmonne ce dernier.

Puis, comme s'il voulait effacer l'impression que le ton ironique qu'il a employé avait pu donner, il énumère, tout en marchant à travers le bureau, les actions de plus en plus nombreuses entreprises par les groupes francs, les FTPF, les cheminots, les maquisards...

— De Gaulle a dit : « Le principe de la nécessité des actions immédiates est admis. » Personne n'a eu besoin qu'on le répète. En Haute-Vienne, les maquisards, qui ont à leur tête un instituteur, Louis Guingoin, attaquent à la grenade les véhicules allemands. Mais ça explose partout ! On ne peut plus tenir les gars. On ne sait plus que faire des réfractaires.

Il secoue la tête.

— Sur le plateau de Dieulevoye, ils sont maintenant près de cent, et on ne dispose d'armes que pour une trentaine d'entre eux... Mais tout va bien : il suffit que le débarquement ne tarde pas trop...

Thorenc écoute, la main droite posée sur son épaule blessée, comme s'il essayait d'empêcher la douleur de se répandre.

Bouvy évoque encore le plan Sabotage-fer, mis en œuvre par Philippe Villars et René Hardy et qui a réussi, en plusieurs points, à immobiliser des trains chargés de troupes pour permettre à l'aviation alliée, alertée, de les bombarder.

— Avec le Conseil national de la Résistance..., reprend Pierre Villars.

Thorenc lève la main et marmonne lugubrement :

— Je crois que la Gestapo sait tout.

Il rapporte les propos de Wenticht. Peut-être certains des résistants arrêtés trahissaient-ils quand ils découvraient que la Gestapo disposait d'informations si précises qu'il leur paraissait vain de se taire et de souffrir sous la torture.

— Trop facile ! proteste Bouvy avec mépris.

Tête baissée, Bertrand répond qu'il a fui, malgré les risques, pour éviter peut-être, quelques heures plus tard, d'adopter une telle attitude. Est-ce qu'on sait comment on va réagir quand un Allemand vous mettra sous les yeux la liste complète des noms, des lieux, le calendrier précis des réunions, la fréquence des voyages à Londres... ?

— Peut-être Mercier a-t-il parlé à cause de cela ? conclut-il.

— Ça ne change rien, réplique Villars. Même si nous sommes tous pris les uns après les autres, nous avons tous ensemble, malgré nos faiblesses et nos divisions, lancé la machine. Personne, ni les Allemands, ni les Alliés s'ils le voulaient, ne pourrait l'arrêter, pas même de Gaulle !

Il répète, pensif :

— Pas même de Gaulle ! Ça nous dépasse tous. C'est comme si la phrase la plus forte, la plus extraordinaire que celui-ci ait prononcée, le 18 juin 1940 — « La flamme de la Résistance française ne doit pas s'éteindre et ne s'éteindra pas... » —, était entrée dans chaque tête. L'incendie a pris, chaque Français brûle ou va s'enflammer. Wenticht peut utiliser tous les traîtres qu'il veut, il peut arrêter, torturer, c'est trop tard ! Le CNR existe et, surtout, le vent souffle sur l'incendie. Les Allemands ont capitulé à Tunis comme à Stalingrad, et il n'est pas une ville du Reich qui ne soit bombardée...

— Plus de quatre cents morts à Boulogne-Billancourt, autant à Rouen, au Havre, et même à Clermont-Ferrand, conteste Bouvy, interrompant Villars.

— Les Français ne changeront pas d'avis pour autant ! riposte Villars. Quand ils entendent Laval dire que l'armée allemande ne sera pas battue, que l'Europe est invincible sur le plan militaire, ou que le mur de l'Atlantique complète Vauban, quand Pétain déclare qu'il sera toujours là, quels que soient les événements, ou bien qu'il exalte la Milice en disant : « Miliciens et légionnaires, aidez-moi à montrer le vrai visage de la France ! » — ces mots-là ne touchent plus personne. Les Français sont passés du désespoir à l'espérance, et Allemands et collabos n'y peuvent plus rien !

— Ils peuvent encore nous faire souffrir, a murmuré Catherine Peyrolles.

Elle a posé les deux mains sur son ventre et elle fixe Thorenc.

— Il faut quitter Lyon, cet appartement, lance ce dernier en s'étonnant lui-même de l'énergie et de la violence avec lesquelles il a parlé.

Catherine sourit, répond d'une voix hésitante, que Bertrand lui découvre, qu'elle songe de plus en plus souvent à partir accoucher chez elle, en Corse. Peut-être l'enfant naîtra-t-il dans une île qui sera entre-temps redevenue libre ?

— Pourquoi pas ? s'exclame Pierre Villars. Lyon n'est plus sûr pour personne.

Il se tourne vers Thorenc et lui tend une feuille arrachée à un carnet, sur laquelle on a griffonné au crayon quelques lignes.

Thorenc parcourt rapidement ces quelques mots signés de Moulin :

« Tous mes compliments pour votre cran et votre présence d'esprit ! Vous avez bien mérité de l'équipe. Malheureusement, je suis obligé, pour votre sécurité d'abord, pour celle de vos camarades ensuite, de vous demander de rentrer au bercail... Encore bravo, et bien affectueusement. Max. »

— Le bercail..., répète Thorenc.

— Londres ou Alger, propose laconiquement Villars.

Thorenc secoue la tête.

Pierre Villars soupire, le visage tout à coup empreint de lassitude. Si même les plus proches compagnons de Max refusent d'exécuter ses ordres, comment imaginer que ceux qui ne partagent pas ses analyses lui obéissent ? s'insurge-t-il.

— Je ne peux pas, murmure Thorenc.

Il regarde longuement Catherine Peyrolles. Il souhaite lui faire comprendre, sans qu'il ait à prononcer un mot, qu'il y a trop de morts couchés sous cette terre-ci pour qu'il l'abandonne.

Il commence à réciter — et il lit l'étonnement dans les yeux de Pierre Villars et de Jacques Bouvy — ces vers de Jean Cayrol :

> « *J'appartiens au silence*
> *à l'ombre de ma voix*
> *aux murs nus de la Foi*
> *au pain dur de la France...* »

41.

Thorenc regarde les tourbillons de poussière que le vent pousse d'un bout à l'autre de l'aire.

À l'angle de l'un des bâtiments de la ferme Ambrosini, des draps claquent comme des pavillons hissés en proue. Assis à califourchon sur sa chaise devant la fenêtre ouverte, il ne peut les quitter des yeux, comme s'il attendait de les voir s'envoler, taches blanches sur l'horizon bleu, grands oiseaux enfin libres.

Il cale son menton sur le dossier de la chaise contre lequel il a appuyé sa poitrine. Son bras et son épaule gauches sont toujours douloureux. Il les laisse pendre, et ses doigts effleurent le carrelage de cette pièce où Julia Ambrosini ronchonne que Bertrand doit manger, qu'il ne peut pas rester comme ça, le ventre creux, qu'il devrait avoir honte de ne pas réagir, de se laisser abattre, un homme comme lui, c'est-y possible ?

Elle s'approche, place sur le rebord de la fenêtre un gros bol de terre cuite empli de haricots blancs. Elle attend. Il ne peut pas lever le bras. Il se sent lourd, empêtré, inquiet. Cette odeur de graisse, ce rouge de la sauce tomate dans laquelle les haricots sont comme englués, lui donnent envie de vomir.

Il y a deux jours, en arrivant à la ferme Ambrosini, en voyant Gaston et ses fils courbés sur la terre ocre du champ d'épeautre, levant à tour de rôle leur pioche, si bien que le choc de l'acier contre les mottes évoquait un roulement continu, il avait cru qu'il allait s'arracher à l'angoisse, comme si le mistral avait pu le soulever de terre, l'en extirper.

Il avait serré Julia Ambrosini contre lui, mais, dès cet instant, au lieu d'être rassuré, il avait eu envie de pleurer. Il s'était raidi. Il s'était reproché cette sensiblerie inacceptable. Qu'étaient devenus le cran, la détermination qu'avait vantés Max dans sa brève missive ?

Il avait été d'autant plus ému que Julia Ambrosini avait paru deviner ce qu'il éprouvait, qu'elle l'avait traité comme un fils malade, le précédant dans sa chambre, lui ouvrant le lit, quittant la pièce à regret, secouant la tête, puis revenant sur ses pas, le prenant contre elle, murmurant qu'il devait essayer d'oublier ce qu'il venait de vivre — elle ne voulait pas qu'il le lui raconte, mais il suffisait de le regarder pour savoir que ç'avait été une terrible épreuve.

Thorenc s'était allongé sans même avoir le courage de se déshabiller. L'épreuve, comme avait dit Julia Ambrosini, ce n'avait pas été d'abattre Édouard Mercier. Il avait même constaté avec effroi que ce meurtre, cet assassinat — il se complaisait à employer ces mots même si tous, autour de lui, avaient préféré parler d'exécution, de châtiment infligé à un traître — ne l'obsédait pas.

Oublié, Mercier ! Oubliée même, l'évasion de l'hôpital allemand de la Croix-Rousse !

Ce qui le hantait, c'était ce coup de sonnette qui avait retenti dans l'appartement de Catherine Peyrolles au moment précis où Pierre Villars s'apprêtait à le quitter.

Catherine avait, en marchant sur la pointe des pieds, guidé Villars jusqu'à la salle de bains où il s'était enfermé.

Bouvy était resté dans le bureau, mais avait sorti son revolver et s'était placé derrière la porte de manière à rester invisible si on venait à la pousser.

Thorenc était retourné dans la chambre, prenant lui aussi son arme.

On avait sonné une seconde fois et Catherine Peyrolles était allée ouvrir.

Il n'y avait pas eu, comme Thorenc l'avait craint, d'irruption violente et fracassante de policiers allemands brandissant leur revolver, se répandant dans l'appartement en hurlant, mais un chuchotement qui avait duré plusieurs minutes.

Puis Catherine avait refermé la porte. Mais elle avait, d'un signe, demandé à Thorenc de ne pas quitter sa chambre.

Enfin, elle était retournée dans son bureau où Villars et Thorenc l'avaient rejointe. Bouvy se tenait sur le côté de la fenêtre, caché par les rideaux, scrutant la rue.

Il s'était retourné, faisant une grimace.

— Je ne sais pas, avait-il dit. D'ici, je ne distingue pas son visage.

Une femme s'était présentée, avait dit Catherine Peyrolles. Elle avait prétendu être envoyée par un collègue de lycée, Denis Beaumont, qui avait disparu depuis une semaine et dont tous les professeurs pensaient qu'il avait été arrêté. Beaumont s'en prenait ouvertement, dans ses cours d'histoire, au nazisme, à Pétain, à la Milice. Il distribuait aux autres enseignants des journaux clandestins, une revue, *Les*

Cahiers politiques, que dirigeait l'historien Marc Bloch dont il avait été le condisciple. Mais, selon Catherine, Denis Beaumont n'appartenait à aucun réseau, et elle avait toujours pris la précaution de ne jamais se lier d'amitié avec lui, veillant à conserver sa réputation de pétainiste et d'anglophobe.

Cette femme avait donc sollicité Catherine afin qu'elle hébergeât Denis Beaumont qui s'était, à l'entendre, réfugié dans la clandestinité.

Catherine avait refusé. La visiteuse, avait-elle expliqué, ne pouvait être l'amie de Denis Beaumont, un homme austère, puritain. Elle était habillée de manière provocante, comme une prostituée.

— Je me suis demandé si ce n'était pas Sonia Barzine..., avait suggéré Bouvy.

Wenticht avait dû lancer toute une série de vérifications dans les quartiers proches de la Croix-Rousse, faisant visiter systématiquement les appartements de tous ceux qui avaient été en contact avec des gens repérés pour leurs sympathies envers la Résistance.

Sonia Barzine se livrait-elle à cette tâche ? Pourquoi pas ? Elle pouvait, du fait de sa beauté, de son allure, surprendre, peut-être séduire, en tout cas écarter le soupçon d'une démarche policière. Une femme comme elle, qui, sinon ceux qui étaient avertis, pouvait imaginer qu'elle était au service de la Gestapo et sans doute l'un de ses meilleurs agents ?

— Très belle, en effet, avait concédé Catherine.

Bouvy avait répété qu'il n'avait pu, en la voyant s'éloigner dans la rue, conclure à cent pour cent qu'il s'agissait de Sonia Barzine. Mais c'était sans conteste une femme élégante.

— Je ne dirais pas une prostituée, avait-il ajouté, tourné vers Catherine Peyrolles, mais une excentrique. Est-il si sûr qu'un professeur, même réservé, ne soit pas sensible au charme d'une femme comme celle-là ?

Catherine avait haussé les épaules avec irritation, affirmant qu'elle connaissait bien Denis Beaumont.

— C'est un coup de semonce, avait murmuré Pierre Villars.

Il y avait des dispositions urgentes à prendre. Il fallait évacuer de l'appartement tous les documents, toutes les archives qui s'y trouvaient. On n'y tiendrait plus de réunions. Catherine Peyrolles devait passer dans la clandestinité et quitterait naturellement les lieux aussitôt.

Catherine s'était lentement assise, puis avait pris sa tête à deux mains. Villars s'était approché, expliquant qu'elle ne pouvait prendre le risque d'être arrêtée. Ce n'était peut-être qu'une fausse alerte. Ce Denis Beaumont avait peut-être réellement besoin d'aide. Mais ce n'était pas à Catherine de la lui fournir, et tout donnait d'ailleurs à penser que la démarche de la visiteuse n'avait été qu'un prétexte.

— Il faut partir, avait répété Villars.

— Catherine doit quitter Lyon, avait confirmé Thorenc.

Il avait parlé de François Vivien, l'abbé de Clermont-Ferrand, et de sa mère Laure Vivien, 2, rue du Marché, près de la cathédrale.

Puis, s'étant à son tour approché de Catherine Peyrolles, il lui avait caressé les cheveux, osant enfin, devant Villars et Bouvy, avouer ainsi ce qu'il éprouvait pour elle.

Elle lui avait pris la main et c'est elle qui l'avait rassuré :

— Ça ira très bien, avait-elle dit. J'ai beaucoup de livres à relire. Je vais même peut-être me mettre à écrire, et puis je partirai pour la Corse.

Elle avait demandé à Pierre Villars de lui préparer ce voyage. Les mouvements pouvaient bien faire ça pour elle, non ?

Après, il avait fallu sortir de l'appartement, affronter la rue et commencer à vivre des jours d'errance.

Thorenc avait couché deux nuits dans l'appartement de la rue de la Guillotière, situé en face de l'église Saint-Louis.

Puis ils avaient dû se séparer, se glisser dans la nuit, s'enfoncer sous des porches, pour voir s'entrouvrir une porte.

— Entrez vite ! murmurait une voix de femme.

Bouvy s'en était allé de son côté. Il reviendrait dans trois jours.

— Ne sortez pas, Thorenc !

On dormait dans une chambrette sans fenêtre. On n'échangeait que quelques mots avec les hôtes. Ils savaient que l'hospitalité qu'ils offraient risquait de leur coûter la vie.

Thorenc, lui, s'était senti coupable et s'étonnait de la désinvolture de Jacques Bouvy, du naturel avec lequel il pénétrait dans les appartements de ces inconnus qui avaient souhaité se rendre utiles à la Résistance.

— Ne faites pas cette tête-là, lui avait dit son compagnon. Ils sont comme nous : ils se battent, à leur manière.

Mais, chaque fois, l'émotion avait submergé Thorenc. Il lui avait été insupportable de penser que ces vies pouvaient être bouleversées, détruites du fait de sa présence, comme l'avaient déjà été celles de Léontine Barneron ou de Victor Garel.

Il avait ainsi refusé de dîner avec ceux qui l'accueillaient, restant recroquevillé dans la chambre qu'on lui avait octroyée. Il avait écouté les bruits domestiques, sursautant chaque fois qu'une porte s'ouvrait ou se refermait.

Un médecin, le docteur Étienne, l'avait accueilli dans un grand appartement du cours Gambetta. Thorenc avait tout de suite pensé au docteur Pierre Morlaix, à cette chaîne de dévouements, d'actes de courage et de patriotisme qui lui avaient permis jusque-là de survivre.

Ceux-là — Morlaix, Garel, Ambrosini, Barneron… — ne s'étaient pas souciés de la place qu'ils occuperaient après la Libération. Ils étaient les héros anonymes et désintéressés qui, au sein de la Résistance, ne pouvaient pas même imaginer que d'autres calculaient, se disputaient le pouvoir.

Il avait eu honte. Il avait pensé que, pour ceux-là, les humbles, les obscurs, les soutiers, il devait tout donner de lui-même. Et il avait craint de ne pas être digne de la confiance qu'ils lui faisaient.

Il n'avait pu s'empêcher de balbutier des remerciements au docteur Étienne, lequel s'était insurgé :

— Et moi, je dois aussi vous remercier ? Nous faisons chacun notre devoir, mon cher. Si nous ne nous battons pas en ce moment, alors que la nation a besoin de chaque Français, quand le ferons-nous ? C'est une question de morale et de fidélité. Nous devons cela à la patrie et à la République.

Ces mots qui résonnaient comme un roulement de tambour, le docteur Étienne les avait prononcés sans grandiloquence, sur un ton presque ironique.

— Mais il faudra que la France, après, soit différente, n'est-ce pas ? avait-il poursuivi. Si nous avons subi et fait tout cela pour retrouver nos cancrelats politiciens...

Il s'était interrompu, s'était approché de Thorenc, lui avait tout à coup saisi le poignet, lui prenant le pouls, exigeant d'examiner sa blessure.

— Vous, mon cher, il faut vous sortir de là, prendre du repos. Sinon, vous allez crever, et pour rien !

C'est ce jour-là que Thorenc s'était effondré, tout à coup incapable de masquer son désarroi, en ayant l'impression qu'il ne pourrait plus tenir debout.

Le docteur Étienne l'avait couché, et, après trois jours de repos complet, Bouvy avait décidé de le conduire sur le plateau, chez les Ambrosini.

C'était le printemps, des fleurs blanches et jaunes se balançaient au bord des routes, et parfois un coup de mistral les ployait, faisant voleter les pétales, repoussant loin vers le sud quelques nuages attardés et peignant à grandes rafales le ciel en bleu immaculé.

42.

Thorenc s'est assis sur les éboulis, le dos appuyé à la roche blanche de la falaise. Il sent la chaleur que le soleil, depuis l'aube, a infiltrée peu à peu dans le calcaire, se diffuser dans ses épaules avant de rayonner lentement dans tout son corps.

Il étend ses jambes.

Malgré la douleur qui, par saccades, le transperce, il déplie son bras gauche.

Il veut atteindre ce feuillet qu'il a posé sur ses cuisses et qu'il tient avec sa main droite pour empêcher le vent de l'emporter. Mais il faut que ce soit sa main gauche, celle du bras blessé, qui le touche, le retienne.

Il y parvient enfin et se sent aussitôt plus calme, rassuré, comme s'il avait remporté une grande victoire et que la route qu'il gravissait, souffrant, peinant, s'ouvrait enfin, droite, devant lui.

Peut-être a-t-il une nouvelle fois échappé aux eaux mortes ?

Il l'a pensé, hier, quand il a vu s'avancer sur l'aire Pierre Villars accompagné d'un homme de petite taille, boitillant, dont la silhouette lui a été aussitôt familière.

Il a reconnu Joseph Minaudi, amaigri, le visage creusé de cicatrices comme si sa peau avait été labourée à coups de griffes.

Bertrand est sorti de la ferme Ambrosini, a fait quelques pas, puis a levé son bras droit, et Minaudi a souri, exhibant ses dents cassées.

Ils sont restés l'un en face de l'autre. Villars a expliqué qu'il avait rencontré Minaudi à Paris, qu'avec l'accord de Moulin ils avaient décidé d'en faire le conseiller militaire du maquis du haut plateau de Dieulevoye dont José Salgado demeurait le chef.

— Vous vous connaissez, je crois, avait souligné Villars.

Minaudi avait fait un pas et Thorenc, de son bras valide, l'avait serré contre lui.

— Je suis sorti du cercueil, avait-il dit.

Thorenc avait tressailli en écoutant ce filet de voix aigu, comme ébréché.

Minaudi avait dénoué l'écharpe qui lui entourait le cou. Et Thorenc avait vu ce bourrelet de chair rosé qui, à la hauteur de la glotte, ressemblait à une cordelette serrée.

— Vous vous souvenez de Marseille ? Les gens de Dossi étaient des amateurs. Quand les nazis m'ont pris en main, j'ai pensé que je ne pourrais pas leur résister. Que mon corps leur parlerait, même si je voulais me taire. Alors…

Il avait effleuré du doigt sa cicatrice.

— Je me suis tranché la gorge, et quand j'ai senti le sang couler, ça a fait un drôle de bruit, comme une bouteille qu'on vide. Je me suis endormi, pareil à un bébé tranquille. Ils ne pouvaient plus rien contre moi. Ils m'ont cru mort. Ils m'ont couché parmi les morts. Mais des médecins m'ont sorti de la morgue, opéré, sauvé. Ils m'ont placé dans un cercueil et c'est ce qui a été le plus dur à supporter. Mais je suis là, encore une fois à vos côtés, capitaine !

Thorenc lui avait à nouveau donné l'accolade. L'arrivée de Joseph Minaudi lui semblait prouver que l'on pouvait même revenir de la mort, et qu'ils iraient ensemble au bout de cette guerre commencée dans la forêt des Ardennes en mai 1940.

Ils s'étaient assis autour de la table. Julia Ambrosini leur avait servi ce ragoût de haricots blancs que, jusqu'alors, Thorenc n'avait pu se résoudre à avaler.

Tout à coup, il avait eu faim.

Gaston Ambrosini avait rempli leurs verres d'un vin âpre dont il disait qu'il brûlait le sang mauvais.

Thorenc avait bu et Pierre Villars, d'une voix de plus en plus sonore, avait raconté qu'il avait assisté à Paris, aux côtés de Max, à la première réunion du Conseil national de la Résistance.

Il avait lui-même accompagné chacun des seize participants à cet appartement du premier étage du 48, rue du Four, où Max les attendait. Les volets étaient tirés et il avait fait chaud, ce jeudi 27 mai 1943.

Les chefs de Combat avait d'abord déclaré qu'ils n'assisteraient pas à la réunion, qu'ils étaient « meurtris et révoltés » par les méthodes de Max, mais, à la fin, ils n'avaient pas osé rompre.

— Max a réussi ! s'était exclamé Pierre Villars.

Rue du Four, ç'avait été un moment solennel, les représentants de tous les mouvements et des différents partis politiques votant à l'unanimité un texte stipulant qu'en ces jours où se jouait le destin du pays, il fallait d'abord faire la guerre, rendre la parole au peuple français, rétablir les libertés républicaines, et naturellement travailler avec les Alliés.

Villars avait frappé la table avec la paume de sa main gauche cependant que sa main droite levait son verre.

Ce n'était plus une fraction de la Résistance, tel ou tel mouvement qui négocierait avec les Américains et les Anglais, comme cela s'était produit au cours des dernières semaines, mais bel et bien la France souveraine, rassemblée derrière de Gaulle, recouvrant sa dignité et son indépendance, voulant être traitée en égale.

— Giraud se soumettra, avait-il conclu. Il faudra bien qu'il accepte, comme tous les autres, de Gaulle pour chef politique.

— Il faut passer à l'offensive ! avait clamé Minaudi.

Et sa voix altérée avait rappelé les souffrances et les périls traversés.

Ils étaient sortis sur l'aire, rejoints par José Salgado que Thorenc n'avait jamais vu aussi joyeux.

L'Espagnol avait entraîné Minaudi, l'obligeant à tourner sur lui-même, à danser, montrant le ciel nocturne si clair, les étoiles si proches…

Il avait entonné plusieurs chansons de la guerre civile, puis avait dit, le poing levé :

— Nous sommes comme un os en travers de leur gorge. Ils vont crever, camarades ! Alors nous serons libres…¡ *No pasarán !*

Ils avaient encore bu, puis Minaudi et Salgado avaient décidé de rejoindre les grottes du haut plateau où étaient maintenant cantonnés une centaine de jeunes hommes.

— Il nous faut des armes ! avait lancé Salgado.

Pierre Villars avait promis.

La tête lourde, Thorenc était rentré dans la ferme et s'était laissé tomber sur le banc, s'appuyant des deux coudes sur la table.

Villars était venu s'asseoir en face de lui.

Il avait semblé à Bertrand qu'il s'agissait déjà d'un autre homme ; le visage préoccupé, il expliqua que la réunion du CNR, le 27 mai, avait constitué une étape décisive, mais que rien, en fait, n'était encore réglé.

Les yeux mi-clos, Thorenc avait haussé les épaules. Il avait des pensées hésitantes. On ne réglait jamais rien, avait-il marmonné.

— Les Allemands sont perdus, avait repris Villars. Mais ils peuvent encore nous écraser.

La Gestapo avait fait parvenir à Berlin, à Kaltenbrunner, chef de la Sicherheitspolizei, un rapport décrivant parfaitement les mouvements de Résistance et identifiant leurs chefs.

— Wenticht ne vous a pas menti, Thorenc, avait ajouté Pierre Villars. Max sait qu'il est en danger. Nous sommes tous à la merci d'une dénonciation, d'un mauvais hasard. Le contre-espionnage allemand a reconstitué, à quelques rouages près, toute notre organisation. Je crois que nous allons payer très cher notre réussite.

Villars s'était levé, s'appuyant des deux mains à la table.

— Et, malgré les apparences, nous ne sommes pas unis. Les communistes jouent leur jeu, tout comme l'Organisation de résistance de l'armée ou les gens de Combat. Il va falloir serrer les dents, Thorenc, je sens cela !

371

Il avait fouillé dans sa poche, sorti un feuillet qu'il avait posé sur la table, et Thorenc n'avait plus vu que ces lignes noires, ces mots tracés d'une écriture penchée.

Aussitôt, la brume qui lui couvrait les yeux et qui avait envahi son esprit s'était dissipée, comme chassée par le grand vent du souvenir.

Il avait reconnu l'écriture de Catherine Peyrolles.

Il n'avait pas avancé la main pour s'emparer du papier. Il s'était au contraire tassé sur le banc, et, dévisageant Villars, il avait eu la certitude que celui-ci se taisait à dessein, jouait avec lui, avec son impatience.

— Vous savez qui j'ai rencontré ? avait-il enfin demandé.

Bertrand était demeuré immobile et silencieux.

— Vous n'imaginez pas ?

Villars s'était éloigné de quelques pas.

— Catherine Peyrolles, Thorenc. Mais oui, votre Catherine ! Elle est arrivée sans encombre à Clermont-Ferrand, chez votre prêtre. Elle s'y trouve parfaitement bien. Je crois qu'elle ne veut plus se rendre en Corse.

Villars avait secoué la tête. Décidément, il ne comprendrait jamais rien à certains comportements, à ces changements d'idée, ces brusques revirements.

— Elle dit maintenant qu'elle veut rester ici, à nos côtés.

Il avait souri.

— À vos côtés, plutôt...

Elle avait recopié un poème de Robert Desnos qu'elle avait demandé à Villars de bien vouloir transmettre à Thorenc.

Villars s'était penché et avait poussé le feuillet vers ce dernier.

— Vous ne le lisez pas ? C'est pourtant un beau texte.

Thorenc avait enfin pris le feuillet et il lui avait semblé entendre la voix de Catherine lui murmurer :

Âgé de cent mille ans, j'aurais encore la force
De t'attendre, ô demain pressenti par l'espoir.
Le temps, vieillard souffrant de multiples entorses,
Peut gémir : le matin est neuf, neuf est le soir.

Elle lui disait qu'elle l'attendait.
Bertrand avait alors eu envie de vivre.

Demain matin, il monterait sur le haut plateau, il marcherait le long des rives du lac Noir. Il verrait les jeunes hommes du maquis.

Il leur lirait ces autres mots de Desnos que Catherine avait calligraphiés au dos du feuillet :

Et des millions de Français se préparent dans l'ombre à la besogne que l'aube proche leur imposera
Car ces cœurs qui haïssaient la guerre battaient pour la liberté au rythme même des saisons et des marées, du jour et de la nuit...

43.

Thorenc s'arrête au bord de la falaise.

Il regarde la sombre marée de la nuit sur laquelle glisse parfois une lueur lointaine et fugace.

Il hésite.

Il est tenté de s'asseoir. Sa jambe gauche est encore douloureuse. Il craint d'être tout à coup paralysé par une crampe.

Il marche déjà depuis plusieurs heures sur le haut plateau de Dieulevoye.

Il a quitté la ferme Ambrosini au moment où, une nouvelle fois, Jacques Bouvy, parlant tête baissée, d'une voix hachée où se mêlaient colère et amertume, avait répété :

— Max n'aurait jamais été pris s'il n'avait pas été trahi. Quelqu'un l'a livré !

Bouvy s'était frappé du poing la poitrine.

— L'un des nôtres, Thorenc, un homme ou une femme que nous aimions, pour qui nous aurions donné notre vie...

Il avait secoué la tête, fermé les yeux :

— Max le prévoyait. Si vous l'aviez vu, Thorenc, il était devenu un homme différent, surtout ces dernières semaines. Depuis l'arrestation du général Delestraint. Il a pensé que ça allait être son tour : puisqu'on avait vendu Delestraint, on allait s'attaquer à lui. Parce qu'il ne s'agissait évidemment pas d'une trahison quelconque, du bavardage d'un petit lâche ; non, c'était une opération politique méditée, la contre-offensive de ceux qui avaient accepté seulement du bout des lèvres la création du Conseil national de la Résistance...

Bouvy avait plongé la main dans sa poche d'un geste nerveux.

Il avait murmuré qu'il avait violé toutes les règles de sécurité, mais qu'il avait tenu à conserver le texte de ce message — il avait agité un petit carré de papier — et qu'après tout, au point où on en était, ça n'avait plus guère d'importance...

— Max m'a fait transmettre ça, à Londres, quand il a appris l'arrestation de Delestraint, avait-il expliqué. C'était destiné à de Gaulle personnellement. Si vous ne sentez pas le désespoir suinter à chaque mot, je veux bien être damné !

Il avait commencé à lire :

— « Notre guerre à nous aussi est rude. J'ai le triste devoir de vous annoncer l'arrestation par la Gestapo, à Paris, de notre cher Vidal (Delestraint, bien sûr...). Les circonstances ? Une souricière dans laquelle il est tombé avec quelques-uns de ses nouveaux collaborateurs... Permettez-moi d'exhaler ma mauvaise humeur, l'abandon dans lequel Londres nous a laissés en ce qui concerne l'Armée secrète. Vidal s'est trop exposé, il a trop payé de sa personne... »

Bouvy avait déchiré le papier en menus morceaux, puis s'était levé et était resté longtemps appuyé à la cheminée, à regarder se consumer le message qu'il venait de disperser au-dessus des flammes.

Puis il était retourné s'asseoir en face de Thorenc et du docteur Étienne qui l'avaient suivi des yeux.

— Je ne le reconnaissais plus, avait-il repris. Son visage exprimait la douleur, le désespoir. Ce n'était plus le Max indestructible que nous avions côtoyé. Il avait les traits creusés. Il faisait toujours montre de cette énergie, de cette volonté capables d'entraîner, mais, voulez-vous que je vous dise, c'était comme un dernier spasme... Il m'a confié à plusieurs reprises qu'il avait la certitude que les Allemands et les policiers de Vichy étaient sur ses traces, qu'ils disposaient de sa photo, qu'ils n'ignoraient rien de sa véritable identité, de ses fonctions. Et cela, parce que quelqu'un ou bien un groupe les renseignait, avait peut-être passé avec eux un véritable pacte. Max était persuadé qu'il existait des liens occultes entre certains agents de l'Abwehr et tels ou tels chefs de la Résistance. Des anciens de la Cagoule, proches de Laval et de Pétain, servaient d'intermédiaires. Mais, parfois, c'étaient d'anciens socialistes ralliés à Déat ou à Doriot, ou des gens qui, avant la guerre, étaient d'extrême gauche, mais avaient créé avec l'appui des nazis un Mouvement social révolutionnaire. Tous ces gens-là avaient la hantise d'un complot communiste et étaient persuadés que Max et, derrière lui, de Gaulle allaient le favoriser en laissant les communistes s'emparer des leviers de la Résistance.

Bouvy s'était pris la tête à deux mains. Pendant plusieurs minutes, il avait marmonné des injures entremêlées d'exclamations, de lamentations.

— Moulin communiste ? Les cons ! Il avait limité l'influence du PC partout où il avait pu. Il avait même transmis à Londres un message dans lequel il expliquait que Joseph Darnand, oui, ce salopard, demandait une nouvelle fois à passer à Londres. Max, vous le savez, Thorenc, était un grand politique qui n'avait qu'un seul but : unifier toutes les forces derrière de Gaulle, pour la libération du pays ! Mais allez faire comprendre cela à des esprits médiocres, jaloux, vaniteux, habités d'ambitions étroites, inspirés par l'esprit de clan ! Ces gens-là ne supportaient pas Moulin, sa grandeur, sa largeur de vues, et ils nourrissent la même haine envers de Gaulle !

Il avait tendu l'index vers Thorenc :

— Max détenait la preuve de leur trahison. Il n'avait pas identifié les traîtres, mais je crois qu'il avait des soupçons. Et il savait qu'on cherchait à l'abattre de l'intérieur de la Résistance. Certains ne faisaient le voyage à Londres que pour demander sa tête et celle de Delestraint à de Gaulle, à Passy ou à Brossolette. Ils étaient prêts à tout pour se débarrasser de lui et du chef de l'Armée secrète. Un message que Max avait expédié à Londres avait été déposé quarante-huit heures plus tard, en clair, sur les bureaux de Wenticht et de Barbie ! La Gestapo s'était donc introduite jusqu'au cœur de la Résistance ! Mais on lui avait ouvert les portes. Max, quand il l'avait appris, avait dit : « De toute façon, je suis un mort en sursis depuis le 17 juin 1940. »

Thorenc s'était souvenu de la voix de Wenticht qui, au cours de son interrogatoire, lui avait déjà rapporté ce propos de Moulin.

Il en avait été accablé.

La Gestapo avait donc réussi.

Ils avaient pris le général Delestraint et deux membres de l'état-major de l'Armée secrète, le 9 juin, à Paris.

Et le 21, ils avaient arrêté Max dans la maison du docteur Dugoujon, à Caluire.

Combien de temps pourraient-ils résister aux tortures ?

Thorenc avait d'abord écouté avec effroi les récits croisés de Bouvy et du docteur Étienne, l'un et l'autre arrivés la veille à la ferme Ambrosini.

Le docteur avait été l'un des premiers à apprendre la nouvelle de l'arrestation de Max et de plusieurs chefs de la Résistance.

Il s'était rendu, comme il le faisait chaque lundi, chez son confrère Dugoujon, à Caluire.

Arrivé sur la place Castellane, il avait aperçu des Allemands en veste de cuir poussant à bord de leurs voitures des hommes aux mains menottées dans le dos. Parmi eux, le docteur Dugoujon.

Étienne était entré dans l'hôtel de ville situé non loin de la place, il avait traîné, erré d'un bureau à l'autre, puis, après avoir laissé passer plusieurs minutes, il était revenu vers la maison de Dugoujon.

La place Castellane était à présent déserte. La porte du domicile de son collègue battait. Le docteur Étienne avait remarqué, à la croisée de la montée de Castellane et de la montée Victor-Hugo, un cantonnier qui, immobile, appuyé au manche de sa pelle, paraissait attendre, figé, comme fasciné. Étienne s'était approché de lui, lui avait offert une cigarette et avait entrepris de l'interroger. L'homme s'était tout à coup exprimé avec une sorte de frénésie.

Il avait vu arriver vers quatorze heures quarante-cinq les trois voitures noires, peut-être quatre, il ne savait déjà plus. Des hommes, au moins une dizaine, en avaient bondi. Ils étaient armés de mitraillettes, de revolvers. Ils portaient des vestes de cuir. Il avait tout de suite pensé que c'était la Gestapo. Le docteur Dugoujon avait un frère milicien, mais lui, on savait ce qu'il pensait. Il recevait souvent de drôles de malades.

Soudain, un jeune homme blond était sorti de la villa en courant, bousculant les Allemands. Il n'avait pas de menottes. Il avait réussi à s'enfuir, empruntant la monté de Castellane, puis se cachant dans le fossé, là — le cantonnier avait montré les hautes herbes. Les Allemands l'avaient poursuivi, ouvrant le feu, mais...

— Le cantonnier, avait ajouté le docteur Étienne en fixant Bouvy et Thorenc, vous savez quel a été son commentaire ? « Ils sont bien naïfs, ces Allemands, vraiment, je ne l'aurais pas cru ! Ils sont venus jusque-là. Le type était à leurs pieds, dans le fossé, et ils n'ont même pas regardé. Ils ont tiré sur le mur. Ils ont peut-être cru qu'il était passé de l'autre côté, dans la propriété. Des naïfs ! Pour des gens de la Gestapo, c'est plutôt étonnant, non ? »

Bouvy avait frappé du poing sur la table. Il s'était indigné. Peu auparavant, il avait proposé de protéger la réunion avec quelques hommes des corps francs qui se seraient disposés sur la place ou dans le jardin entourant la maison du docteur Dugoujon. Les Allemands n'étaient qu'une dizaine. Il aurait été facile, à quatre ou cinq, de les repousser. Mais on avait rejeté sa suggestion.

— Pourquoi ? Pourquoi ? avait-il crié.

Il avait d'abord prononcé les mots d'inconscience, de faute lourde, de négligence criminelle, puis, plus bas, ceux de trahison, de piège tendu à Max.

— Vous savez, Thorenc, ce que certains pensaient de Max et du CNR. Vous n'ignorez pas ce qu'ils disaient : que Moulin voulait faire main basse sur l'Armée secrète et la

Résistance. Ces petits chefs, ces féodaux, ces giraudistes, ces ennemis de De Gaulle, en fait, ont maintenant le terrain dégagé. Ils ne voulaient pas de Delestraint, ils haïssaient Max : eh bien, les Allemands ont fait le travail !

Bouvy s'était dressé, avait marché à travers la pièce, donnant brusquement un coup de pied dans le tas de bûches empilées à droite de la cheminée.

— Et on les a renseignés pour leur permettre de réussir ce travail-là. Voilà ce que je pense !

Thorenc avait d'abord essayé de raisonner Bouvy. Ces accusations étaient excessives, lui avait-il remontré. Le Conseil national de la Résistance réunissait toutes les tendances et tous les partis. Il avait pris position en faveur de De Gaulle, et celui-ci était arrivé à Alger où Giraud et les Américains avaient bien dû l'accepter. Et Giraud, inéluctablement, même s'il était avec lui coprésident du Comité français de Libération nationale, allait être écrasé par la personnalité du Général qui avait désormais derrière lui toute l'opinion française.

— Max, Delestraint, les autres ont été pris parce que c'est notre destin, dans cette guerre clandestine, d'être un jour arrêté, avait déclaré Thorenc. On ne meurt pas plus qu'en première ligne. C'est simplement un peu plus douloureux…

Bertrand avait essayé de continuer à parler le langage de la raison. La partie entre Allemands et résistants était inégale, avait-il expliqué. La Gestapo et ses complices français agissaient avec toutes les facilités que confèrent la force et la loi, même si celle-ci est contestée et illégitime. Et puis, ils disposaient de l'immense pouvoir de la barbarie. Ils faisaient le Mal, ils l'incarnaient : c'étaient eux, les terroristes, personne ne l'ignorait. On cédait donc à leur chantage parce qu'on les savait sans remord ni scrupule. Ils crevaient les yeux des enfants et noyaient leurs mères dans des baignoires remplies d'excréments. Comment certains auraient-ils pu ne pas céder ?

— Vous l'avez dit vous-même, Bouvy, avait-il souligné.

Ce dernier avait baissé la tête.

Et puis, avait repris Thorenc, il y avait — pourquoi le nier ? — les ambitions des uns, les jalousies des autres, les rivalités pour le pouvoir qui, de tous temps, divisent les hommes.

Il avait écarté les deux mains.

Au fond, avait-il ajouté, mieux valait peut-être ne pas chercher à connaître les responsables de ces arrestations, ne pas s'interroger sur les circonstances, essayer de continuer sans Delestraint, sans Max, comme font les mutilés quand on leur a coupé un bras ; serrer les dents, avancer tout en sachant qu'une partie de l'histoire de la Résistance venait de s'achever, sans doute la plus glorieuse...

— Nous sommes le peuple de la nuit, avait-il ajouté. Laissons-la nous protéger ! Plus tard, après, quand la paix sera revenue, les historiens, s'ils le veulent, chercheront à savoir...

Le docteur Étienne s'était dressé d'un coup, le visage contre celui de Thorenc.

— Inacceptable ! avait-il hurlé. Je connais Dugoujon depuis vingt ans, depuis la faculté. C'est un homme admirable, aussi modeste qu'héroïque. Je ne peux admettre qu'on ne cherche pas à savoir dès maintenant !

Thorenc avait murmuré qu'il avait rencontré Dugoujon, qu'il avait même participé à une réunion chez lui, à Caluire, avec Philippe Villars et René Hardy.

Il s'était interrompu, interrogeant Bouvy du regard.

— Philippe Villars n'a pas été pris, avait marmonné celui-ci. Et l'on dit que Hardy est l'homme qui a réussi à s'enfuir.

— Si vous ne nettoyez pas une plaie, avait repris Étienne, c'est la gangrène, la septicémie. Vous entendez, Thorenc ? Il faut à coups de scalpel inciser, trancher. Ce René Hardy qui s'est échappé dans ces circonstances, vous trouvez ça normal ?

— Je me suis enfui, moi aussi, avait répondu Thorenc. J'ai réussi plusieurs fois à leur échapper. Ça n'était jamais normal et c'était donc chaque fois suspect.

Bouvy était revenu s'asseoir. Il paraissait avoir recouvré son calme. Les mains posées bien à plat sur la table, il avait commencé à parler d'une voix étouffée, presque dans un chuchotement, racontant qu'avec Max et Pierre Villars, ils avaient souvent comploté pour éliminer certains chefs de la Résistance, des fondateurs de réseaux et de mouvements, certes, mais qui étaient restés englués dans les méthodes et l'état d'esprit des années 40-41, et parce que les choses avaient changé, qu'il fallait des hommes neufs, plus jeunes. Naturellement, ceux qu'on avait cherché à écarter se défendaient de leur mieux...

— Vous savez ce que m'a dit l'un d'eux ? avait interrogé Bouvy. « Au point où nous en sommes arrivés, les représailles sont normales. »

Thorenc n'a plus pu écouter.

Il s'est levé et a traversé l'aire à grands pas. Il ne s'est pas retourné quand Bouvy et le docteur Étienne l'ont rappelé.

Il a marché en enfonçant son talon dans le sol avec hargne comme s'il voulait y enfouir les mots qu'il venait d'entendre.

Il est monté jusqu'au lac Noir. Il a d'abord aperçu, entre des blocs de rochers, au pied des falaises, les flammes des foyers autour desquels les jeunes hommes du maquis du haut plateau de Dieulevoye se rassemblaient chaque nuit.

Il fait doux, en ce dernier jour de juin 1943. Un vent léger, comme une brise de mer, monte de la vallée et des plaines de la Durance.

Puis, se rapprochant des grottes et des feux, Thorenc entend, murmuré, ce chant que, depuis quelques semaines, Radio Londres diffuse et dont, sans qu'il l'ait voulu, il a retenu la mélodie simple et les paroles pétries à pleines mains :

> *Ami, entends-tu*
> *Le vol noir des corbeaux*
> *Sur nos plaines,*
> *Ami, entends-tu*
> *Le cri sourd du pays*
> *Qu'on enchaîne ?*

Il marche encore vers les falaises, et les voix se font plus fortes :

> *Ohé, partisan,*
> *Ouvrier et paysan*
> *C'est l'alarme*
> *Sortez de la paille*
> *Les fusils, la mitraille,*
> *Les grenades*

Ohé, les tueurs
À la balle et au couteau,
Tuez vite…

Puis, au fur et à mesure qu'il gravit le sentier, les voix s'éloignent et s'estompent.

Il a maintenant l'impression d'être seul dans la nuit.

Il essaie de lever son bras gauche et, malgré la douleur, il le tend comme s'il voulait toucher du doigt le ciel clair, constellé.

Il est parvenu au bord de la falaise. Il s'arrête. Il craint, s'il s'assoit face au vide, d'être à nouveau envahi par les eaux mortes, par ces mots de *trahison,* d'*ambition,* qui sont comme le pus infectant toutes les actions humaines. C'est la gangrène noire qui, à la fin, si souvent l'emporte !

Il cherche à ne plus penser à cela. Il ne veut pas imaginer le visage de Max déchiré, son pauvre corps strié de coups, brisé, la mort qui va le prendre dans la douleur la plus lente, comme une crucifixion au cours de laquelle jamais on ne s'arrêterait de planter des clous, où personne ne viendrait interrompre l'agonie.

Il marche.

Il ne veut pas non plus penser à ceux qui ont livré Max, Delestraint et les autres compagnons de lutte, à ceux qui se réjouissent de cette circonstance qui va leur permettre de placer leurs hommes, d'espérer ainsi conquérir le pouvoir.

Il redescend vers le lac Noir.

Les voix surgissent à nouveau de la nuit en même temps que jaillissent les étincelles des foyers, lucioles dorées au-dessus des rochers.

Thorenc entend :

Sifflez, compagnons,
Dans la nuit, la liberté
Nous écoute...

Entre les falaises, l'écho des voix se prolonge.

Table

DU MÊME AUTEUR

ROMANS

Le Cortège des vainqueurs, Robert Laffont, 1972.
Un pas vers la mer, Robert Laffont, 1973.
L'Oiseau des origines, Robert Laffont, 1974.
Que sont les siècles pour la mer, Robert Laffont, 1977.
Une affaire intime, Robert Laffont, 1979.
France, Grasset, 1980 (et Le Livre de Poche).
Un crime très ordinaire, Grasset, 1982 (et Le Livre de Poche).
La Demeure des puissants, Grasset, 1983 (et Le Livre de Poche).
Le Beau Rivage, Grasset, 1985 (et Le Livre de Poche).
Belle Époque, Grasset, 1986 (et Le Livre de Poche).
La Route Napoléon, Robert Laffont, 1987 (et Le Livre de Poche).
Une affaire publique, Robert Laffont, 1989 (et Le Livre de Poche).
Le Regard des femmes, Robert Laffont, 1991 (et Le Livre de Poche).

SUITES ROMANESQUES

La Baie des Anges :
  I. *La Baie des Anges*, Robert Laffont, 1975 (et Pocket).
 II. *Le Palais des Fêtes*, Robert Laffont, 1976 (et Pocket).
III. *La Promenade des Anglais*, Robert Laffont, 1976 (et Pocket).
    (Parue en 1 volume dans la coll. « Bouquins », Robert Laffont, 1998.)

Les hommes naissent tous le même jour :
  I. *Aurore*, Robert Laffont, 1978.
 II. *Crépuscule*, Robert Laffont, 1979.

La Machinerie humaine :
• *La Fontaine des Innocents*, Fayard, 1992 (et le Livre de Poche).
• *L'Amour au temps des solitudes*, Fayard, 1992 (et le Livre de Poche).
• *Les Rois sans visage*, Fayard, 1994 (et le Livre de Poche).
• *Le Condottiere*, Fayard, 1994 (et le Livre de Poche).
• *Le Fils de Klara H.*, Fayard, 1995 (et le Livre de Poche).
• *L'Ambitieuse*, Fayard, 1995 (et le Livre de Poche).
• *La Part de Dieu*, Fayard, 1996 (et le Livre de Poche).

- *Le Faiseur d'or*, Fayard, 1996 (et le Livre de Poche).
- *La Femme derrière le miroir*, Fayard, 1997 (et le Livre de Poche).
- *Le Jardin des Oliviers*, Fayard, 1999.

Bleu, Blanc, Rouge :
   I. *Mariella*, Éditions XO, 2000.
   II. *Mathilde*, Éditions XO, 2000.
   III. *Sarah*, Éditions XO, 2000.

Les Patriotes :
   I. *L'Ombre et la Nuit*, Fayard, 2000.
   II. *La Flamme ne s'éteindra pas*, Fayard, 2000.
   III. *Le Prix du sang*, Fayard, 2001.
   IV. *Dans l'Honneur et par la Victoire*, Fayard (à paraître en mai 2001).

POLITIQUE-FICTION

La Grande Peur de 1989, Robert Laffont, 1966.
Guerre des gangs à Golf-City, Robert Laffont, 1991.

HISTOIRE, ESSAIS

L'Italie de Mussolini, Librairie Académique Perrin, 1964, 1982 (et Marabout).
L'Affaire d'Éthiopie, Le Centurion, 1967.
Gauchisme, Réformisme et Révolution, Robert Laffont, 1968.
Histoire de l'Espagne franquiste, Robet Laffont, 1969.
Cinquième colonne, 1939-1940, Plon, 1970 et 1980, Éditions Complexe, 1984.
Tombeau pour la Commune, Robert Laffont, 1971.
La Nuit des Longs Couteaux, Robert Laffont, 1971.
La Mafia, mythe et réalités, Seghers, 1972.
L'Affiche, miroir de l'Histoire, Robert Laffont, 1973, 1989.
Le Pouvoir à vif, Robert Laffont, 1978.
Le XXe siècle, Librairie Académique Perrin, 1979.
La Troisième Alliance, Fayard, 1984.
Les idées décident de tout, Galilée, 1984.
Lettre ouverte à Robespierre sur les nouveaux Muscadins, Albin Michel, 1986.
Que passe la Justice du Roi, Robert Laffont, 1987.
Les Clés de l'histoire contemporaine, Robert Laffont, 1989.
Manifeste pour une fin de siècle obscure, Odile Jacob, 1989.

La gauche est morte, vive la gauche, Odile Jacob, 1990.

L'Europe contre l'Europe, Le Rocher, 1992.

Jè. Histoire modeste et héroïque d'un homme qui croyait aux lendemains qui chantent, Stock, 1994.

L'Amour de la France expliqué à mon fils, Le Seuil, 1999.

BIOGRAPHIES

Maximilien Robespierre, histoire d'une solitude, Librairie Académique Perrin, 1968 (et Pocket).

Garibaldi, la force d'un destin, Fayard, 1982.

Le Grand Jaurès, Robert Laffont, 1984 et 1994 (et Pocket).

Jules Vallès, Robert Laffont, 1988.

Une femme rebelle. Vie et mort de Rosa Luxemburg, Fayard, 2000.

Napoléon :
I. *Le Chant du départ,* Robert Laffont, 1997 (et Pocket).
II. *Le Soleil d'Austerlitz,* Robert Laffont, 1997 (et Pocket).
III. *L'Empereur des Rois,* Robert Laffont, 1997 (et Pocket).
IV. *L'Immortel de Sainte-Hélène,* Robert Laffont, 1997 (et Pocket).

De Gaulle :
I. *L'Appel du destin,* Robert Laffont, 1998 (et Pocket).
II. *La Solitude du combattant,* Robert Laffont, 1998 (et Pocket).
III. *Le Premier des Français,* Robert Laffont, 1998 (et Pocket).
IV. *La Statue du Commandeur,* Robert Laffont, 1998 (et Pocket).

CONTE

La Bague magique, Casterman, 1981.

EN COLLABORATION

Au nom de tous les miens, de Martin Gray, Robert Laffont, 1971 (et Pocket).

Achevé de composer
par
P.P.C.
75017 Paris

Impression réalisée sur CAMERON par

BRODARD & TAUPIN

GROUPE CPI

La Flèche

*pour le compte des Éditions Fayard
en mars 2001*